MOEWIG
SCIENCE FICTION

D0718659

Zum Buch

Tula ist eine perfekte Welt, ein Utopia im All, eine Welt, die weder Verbrechen noch Konflikte kennt – bis ein einziger Asassine, ein schattenhafter Mann, den Terror in dieses Utopia trägt. Jonal Cassel, ein mutiger tulanischer Reformer, den diese Entwicklung aus der Bahn wirft, begibt sich, von Rachegedanken getrieben, auf die erbarmungslose Jagd nach dem zerstörenden Geheimnis. Was ihn erwartet, ist eine Odyssee, die Ursache tiefgreifender Veränderungen wird. Ferne Reiche in den Sternen sind davon betroffen, aber auch Cassell selbst, in dessen Geist sich eine fremde Existenz einnistet.

Zum Autor

Geo. W. Proctor ist ein amerikanischer Autor von SF-Kurzgeschichten und -Romanen, zugleich auch ein talentierter SF-Grafiker. Er lebt in Texas und war einige Jahre lang TV-Kameramann sowie Reporter einer großen Zeitung in Dallas, bevor er sich ganz der SF zuwandte. Sein erstes Buch war die 1976 erschienene, gemeinsam mit Steven Utley herausgegebene Anthologie *Lone Star Universe,* in der ausschließlich in Texas ansässige SF-Autoren vertreten waren. Sein erster Roman war der hier vorliegende Titel *Der Schattenmann.* Inzwischen sind zwei weitere Romane des Autors erschienen: *Fire at the Center* und *Starwings.* Geo. W. Proctor gilt als ein Autor, der sich darauf versteht, ungemein spannende Texte zu verfassen.

Geo W. Proctor
DER SCHATTEN-MANN

Herausgegeben von Hans Joachim Alpers

MOEWIG
Deutsche Erstausgabe

MOEWIG Band Nr. 3663
Moewig Taschenbuchverlag Rastatt

Für Lana. Danke, daß es Dich gibt.

Titel der Originalausgabe: Shadowman
Aus dem Amerikanischen von Ulrich Kiesow

Copyright © 1980 by Geo W. Proctor
Copyright © der deutschen Übersetzung 1985
by Arthur Moewig Verlag Taschenbuch GmbH, Rastatt
Umschlagillustration: UTOPROP
Umschlagentwurf und -gestaltung: Franz Wöllzenmüller, München
Redaktion: Hans Joachim Alpers
Verkaufspreis inkl. gesetzl. Mehrwertsteuer
Auslieferung in Österreich:
Pressegroßvertrieb Salzburg, Niederalm 300, A-5081 Anif
Printed in Germany 1985
Druck und Bindung: Elsnerdruck GmbH, Berlin
ISBN 3-8118-3663-3

1

Der Tod ging durch Tula.

Nicht Gevatter Tod, der hohläugige Schnitter mit seinem schwarzen Umhang und der Sense in den Knochenfingern, der eines Tages jeden Menschen heimsucht – nein, von ihm ist nicht die Rede. Ein anderer Tod ging durch Tula.

Der Tod als Phänomen war auf Tula so gut bekannt wie auf allen anderen Planeten. Man war mit ihm und all seinen Erscheinungsformen vertraut. Jener Tod jedoch, der sich einen Weg durch die dichte Menschenmenge auf der Vernunftallee bahnte, war den Bewohnern von Tula unbekannt. Die Bürgerschaftsverordneten und Zuschauer, die in den kuppelförmigen Sitzungssaal des Höchsten Rates drängten, erkannten ihn nicht. Dieser Tod war den Tulanern fremd; in den fünfzig Jahren, die Tula nun existierte, hatte man nie von ihm gehört. Es war der Tod in seiner perversesten Form, ein Sproß aus Kains Lenden: der Tod in der menschlichen Gestalt des gedungenen Mörders.

Er ging unbeschwert in der Menschenmenge vor dem Ratsgebäude umher. Zur Tarnung reichte ihm ein einziger Faktor: Daß ein Mensch einen anderen töten könnte, überstieg das Vorstellungsvermögen der Tulaner. Dennoch hatte der Mann das Abzeichen der Journalisten an sein Jackenrevers gesteckt. Eine übertriebene Vorsichtsmaßnahme, denn der Gedanke an ein solches Täuschungsmanöver war auf Tula ebenfalls unbekannt.

Der Mörder mit dem Decknamen Schwarzes Schaf lächelte, als er das Ratsgebäude betrat. Niemand überprüfte seine Personalien, niemand fragte nach dem Zweck seines Besuchs. Zum erstenmal in seiner langen Karriere als Berufsmörder fühlte er sich fast frei von der drückenden Last der Vorsicht.

Fast.

Fünfzig ähnliche Aufträge – so nannte er sie gern – hatten ihn gelehrt, daß die Vorsicht in seinem Gewerbe das wichtigste Handwerkszeug war. Auch auf diesem rätselhaften Planeten war sie notwendig, hier vielleicht noch mehr als anderswo. Wenn sich auch die Bewohner von Tula einen Mörder nicht vorstellen konnten, so fand es Schwarzes Schaf ebenso unmöglich, ihr Utopia zu begreifen: ein Planet des Friedens in einem Universum des Chaos und der Gewalt.

Er lehnte Tula und die einschläfernde Friedlichkeit, die den Planeten durchdrang, innerlich ab. Diese Welt schuf ein Gefühl falscher Sicherheit, das er haßte. Einen solchen Planeten konnte es gar nicht geben. Die Vorsicht mahnte ihn, daß sich unter der friedvollen Maskerade Tulas etwas verbarg, das seine Sinne nicht wahrnehmen konnten. So, wie sie es hier zu tun schienen, konnten Menschen nicht miteinander leben. Wenn es eine Lehre gab, die Schwarzes Schaf aus seinen fünfzig

Aufträgen gezogen hatte, dann war es die Einsicht in die kampfbetonte Natur des menschlichen Zusammenlebens.

Da es keinen wahrnehmbaren Grund zur Vorsicht gab, betrachtete Schwarzes Schaf seine Umgebung erst recht mit erhöhter Aufmerksamkeit. Seine Gedanken kreisten um den Sitzungssaal, die Menschenmenge und – den Auftrag.

Schwarzes Schaf durchquerte langsam den Saal. In der Mitte stand auf einer kleinen Bühne das Rednerpult. Es gab keinen Grund zur Eile. Das Unternehmen war auf die Sekunde genau, Einzelheit für Einzelheit, geplant. Jetzt konnte er sich gelassen geben, sich unter die Menge mischen. Hin und wieder wanderte sein Blick über die zwei Besuchergalerien, die an den Wänden entlangliefen. Über allem wölbte sich die gewaltige Kuppel, eine Konstruktion aus Stahl und Mauerwerk. Sehr wichtig waren die Laufstege, die in luftiger Höhe von der Kuppelmitte wie die Speichen eines Rades nach außen strebten.

Noch ein paarmal Nicken, Grüßen und Lächeln, und Schwarzes Schaf hatte das Rednerpult erreicht. Von seiner Umgebung unbemerkt, überprüfte er die zahllosen Mikrophonkabel, die am Pult zusammenliefen. Dem Plan gemäß war eines der Kabel nicht angeschlossen.

Der Mann ergriff das Kabel und zog gleichzeitig eine Klebebanderole aus der Hosentasche. Er riß einen Streifen von achtundsechzig Zentimeter Länge von der Rolle ab und klebte damit das Kabel auf der Pultverkleidung fest. Das Klebeband unterschied sich scheinbar nicht im geringsten von den Bändern, mit denen die anderen Kabel befestigt waren.

Schwarzes Schaf hatte nicht erwartet, daß ihn jemand bei diesem Teil seiner Unternehmung stören würde, und er hatte sich nicht getäuscht. Er kannte sein Metier, man mußte immer mit dem Unerwarteten rechnen. Das Explosivband auf der Podiumsverkleidung war seine Rückversicherung, falls der eigentliche Plan aus irgendeinem Grund scheitern sollte.

Schwarzes Schaf warf einen Blick auf die Armbanduhr, wandte sich vom Podium ab und tauchte in der Menge unter, die sich im Saal zusammendrängte. Genau zehn Minuten später stieß er die doppelflüglige Tür auf der Rückseite des Auditoriums auf. Nach kurzem Weg durch einen hell erleuchteten Korridor gelangte er zu einem Aufzug für Bedienstete. Er stieg ein, drückte auf den Knopf und fuhr hinauf zum technischen Wartungsbereich in der Etage über der zweiten Zuschauergalerie.

Oben angekommen, stieg er aus und zog einen eng zusammengefalteten Lageplan des Ratsgebäudes aus der Tasche. Schwarzes Schaf hielt sich peinlich genau an jedes Detail seiner strategischen Vorüberlegungen. Selten nur huschte sein Blick hinauf zu einem Türschild mit der Aufschrift KEIN ZUTRITT FÜR UNBEFUGTE und zu dem Mann im blauen Overall, der neben der Tür stand.

„Verdammt!" Schwarzes Schaf bemühte sich, seiner Stimme einen verärgerten Klang zu geben. Er blieb vor dem Mann stehen. „Ich habe mich verlaufen! Das Kamera-C-Team, zu dem ich gehöre, sollte jetzt auf Laufsteg 18Z sein, und ich kann die Burschen nicht finden!"

„Kein Problem." Der Mechaniker griff nach dem Grundrißplan. „Ich werde es Ihnen zeigen. Sie müssen den Gang noch ein Stück weiter hinuntergehen."

Der Finger des Mannes folgte dem Gangverlauf auf dem Plan. Schwarzes Schaf lauschte einen Moment lang den Erklärungen. Dabei sah er sich rasch nach allen Seiten um. Sie waren allein auf dem Gang, ganz so, wie es der Mörder erwartet hatte.

„Ah ja", sagte Schwarzes Schaf, „jetzt sehe ich, wo ich in diesem Irrgarten vom Weg abgekommen bin. Ach, könnten Sie mir noch einen Gefallen tun? Ich muß unbedingt wissen, wo der Wartungstunnel 12B liegt."

„Was für 'n Ding?" Der Mann beugte sein Gesicht tief über die blassen Linien des Lageplans.

Im gleichen Augenblick fischte Schwarzes Schaf einen dünnen silbernen Draht aus seinem Jackenärmel. Mit einer raschen Bewegung warf er die Schlinge über den Kopf seines Opfers.

Der Mechaniker wand sich, er kämpfte mit aller Kraft gegen den geflochtenen Draht, der ihm die Luftröhre abdrückte. Es war vergeblich.

Ein seltsames, fast orgasmusähnliches Gefühl durchströmte den Mörder. Der Erfolg war zum Greifen nahe.

Schwarzes Schaf zerrte den Leichnam in den Wartungsgang. Dort öffnete er einen Geräteschrank. Er stopfte den toten Körper hinein, nachdem er ihm den Overall ausgezogen hatte. Dann stieg Schwarzes Schaf selbst in das blaue Kleidungsstück und kehrte zu der Tür mit der Aufschrift KEIN ZUTRITT zurück. Hinter der Tür begann der Laufsteg. Schwarzes Schaf ließ seinen Blick über den Steg wandern. Auf halber Strecke zum Kuppelzentrum befand sich seine ausgewählte Stellung. Es war eine Scheinwerferplattform, von der aus das Rednerpult angestrahlt wurde. Mit vorgebeugtem Oberkörper hastete der Mörder zu der Plattform hinüber, dann ließ er sich hinter den Scheinwerfern fallen.

Zehn Minuten verstrichen. Die Lichter im Saal verlöschten, gleichzeitig flammten die Scheinwerfer auf und tauchten das Podium in grelles Licht. Die Menge unten verstummte, als der erste Redner das Wort ergriff.

Schwarzes Schaf achtete auf die Worte, die aus den Saallautsprechern drangen. Im Halbdunkel hinter den Scheinwerfern begann er mit seinen letzten Vorbereitungen. Er öffnete den langen Reißverschluß des Overalls und zog drei mattschwarze Gegenstände aus den Taschen seiner eigenen Kleidung. Behende fügten seine Finger Gewindegänge in Rillen ein, dann schraubte er die drei Teile zu einem Teil zusammen.

Ein verklärtes Lächeln spielte um die Lippen des Mörders, als er die leichtgewichtige Pistole hob. Die Ubra 470 hatte ihre Nachteile, doch Schwarzes Schaf hatte sie schon häufig verwendet – immer mit Erfolg. Die winzigen Raketenprojektile waren lautlos und tödlich. Die Ubra arbeitete nicht mit einem Energiestrahl, der die Position des Schützen verraten konnte.

Schwarzes Schaf griff noch einmal in seine Taschen und holte eine Laufverlängerung hervor, die er an der Mündung befestigte. Schließlich rastete er noch ein metallenes Schulterstück auf der hinteren Seite der

Waffe ein und steckte ein Teleskopvisier auf den Lauf. Aus der Ubra war ein Gewehr geworden. Er schob ein Magazin mit fünf Explosivgeschossen von unten in den Kolben; die Waffe war schußbereit.

Schwarzes Schaf hob die Ubra, drückte den Metallkolben fest gegen die Schulter und richtete den Lauf auf das Podium in der Tiefe. Der Kopf des Redners füllte das Visier aus, das Zentrum des Fadenkreuzes lag genau über seinem Auge. Schwarzes Schaf krümmte den Finger um den Abzug.

Er entspannte sich und senkte die Waffe wieder. Sein Ziel war noch nicht ans Pult getreten.

Wieder griff Schwarzes Schaf in eine Tasche. Diesmal zog er einen braunen Umschlag hervor und ein kleines schwarzes Kästchen, nicht größer als eine Zigarettenschachtel.

Er klappte den Deckel des Kastens auf und stellte ihn so auf den Boden des Laufstegs, daß er den weißen Knopf in der Mitte des Kästchens vor Augen hatte. Ein Fingerdruck, und das Sprengstoffband an der Pultverkleidung würde explodieren.

Er riß den Umschlag auf und zog eine Fotografie heraus: Jonal Cassel, sein Opfer.

Schwarzes Schaf musterte das Ganzbild seines menschlichen Ziels. Der Körperbau der kräftigen Gestalt auf dem Foto war ihm vertraut bis in die kleinste Einzelheit. Cassel war einen Meter dreiundachtzig groß und brachte vierundachtzig Kilogramm auf die Waage. Schwarzes Schaf wußte auch, daß Cassel seinen Hang zum Übergewicht durch täglichen Sport bekämpfte. Er betrachtete das kantige Gesicht, gerahmt von buschigem braunem Haar, das recht lang – also nicht nach der neuesten Mode – geschnitten war. Der Mörder hatte sich jeden Zug dieses Gesichtes eingeprägt: den schmallippigen Mund, der ein wenig zu klein geraten schien, den scharfen Nasenrücken, den hellbraunen Leberfleck auf der rechten Wange, die grünen Augen, in deren Winkeln sich die Ansätze zu Krähenfüßen zeigten. Wenn sie sich zufällig auf der Straße begegnet wären – Schwarzes Schaf hätte seinen Mann sofort erkannt. Dennoch trug er die Fotografie in seiner Tasche.

Aus der Tiefe der Halle erhob sich donnernder Applaus. Schwarzes Schaf spähte über das Geländer des Laufstegs nach unten. Ein neuer Sprecher wurde vorgestellt – eine Frau.

Der Mörder wandte seine Aufmerksamkeit wieder der Fotografie zu. Über das Vorleben seines Opfers wußte er wenig. Es interessierte ihn nicht. Sein Job war es, den Mann umzubringen, nicht, ihn kennenzulernen. Es konnte gefährlich werden, wenn man sich zu sehr in das Wesen eines Opfers vertiefte. Zuviel Wissen konnte zu persönlicher Anteilnahme, womöglich gar zu Sympathie führen. Beides war bei der Arbeit hinderlich.

Schwarzes Schaf wußte bereits mehr über Jonal Cassel, als ihm lieb war. Immer wieder legten seine Auftraggeber Wert darauf, daß er sich ein Bild von seinem Ziel verschaffte. So auch diesmal. Und daher wußte Schwarzes Schaf, daß der Mensch Cassel neununddreißig Jahre alt war, von irdischem Standard, verheiratet, kinderlos, ehemaliger Geophysiker für die Entwicklungsgesellschaft von Zivon. Heute hatte er es zum Abgeordneten im Höchsten Rat von Tula gebracht. Er stand der einflußreichen, selbstbewußten Ratsfraktion der Autonomiepartei vor. Diese Gruppe stritt für die Unabhängigkeit Tulas von Zivon.

Schwarzes Schaf schüttelte den Kopf. Was sollte er mit solchen Informationen anfangen? Sie lenkten ihn nur von seiner eigentlichen Aufgabe ab: Jonal Cassel zu erschießen.

Schlimmer noch: Die Auftraggeber hatten es nötig gefunden, ihre Handlungsweise vor ihm, dem Mörder, zu rechtfertigen. Was ging es ihn schon an, daß sie Tulas Autonomiebewegung ein Ende machen wollten, indem sie den Führer der Unabhängigkeitspartei erschießen ließen? Verschaffte ihm dieses Wissen etwa einen ruhigeren Finger am Abzug? Schwarzes Schaf hatte noch nie verstanden, warum jene, die ihn für seine Dienste bezahlten, ihm die Gründe für ihren Auftrag schilderten – steckten Schuldgefühle dahinter, wollten sie sich vor sich selbst rechtfertigen?

Von unten scholl Gelächter herauf. Er stützte sich auf das Geländer und schaute auf die Menge hinab. Die Menschen waren völlig ahnungslos; von Furcht war nichts zu spüren.

Schwarzes Schaf fühlte wieder den vertrauten Drang zur Vorsicht. Nach allen Seiten suchte er die dunkle Halle nach verborgenen, imaginären Wachen ab. Es gab absolut nichts Beunruhigendes. Das störte ihn. Kein Planet konnte sich so sehr von allen anderen im Kosmos unterscheiden. Auf jeder anderen Welt gab es keine Regierungssitzung – und mochte sie noch so unbedeutend sein – ohne einen Trupp von Sicherheitsbeamten. Normalerweise zog bei solchen Anlässen eine kleine Armee auf, ausgerüstet, um jede Unruhe unter den Bürgern im Keim zu ersticken oder um einen kleinen Bürgerkrieg zu führen; das hing ganz von der Situation ab.

Zwei Wochen auf Tula hatten Schwarzes Schaf nicht davon überzeugen können, daß diese Welt Wirklichkeit war. Ein Planet ohne menschliche Gewalt – das konnte es einfach nicht geben, das war anomal.

Und doch, in dieser Halle standen keine Wachen.

Nirgendwo in dieser Welt gab es eine Polizeistation.

Tula konnte nicht wirklich existieren.

Aus der Menge erhob sich Applaus. Sofort wandte sich die Aufmerksamkeit des Mörders wieder dem Podium zu. Ein Mann und eine Frau traten aus dem Schatten hinter dem Podest und näherten sich den Mikrophonen.

Schwarzes Schaf riß die Ubra an die Schulter, als das Paar auf das Podium stieg. Er hatte das lächelnde Gesicht in seinem Zielfernrohr sofort wiedererkannt; dennoch warf er einen prüfenden Blick auf die Fotografie: Jonal Cassel!

Instinktiv schob sich der Zeigefinger über den Abzugshebel. Schwarzes Schaf behielt den Kopf im Zentrum des Fadenkreuzes. Er folgte den Bewegungen des Mannes, bis dieser hinter dem Pult stand. Der Ratssaal hallte von Beifall und Hurra-Rufen wider.

Die hauchdünnen Linien trafen sich genau über der Nasenwurzel des Mannes. Schwarzes Schaf krümmte ruhig den Abzugsfinger, der Schuß löste sich.

Noch bevor die Sinne des Mörders das feine Zischen des entweichenden Projektils registrierten, hatte er wahrgenommen, daß sich sein Ziel bewegt hatte. Cassel hatte sein Gesicht der Frau an seiner Seite zugewandt.

Der Unterkiefer des Mannes flog auseinander.

Der Pulsschlag des Schützen raste, hämmerte in seinen Schläfen. Doch er unterdrückte die aufkeimende Panik. Er hob den Lauf der Ubra um den Bruchteil eines Zentimeters, jetzt hatte er die Stirn des Mannes im Fadenkreuz. Als sich der Finger ein zweites Mal um den Abzug krümmte, schob sich der Kopf einer Frau vor Cassels Gesicht.

Schwarzes Schaf nahm sich nicht die Zeit, das Ergebnis des zweiten Schusses zu beobachten. Er wußte, was ein Explosivgeschoß anrichtete, wenn es durch die Schläfe in einen Kopf eindrang. Der Schütze suchte Cassel mit der Zieloptik, aber er konnte ihn nicht finden. Der Mann war hinter das Rednerpult gestürzt.

Schwarzes Schaf ließ die Waffe sinken und drückte auf den weißen Knopf. Die Explosion erschütterte die Halle. Das Podest und das Pult verschwanden in einem rot und gelb aufzuckenden Blitz.

Es blieb keine Zeit mehr, die Explosionswirkung abzuschätzen. Schwarzes Schaf sprang auf und hastete über den Laufsteg. Als im Saal die Deckenbeleuchtung aufflackerte, hatte der Schütze bereits den Overall abgestreift und den Haupteingang hinter sich gelassen.

2

Das Bewußtsein kehrte zu Jonal Cassel zurück – gleichzeitig drang der Schmerz auf ihn ein.

Schmerzen, atemberaubende Schmerzen wühlten in seinem Inneren, Sturzbäche aus flüssigem Feuer schossen durch die Neuronen seines Körpers; Synapsen verwandelten sich in weißglühende Supernovas, die Neuriten und Dendriten einer jeden Nervenzelle verzehrten.

Er bewegte sich, seine Arme fuhren hoch, die Beine zuckten in wilden Krämpfen. Während der Körper von inneren Detonationen zerrissen wurde, formte das Gehirn stumme Entsetzensschreie. Cassel lag still, erduldete die namenlose Qual.

„Herr Doktor! Herr Doktor!" Die aufgeregte Stimme einer Frau drang in sein Bewußtsein. „Er kommt zu sich!"

Cassel zwängte seine Lider auseinander. Blendende Helligkeit ließ ihn schwindeln. Eine neue Woge des Schmerzes strömte durch sein Gehirn. Übelkeit schnürte ihm die Kehle zu. Er kämpfte gegen die würgenden Wellen. Es gelang ihm, den rasenden Lichtwirbel vor seinen Augen zu bremsen, sich der dumpfen Verlockung der Bewußtlosigkeit zu entziehen.

Der Schmerz war plötzlich an einen Ort gebunden: das rechte Auge. Nein! Die *Augenhöhle!* Es gab kein rechtes Auge mehr, nur noch ein schmerzendes Loch. Er hatte ein Auge verloren ...

Und das linke Auge?

Was stimmte mit ihm nicht? Es zeigte ein völlig verschwommenes Bild, das wurde Cassel mit brutaler Deutlichkeit klar. Alles, was er sah, war unscharf, blendend hell, aber nebelhaft. Er konnte nicht mehr scharf sehen. Hatte er das Augenlicht verloren? War das Blindheit?

Der Schrecken überwand für Sekunden den tobenden Schmerz. Cassel drehte den Kopf. Ein dunkler Fleck schob sich in den weißen Nebel. Cassel fixierte den Fleck, bis er allmählich Konturen annahm. Er erkannte, was er sah: eine Tür, grün gestrichen. Doch, ich kann noch sehen, dachte er erleichtert.

Gestützt von dieser neu gewonnenen Sicherheit, ließ er seinen Blick umherwandern. Weiße Flächen, dann eine Wanduhr. Unter der Uhr waren ein paar verchromte Maschinen an der Wand aufgereiht. Die Apparate waren ihm von irgendwoher vertraut, aber im Augenblick konnte er sich nicht auf ihre Funktion besinnen. Ihr Anblick war ihm angenehm, der blinkende Glanz vor dem matten Weiß der Wände erweckte den Eindruck einer Automatenkompanie, die zum Appell angetreten war.

Ein militärischer Appell? Woher kam diese merkwürdige Assoziation? Auf Tula gab es keine militärischen Einrichtungen. Warum mußte er jetzt, nach all den Jahren, an so etwas denken?

Cassels Blick wanderte tiefer. Neben ihm lag eine Frau, auf einem Bett oder Tisch ausgestreckt. Das vielfältige Blütenmuster auf ihrem Kaftankleid war wunderschön. Ailsa hatte ein solches Gewand getragen, als sie an diesem Morgen das Haus verließen.

Ailsa!

Die Erinnerung traf ihn wie ein Schlag. In einer wabernden Lohe spielte ihm sein Gedächtnis die Bilder zu: die Zusammenkunft des Höchsten Rates, den Ratssaal, die Scheinwerfer, den Applaus, seine Begrüßungsworte, den schrecklichen Donnerschlag, den Schmerz, die Dunkelheit.

Cassel riß den Kopf hoch, er wollte das Gesicht der Frau sehen. Seine Halsmuskeln ließen ihn im Stich, sie gehorchten ihm nicht. Etwas hielt seinen Kopf auf der Unterlage fest. Cassel verdrehte sein Auge so sehr, daß es schmerzte. Seine Sicht verschwamm. Nicht der stechende Schmerz war dafür verantwortlich, sondern etwas Weißes, das um seinen Kopf gewickelt war und das Sichtfeld begrenzte. Jetzt erst spürte er, daß sein ganzer Körper in einen weißen Kokon eingesponnen war.

Verbände! Man hatte ihn in Verbände gewickelt. Die Maschinen, dieses Zimmer! Er lag in einem Krankenhaus!

Cassel achtete nicht auf den rasenden Schmerz. Er stemmte sich gegen das beengende Gewebe. Die Verbände gaben ein wenig nach, und er konnte den Kopf seiner Frau erkennen. Sie hatte ihn in den Nacken gelegt, ihr Gesicht war von der Flut ihrer schwarzen Haare verdeckt. Sie starrte reglos zur Zimmerdecke hinauf.

„Jonal, Jonal?" Eine Männerstimme dröhnte in seinen Ohren. „Können Sie mich hören?"

Ailsa. Cassel stellte fest, daß er einen bandagierten Arm bewegen konnte. Unter den Verbänden hämmerte der Schmerz. Es gelang Cassel dennoch, hinüber zum Nachbarbett zu greifen. Mit ungeschickten, umwickelten Fingern umfaßte er die Hand seiner Frau und drückte sie beruhigend.

„Jonal? Ich bin es, Ragah. Können Sie mich hören?" Der Mann quälte ihn mit seiner Hartnäckigkeit. „Jonal, Sie kommen wieder in Ordnung. Die Ärzte sind da."

Cassel drückte noch einmal die Hand seiner Frau. Sie reagierte nicht. Kälte. Durch die Verbände konnte er die Kälte spüren. Er verstärkte den Griff um ihre Finger, stemmte sich gegen die Angst, die in ihm aufstieg.

„Jonal, die Ärzte haben gesagt, daß alles wieder gut wird."

Ailsa war tot. In ihrer Hand war kein Leben. Gegen diese Erkenntnis konnte sich Cassel nicht wehren. Nicht einmal der Schmerz konnte diese Wahrheit überdecken. Ailsa, seine Ailsa war tot. Sein Auge füllte sich mit Tränen, der Kopf der Frau verschwamm. Ailsa lebte nicht mehr. Warum?

„Was ist los? Können Sie mich nicht hören?" Da war wieder diese Stimme. „Ich dachte, ich wollte ..."

„Herr Tvar, bitte!" Das hatte eine andere Stimme gesagt. „Wir tun, was wir können. Sie müssen uns Zeit lassen. Dieser Mann ist durch die Hölle gegangen. Es ist ein Wunder, daß er noch lebt. Geben Sie uns etwas Zeit. Wir müssen ihn an den Regenerationsbeschleuniger anschließen."

Cassel spürte eine Hand auf der seinen. Seine Finger wurden geöffnet, und Ailsas Hand wurde aus seinem Griff gezogen. Er schloß das Auge und preßte die Lider fest zusammen. Seine Tränen hörten nicht auf zu fließen.

Ailsa am Morgen, wenn sie sich warm an seine Seite schmiegte; Ailsa am Nachmittag, von den strahlenden Farben des Gartens umgeben; Ailsa am Abend auf der Veranda, den Blick über das Meer gerichtet; Ailsa bei der Arbeit, nüchtern, sachlich, konzentriert über die Comp-Konsole gebeugt; Ailsa im Frühling, so lebendig wie die schwellenden Knospen an den Zweigen; Ailsa im Sommer, nackt auf dem weißen Sand in der Bucht; Ailsa im Herbst, in einen dicken, grauen Pullover gehüllt, die Haare vom Wind zerzaust; Ailsa im Winter, den weißen Pelz bis unters Kinn gezogen, Nase und Wangen rot vom eisigen Wind; Ailsa, das Mädchen, zart und verletzlich, geborgen im Schutz seiner Arme; Ailsa, die Frau, warm und sinnlich, in Leidenschaft gebend und nehmend; er hatte all das verloren. Ailsa gab es nicht mehr.

„Schwester, die Injektion! Dieser Mann muß sofort an den R. B."

Nie mehr.

„Jonal, ich weiß, daß Sie mich hören können..."

Nie.

„... wir wissen noch nicht, wer Ihnen dies angetan hat, Herr Cassel, aber wir werden ihn finden!"

Tot.

„Herr Tvar, bitte! Es hat keinen Sinn! Er kann Sie nicht hören."

Tot.

12

„Doch, das kann er! Er ist bei Bewußtsein. Jonal, ich bin es, Ragah! Alles wird wieder gut, Herr Cassel. Wir werden den Mann finden, der das getan hat."

Tot.

Cassel öffnete den Mund, um zu schreien, um sich von der Qual zu befreien, die ihn ersticken wollte. Der Schmerz tobte durch sein Gesicht. Was war mit seinem Kiefer geschehen? Hatte er keinen Unterkiefer mehr?

„Jonal! Jonal!"

„Herr Tvar, wollen Sie denn nicht begreifen, daß er Sie nicht verstehen kann? Seine gesamte Epidermis ist verbrannt, der Schuß hat ihm das halbe Gesicht weggerissen, und er hat ein Auge verloren, vielleicht sogar beide."

„Die Injektion, Herr Doktor."

Cassel spürte einen feinen Stich in seinem Arm.

„So, und jetzt müssen wir den Patienten in ein anderes Zimmer bringen, wo wir ihn besser versorgen können."

Das Getrappel emsiger Füße war zu hören. Die Zimmerdecke glitt vorüber. Der Schmerz ließ nach. Der Körper wurde taub. Die Spritze wirkt, dachte er, während seine Sinne sich allmählich in einem zähen, sirupähnlichen Nebel aufzulösen begannen.

Bron Cadao gab die verschlüsselte Nachricht in den Computer ein. Die Botschaft war als Bericht über die letztjährige Getreideernte auf Tula getarnt, und nicht einmal ein Abwehrmann der Spitzenklasse hätte den geringsten Verdacht geschöpft, wenn sie ihm in die Hände gefallen wäre. In der Zivon-Entwicklungsgesellschaft jedoch würde es Augen geben, die die Mitteilung zu lesen verstünden.

Mit einem tiefen Seufzer lehnte sich Cadao in seinem Stuhl zurück. Er war es leid, täglich Meldungen über Cassels Heilungsprozeß im Wachstumsbeschleuniger zu erhalten und seine Lageberichte abzuliefern.

Er hätte den ganzen Tula-Auftrag ablehnen sollen, aber sie hatten ihn überredet. Die zehn Jahre würden ihm leichtfallen, hatten sie versprochen, Probleme würde es nicht geben. Er mochte es kaum glauben, daß er auf diese abgedroschenen Phrasen hereingefallen war. Es war idiotisch gewesen, die Interessen der Niederlassung an vorderster Front wahrzunehmen. Daß er nach Tula gegangen war, war der Gipfel der Dummheit! Wenn er hier tatsächlich noch zwei Jahre aushielt, dann würde er sich vorzeitig pensionieren lassen und von seinem netten, fetten Bankkonto leben.

Aber bis dahin waren es noch zwei Jahre. Die Gegenwart hieß Tula, und diese Welt stand ihm bis zum Hals. Acht Jahre lang hatte er es nun schon ertragen, hatte er seine Tarnung aufrechterhalten. Es wäre schön, wenn ihn wieder einmal jemand bei seinem wirklichen Namen – Bron Cadao – nennen würde. Doch solange er auf Tula verschlagen war, mußte seine Tarnung halten, und sein Name gehörte dazu.

Oh, dieser Cassel!

Er stieß laute Verwünschungen aus. Seine Stimme hallte von den Wänden des leeren Zimmers wider. Als Cassel zum erstenmal die Aufmerksamkeit des ganzen Planeten erregte, hatte Cadao bereits gewußt, daß der Mann auf der Stelle eliminiert werden mußte. Seine Vorgesetzten hätten auf ihn hören und es ihm überlassen sollen, beizeiten einen kleinen Unfall für Cassel zu arrangieren. Aber nein, sie wollten nicht, daß einer ihrer Leute in die Sache verstrickt war. Sie wollten einfach nicht einsehen, welche Bedrohung Cassel darstellte. Das Interesse an der Unabhängigkeit würde erlahmen, hatten sie gesagt, die Autonomie-partei würde früher oder später scheitern. Tula ging es unter Zivons Herrschaft doch gut. Warum sollten die Bewohner daran etwas ändern wollen?

Seine Vorgesetzten hatten die Sache vermasselt. Jetzt steckte der Karren im Dreck, und alles würde erst noch schlimmer werden, ehe wieder auf Besserung zu hoffen war. Wie schlimm würde es werden? Diese Frage machte Bron Cadao zu schaffen. Cassels RB-Gerät könnte aussetzen; ein Kurzschluß vielleicht, oder ein halber Liter verseuchtes Blut ... Er hatte beide Methoden bereits ausprobiert, und sie hatten gut funktioniert. Aber die Chefs hatten seinen Vorschlag zurückgewiesen. Es sei zu gefährlich. Wenn man ihm auf die Spur käme, könnte man sie bis zu ihnen zurückverfolgen. Das gesamte Tula-Projekt wäre im Eimer.

Cadao warf einen Blick auf die Liste der Rohstoffpreise in seiner Hand. Zum zehntenmal entschlüsselte er die Botschaft aus Zivon, seine letzten Direktiven. Er sollte nichts unternehmen und weiterhin Cassel beobachten. Außerdem teilte man ihm mit, daß man ein Team nach Tula senden würde. Man wollte eine Untersuchung des Mordanschlags einleiten und gleichzeitig dafür sorgen, daß Schwarzes Schaf, der Attentäter, keine Gelegenheit mehr haben würde, Cadao, Zivon oder die Agentur zu belasten, falls er in die Hände der Tulaner fiele.

Die Chefs hatten in letzter Zeit nachgelassen. Es war ein Fehler gewesen, Schwarzes Schaf anzuheuern, und jetzt, wo die Sache verpatzt war und überall helle Aufregung herrschte, lehnten sich die Bosse im Sessel zurück und spielten auf Zeit.

3

„Sie kommen, Gyasi! Ich kann die Spitze des Prozessionszuges sehen. Sie gehen jetzt um den Springbrunnen herum. Bald wird Adum Saht unser sein. Oh, dies wird ein ruhmreicher Tag für die Raeysa, die Kinder des Frohlockenden!"

Jonal Cassel sah sich um und stellte fest, daß Chiad aufgestanden war und den Kopf über die Brustwehr geschoben hatte. Er erwischte den Jüngling am Hosenboden und riß an der weiten Pluderhose.

Chiad verlor das Gleichgewicht und prallte mit dem Rücken auf das Teerdach. Mit einem lauten Schnaufer entwich die Luft aus seinen Lungen. Er blieb ein paar Sekunden lang reglos liegen, benommen von dem unerwarteten Sturz. Dann stöhnte er leise, richtete sich auf die Ellenbogen auf und starrte Cassel an.

„Versuch das noch einmal, dann kriegst du dies Ding zu spüren! Glaubst du, die *Kiatos* sind blind?" Cassel hob drohend das Gewehr, das neben ihm auf dem Dach gelegen hatte.

„Vergib mir meinen Fehler, Gyasi", flüsterte Chiad und senkte seinen Blick. „Der Ruhm dieses Tages hat mich für einen Augenblick unvorsichtig gemacht. Für einen Raeysa ist es ein unvergleichliches Erlebnis, wenn Adum Saht vom Goldenen Thron hinweggefegt wird. Die Erlösung meines Volkes ist zum Greifen nahegerückt. Gyasi, verstehst du eigentlich, wie wichtig die Tat ist, die du heute vollbringen willst? Du führst das flammende Schwert unseres Herrn. Gyasi, eine ganze Welt wartet auf…"

Cassel schaltete ab. Er hörte das Geplapper des jungen Mannes nicht mehr. Chiad war genau wie alle anderen Bewohner von Talald III ein religiöser Fanatiker. *Raeysa* oder *Kiatos,* da gab es keinen Unterschied; sie waren alle gleich. In den drei Wochen seit seiner Ankunft auf Talald hatte Cassel die besessenen Tiraden der *Raeysa* ertragen müssen. Diese Religionsspinner waren alle gleich. Sie langweilten ihn. Eigentlich waren sich überhaupt alle Fanatiker ähnlich. Aber sie hatten auch ihre guten Seiten. Sie sorgten für seinen Lebensunterhalt – es fiel immer wieder schmutzige Arbeit an, die er für diese Burschen erledigen konnte.

Er rollte sich auf den Bauch und spähte durch einen Schlitz in der Brustwehr. Die Straßenszene dort unten hätte direkt aus einem dieser historischen Holodramen über das irdische Arabien im achtzehnten Jahrhundert herausgeschnitten sein können. Vermutlich hatte man sie tatsächlich aus einem solchen Schinken entlehnt. Reaktionäre Welten wie dieses Talald wählten sich gern ein Bruchstück aus der irdischen Geschichte aus, um es als „Goldenes Zeitalter" zu präsentieren, als die Zeit, die für den jeweiligen Planeten in Kürze anbrechen sollte. Es fiel eben leichter, die verkitschten Bilder der Holodramen zu übernehmen, als sich mit der rauhen Wirklichkeit jener Kulturen aus der Zeit vor der Weltvereinigung auseinanderzusetzen.

Die weißen Stuckfassaden, gewölbten Tempelkuppeln und die schlanken Türmchen der Stadt gefielen Cassel. Sie paßten zu einer Wüstenwelt. Auf Talald III konnte man nirgendwo der Wüste entkommen. Sogar hierher, ins Herz der Stadt, trug der warme Wind den feinen Sandstaub der Wanderdünen. Daran konnten auch die exotischen Garten- und Parkanlagen nichts ändern.

„… verstehst du, Adum Saht und seine Gefolgsleute verseuchen mit ihrer Gegenwart das Herz des Universums!" Chiad glitt an seine Seite. „Die Masse dort unten bejubelt Adum Sahts Besteigung des Goldenen Throns. Die Menschen sind dumm, und die Propagandamaschinerie der *Kiatos* arbeitet gut. Sie hat es verstanden, den leuchtenden Kern des *Balietid* vor den Augen der Menschen zu verbergen. Gyasi, wirst du…"

Gyasi. Ein seltsamer Name, dachte Cassel. Chiad nannte ihn Gyasi. Das war nicht sein richtiger Name, aber für diesen Anlaß schien er zu passen. Cassel mochte den Namen.

„Sieh doch nur, wie sie sich um ihn drängen." Mit einem veräcntlichen Kopfnicken deutete Chiad auf die immer noch anwachsende Menschenmenge auf der Straße. „In ihrer Dummheit stimmen sie Lobgesänge auf den falschen Herrn an. Aber du, das flammende Schwert, wirst uns helfen, sie auf den rechten Weg zurückzuführen."

Chiad salbaderte in einem fort, als wäre er ein geweihter Raeysapriester und nicht ein achtzehnjähriger Grünschnabel. Normalerweise arbeitete Cassel allein, doch die Raeysas hatten ihm für die Vorbereitung des Auftrags nicht einmal vier Wochen Zeit gegeben. So war der junge Eingeborene an seiner Seite zu einer unausweichlichen Notwendigkeit geworden. Drei Wochen auf einem fremden Planeten reichten einfach nicht aus, um so viel in Erfahrung zu bringen, daß man einen Auftrag dieser Art sicher und erfolgreich abschließen konnte.

Zwei Doppelreihen gelbgewandeter Priester schritten an den Straßenrändern vor der Front der Zuschauer entlang. Die innen gehenden Priester interessierten Cassel nicht. Sie waren ein Teil der Schau, sorgten für ein pompöses Gepräge. Jeder von ihnen hatte eine Messingschale umgehängt, aus der er Rosenblätter auf die Straße streute – ein roter Teppich für die Sohlen Adum Sahts.

Mit der äußeren Priesterreihe verhielt es sich völlig anders. Die Zuschauer wußten dies, und sie zuckten angstvoll zuück, sobald die Priester in ihre Nähe kamen.

Dort gingen nämlich die *Kiatos-Cinba,* die Leibwächter des gesegneten Adum Saht. Jeder Priester trug einen zwei Meter langen Stab aus Eisenholz. Die Stecken sahen nicht sonderlich gefährlich aus, aber Cassel hatte sich einen solchen Stab – die *Raeysa* hatten ihn gestohlen – aus der Nähe angesehen: Im Holz verbarg sich ein leistungsstarker Impulsstrahler. Die *Kiatos-Cinba* zögerten nicht, die Waffe gegen jeden, Mann, Frau oder Kind, einzusetzen, der ihnen verdächtig genug schien, ihrem religiösen Führer nach dem Leben zu trachten.

„Sieh doch nur, wie sie die Lehre des *Balietid* in den Schmutz ziehen!" empörte sich Chiad. „Das *Balietid* sagt wein deutlich, daß orangefarbene Blüten den Weg der heiligsten aller Sohlen schmücken sollen."

Ein schmetternder Fanfarenstoß übertönte die Stimme des Jungen. Hinter dem Schlitz der Brustwehr schob sich die Gestalt Adum Sahts in Cassels Blickfeld. Der Mann war von Kopf bis Fuß in goldfarbene Seide gehüllt und zog eine Schleppe aus Pfauenfedern hinter sich her. Gemächlich schritt er durch die Reihen der Priester. Als er die Hände zu einer Segnungsgeste hob, antwortete ihm das Jubelgeschrei der Menge.

„Oh, dieser mißgestaltete Abkömmling einer streunenden Hündin!" schnaubte Chiad mit haßerfüllter Stimme. „Er befleckt den Boden, auf dem er steht! Jetzt wird er den Arm des Herrn zu spüren bekommen!"

Cassel nahm das Gewehr fest in beide Hände, stand auf und spähte über die Brustwehr. Er zog den Kolben in die Schulter, preßte das rechte Auge gegen das Zielfernrohr. Der Schnittpunkt des Fadenkreuzes lag genau über Adum Sahts Hals. Die *Raeysa* hatten den Kopf dieses Mannes bei ihm bestellt. Nun, sie sollten ihn bekommen!

Er krümmte den Finger um den Abzug und drückte ab.

Durch das Fernrohr sah Cassel ein dunkles rundes Loch im Genick des Mannes.

Das flammende Schwert des Herrn hatte zugeschlagen. Und er, Jonal Cassel, war dieses Schwert. Die Erregung pochte in seinen Schläfen. Sein Brustkorb hob sich unter mächtigen Atemstößen. Dies war ein Lustgefühl, mit dem sich kein fleischliches Vergnügen messen konnte. Darum war er hier auf Talald III, nicht wegen des Geldes, das ihm die *Raeysa* zahlten. Er suchte diesen Genuß – den Genuß des Tötens.

Schreckensschreie schallten von unten herauf. Die Entsetzenslaute der Menge rissen Cassel in die Wirklichkeit zurück. Er ließ sich hinter die Brüstung fallen. Chiad grinste ihn an.

„Es ist vollbracht!" Der Jüngling streckte die Arme aus und ergriff Cassel bei den Schultern. „Heute hast du das Werk des Herrn getan!"

„Noch ist es nicht vorbei", warnte Cassel. „Die *Kiatos-Cinba* sind noch dort unten. Und es gibt nichts Blutrünstigeres als eine Leibwache, die in ihrer Aufgabe versagt hat. Wir müssen zusehen, daß wir uns aus dem Staub machen, und zwar so schnell wie möglich. In einer Minute wird es auf den Dächern vor Leibwächtern wimmeln."

Chiad nickte. „Wir haben deine Flucht gut vorbereitet. Komm, die anderen warten schon, um dich vom Planeten zu schaffen."

„Hier, das kannst du als Souvenir behalten." Cassel hielt dem Jungen das Gewehr hin. „Ich dachte, du willst es vielleicht einmal deinen Enkeln zeigen."

Mit einem strahlenden Lächeln drückte Chiad das Gewehr an seine Brust. „Gyasi, ich werde diesen Tag niemals vergessen, und dich auch nicht."

Der Junge richtete sich auf. Das war der Augenblick, auf den Cassel gewartet hatte. Er packte Chiad um die Hüften und stemmte ihn in die Luft. Kopf und Brust schoben sich über die Brüstung. Chiad schrie.

Cassel hielt sich im Schutz der Mauer. Die *Kiatos-Cinba* machten sich an die Arbeit. Lichtstrahlen flammten auf. Fleisch verschmorte, als die Laser in den Leib des Jungen schnitten.

Cassel hielt den Jungen noch einen Augenblick lang in die Höhe und überließ ihn der Wut der Cinbas. Dann schob er den Leichnam – der Junge hielt das Gewehr immer noch in den Fäusten – über die Brustwehr. Ein häßlicher, dumpfer Schlag war zu hören, als der Körper unten auf das Pflaster prallte, gefolgt vom Triumphgeschrei der Priester.

Die *Kiatos-Cinba* hatten ihren Attentäter. Selbst wenn ihnen der Gedanke käme, daß der Junge allein nicht zu einem solchen Anschlag fähig gewesen war, hatte Cassel Zeit genug gewonnen, um den Planeten in Ruhe verlassen zu können.

Mit vorgebeugtem Oberkörper hastete Cassel zur Tür, von der man ins Treppenhaus gelangen konnte. Er war bei seiner Flucht nicht auf die Hilfe der *Raeysa* angewiesen. Die Planung seines Rückzugs überließ er niemals anderen. In einer Stunde würde er Talald III hinter sich gelassen haben. Er würde in einem Frachter sitzen. Wie ein ganz gewöhnlicher Fahrensmann der Handelsflotte würde er der Erde entgegenfliegen.

Seine Hand legte sich um den Türgriff. Ein rasender Schmerz explodierte in ihm, strahlte in alle Zellen seines Körpers. Er schrie.

„Da, Jonal, verstehst du nun, warum?"

„*Was?*"

Nur Gelächter antwortete ihm, während sich Talald III in einem dunklen Nebel auflöste.

Und Bron Cadao tat weiterhin, was man ihm aufgetragen hatte: stillhalten und abwarten.

4

Cassel schwebte, trieb zeitlos in einem Strom betäubender Flüssigkeiten. Das Bewußtsein entwich ihm, aber es gab Wahrnehmungen. Er spürte eine pulsierende Nabelschnur, die mit seinem Leib verwachsen war. Zwei Arterien sprudelten ihm lebensspendende Nahrung zu, eine Vene schwemmte seine Ausscheidungen fort.

Zufrieden und beruhigt durch den immerwährenden Stampfrhythmus in seinen Ohren, trieb er dahin. Die Dunkelheit um ihn herum verschaffte ihm die vollkommene Sicherheit, sie schirmte ihn ab vor den schrecklichen Träumen, die ihn während seiner Schlafphasen bedrängten.

– Armer, kleiner Jonal, endlich hat er das Ziel aller Menschen erreicht, nicht wahr? Er ist in den Mutterleib zurückgekehrt. Nun komm, laß es gut sein! Ein erwachsener Mann hat doch gewiß wichtigere Dinge zu tun ...

Wer bist du? Die spöttische Stimme antwortete nicht. *Wer?*

Jonal schwebte wieder, aber er war nicht mehr zufrieden. Dann kam der Schlaf und mit ihm kamen die Träume, die schrecklichen Alpträume.

Als er erwachte, war seine Welt aus den Fugen geraten. Der warme, liebkosende Ozean war versickert und hatte ihn nackt und verwundbar zurückgelassen. Er fröstelte. Licht zerriß die Dunkelheit. Kalte Luft strich über seine feuchte, nackte Haut. Hände berührten ihn, zerrten und schoben ihn näher an das Licht.

„Er atmet", sagte eine Stimme in der Dunkelheit. „Sein Puls ist normal."

„Schalte das Autonom-Herz ab und trenn die Verbindung, sobald es aufhört zu schlagen", befahl eine zweite Stimme. „Er sieht gut aus."

„Nach all der Arbeit, die wir mit ihm hatten, kann man das auch verlangen."

„He, ihr zwei, beeilt euch ein wenig. Schafft ihn rüber zur Regeneration! Sie sollen sich mit ihm befassen. Wir haben genug Patienten, die unsere Hilfe brauchen."

Wieder griffen Hände nach Cassel. Sie rollten ihn auf die Seite, auf den Rücken.

„Er hat schon recht. Mit dem Mann sind wir fertig. Er gehört in die Reg-Station. Komm, wir fahren ihn zum Aufzug."

„Apropos Reg-Station. Dort hat ein neuer Pfleger angefangen. Bei dem würde ich mich auch gern regenerieren lassen."

„Jenica, du kannst wirklich immer nur an das eine denken."

„Ich könnte mir vorstellen, daß der Pfleger auch sehr einseitige Gedanken hat."

„Ahhhh ..." Cassel versuchte, seine Stimmbänder unter Kontrolle zu bringen. „Ich ... nhhh ..."

„Er kommt zu sich."

Cassel mühte sich vergeblich, ein Wort hervorzubringen.

„Los, beeil dich, wenn er hier zu sich kommt, machen sie uns in der Regeneration die Hölle heiß. Schick ihn wieder schlafen!"

Etwas Kaltes, Hartes preßte sich gegen Cassels Arm. Er spürte einen schmerzhaften Stich.

„So, das dürfte für ein, zwei Stunden genügen ..."

„Bit ..." Es hatte keinen Sinn. Alles war wieder in wirbelnde Bewegung geraten. Dunkelheit stieg auf und riß ihn fort in die Bewußtlosigkeit.

Bron Cadao stand gerade neben dem Aufzugsschacht, als Jonal Cassel in die Regeneration geschoben wurde. Er war zornerfüllt und angewidert. Wenn man diesen Mann am Leben ließ, würde das die Lage nur verschlimmern. Warum konnten seine Vorgesetzten nicht begreifen, daß der Mann früher oder später sowieso eliminiert werden mußte? Auch jetzt noch war es durchaus möglich, einen Unfall für Cassel zu arrangieren. Aber nein, die Bosse wußten es wieder einmal besser. Schließlich würde alles mit einem zweiten Fehlschlag enden.

Aber er durfte ja nichts unternehmen, nur stillhalten und abwarten.

– Paß auf, das ist die Art, auf die du ihn erledigen wirst, Jonal.

Vor Cassel stand ein Mann. Seine Silhouette zeichnete sich scharf vor dem harten Gegenlicht ab. Er versuchte, das Gesicht des Mannes zu erkennen, als dieser den Kopf bewegte, aber es gelang ihm nicht.

– Jonal, hörst du auch gut zu? Wir haben womöglich nicht viel Zeit, und wenn ich dich in die komplizierte Kunst des Garrottierens einführen soll, mußt du schon scharf Obacht geben.

Von irgendwoher war ihm die Stimme vertraut, sie klang wie die eines alten Bekannten, den er seit zehn Jahren nicht gesehen hatte. Aber Cassel konnte das Gesicht des Mannes nicht erkennen.

– Die eigentliche Schönheit der Garrotte liegt in ihrer Geräuschlosigkeit. Gewiß gibt es Menschen, die behaupten, ihre Unhandlichkeit ...

Wer bist du? Der Mann flößte Cassel Angst ein. An ihm war etwas, das Cassel haßte. Das Gefühl entsprach einer instinktiven Abwehrreaktion auf die Anwesenheit dieses Mannes.

– Das spielt im Augenblick keine Rolle. Im Moment will ich dich nur für ihn vorbereiten.

Für ihn? Vorbereiten? Worauf?

– Ihn zu töten, selbstverständlich. Den Mann umzubringen, der dir das Gehirn rausblasen wollte. Also, die beste Garrotte ist ...

Ich interessiere mich nicht für deine verdammte Garrotte!

– Vielleicht hast du recht. Für diese Sache könnte eine Garrotte ungeeignet sein. Wie wäre es mit einem Messer? Für die Arbeit am

Mann ist ein Messer nie zu verachten. Und außerdem verschafft es einem eine gewisse Befriedigung, wenn ...

Wer zum Teufel bist du? Warum tust du das? Ich interessiere mich weder für deine Garrotte noch für dein Messer.

– Jonal, du kannst doch nicht ernstlich an eine Pistole oder einen Laser gedacht haben? Es muß schon ein Messer sein, oder ein ... Halt! Jetzt verstehe ich! Ich muß blind gewesen sein! Klar, du willst es mit den Händen machen, mit den bloßen Händen. Ihn erwürgen, zu Tode prügeln. Das ist genau die intime Art und Weise, die der Situation angemessen ist.

Das war doch Wahnsinn! Was hatte ein solcher Mensch auf Tula verloren? *Ich habe nicht die Absicht, irgend jemanden zu töten. Ich bin nach Tula gekommen, weil ich dem irrsinnigen Lebenskampf auf der Erde entfliehen wollte.*

– Jonal, ich glaube fast, du meinst es ernst. Was haben sie nur mit dir angestellt?

Sie? Niemand hat etwas mit mir angestellt.

– Nein? Schau dich doch nur einmal an, Jonal. Sieh dich genau an. Ein Mann hat versucht dich umzubringen, deinen Kopf mit einem Explosivgeschoß zu zerfetzen. Er hat deine Frau getötet. Und du liegst da und erzählst mir in aller Seelenruhe, daß du nicht vorhast, ihn umzubringen. Glaubst du immer noch, daß sie dich nicht verändert haben?

Ailsa! Oh, Gott, Ailsa!

– Nun, willst du jetzt auf mich hören?

Scher dich zum Teufel! Laß mich in Ruhe! Ich brauche dich nicht. Ich will mir dein Gerede nicht länger anhören!

– Das wird schwieriger, als ich erwartet hatte.

Scher dich weg! Laß mich in Ruhe! Die Erinnerung an Ailsa füllte seine Augen mit Tränen. *Verstehst du nicht? Ich brauche deine Hilfe nicht. Mach, daß du fortkommst!*

– Na, wir werden sehen.

Cassel wischte sich mit einer fahrigen Handbewegung über die Augen. Der Mann war verschwunden.

Ailsa, warum?

Als Cassel erwachte, schwebte das Gesicht eines unbekannten Mannes über dem seinen. Der Fremde grinste breit. Cassel versuchte matt, das Lächeln zu erwidern. Gleichzeitig fiel ihm ein, daß er sich immer noch in einem Krankenhausbett befand.

„Guten Morgen, Herr Cassel! Ich dachte schon, es würde noch Stunden dauern, bis Sie zu sich kommen. Man hat Ihnen eine Injektion verpaßt, bevor man Sie hierher brachte. Sie werden sich vermutlich noch eine Zeitlang benommen fühlen, bis die Wirkung des Mittels nachgelassen hat.

„Jonal?" Der Kopf von Ragah Tvar tauchte neben dem Gesicht des fremden Mannes auf. Cassel lächelte seinem politischen Weggefährten zu. Ragah sah blaß und leidend aus, so als habe er die Verletzungen erlitten. „Du weißt ja gar nicht, wie ich mich freue, wieder mit dir sprechen zu können. Wir hatten schon gedacht, wir hätten dich verloren, als ..."

„Herr Tvar, ich denke, es ist besser, wenn ich mich zuerst mit Herrn Cassel unterhalte", sagte der erste Sprecher mit einem Anflug von Ärger in der Stimme.

„Ja, natürlich." Ragah zuckte zurück, als habe man ihm einen Schlag versetzt. „Ich war so aufgeregt, entschuldigen Sie bitte."

Der höfliche Ragah, dachte Cassel. Der Mann würde sich niemals ändern. Der geborene Gefolgsmann, gehorsam und treu.

„Möchten Sie sich vielleicht aufrichten?" Cassel nickte, und das Kopfende des Bettes begann sich zu heben. „Sie können ruhig wieder sitzen. Sie waren eine lange Zeit an den Regenerationsbeschleuniger angeschlossen, einen ganzen Monat, um genau zu sein."

In seiner sitzenden Haltung hatte Cassel einen Überblick über das Krankenzimmer. Es war klein, aber immerhin ein privates Einzelzimmer. Sein Bett, zwei Stühle, ein kleiner Tisch und ein Holoempfänger machten die gesamte Einrichtung aus. Rechts vom Bett war ein großes Fenster in die Wand eingesetzt, es gab den Blick auf die zerklüftete Küste der Ostsee von Tula frei. Wellen brachen sich an den Felsklippen in der Tiefe.

„Na, so ist es doch viel besser, nicht wahr?" fragte der Mann mit einem neuerlichen Lächeln.

„Stimmt." Cassel warf ihm einen flüchtigen Blick zu. Dann sah er wieder auf das Meer hinab. Weiße Gischt hing dort in der Luft, wo die Wogen auf die Felsen schmetterten.

Ailsa und Cassel hatten gern von der Terrasse ihres Hauses über das Meer hinausgeschaut. Das rhythmische Schlagen der Brandung gegen den Fels hatte ihnen immer ein Gefühl der Sicherheit gegeben. Jetzt fand er den Anblick des Ozeans auf eine unerklärliche Weise beunruhigend. Er sah ihn aus einer neuen Sicht, erblickte eines seiner anderen Gesichter: die Gewalt.

„Soll ich vielleicht die Vorhänge schließen, Herr Cassel?" Der Mann eilte zum Fenster hinüber. „Der Anblick scheint Sie zu bedrücken."

„Nein. Ich habe das Meer immer gern beobachtet."

„Na fein." Der Mann sah einen Moment lang zu Ragah hinüber, der auf einem Stuhl Platz genommen hatte. „Gestatten Sie, daß ich mich vorstelle: Ich bin Dr. Onan Parlan."

Der Mann wartete ab, so als ob er eine Reaktion Cassels erwartete. Als sie ausblieb, entstand eine peinliche Pause, fast als hätte der Arzt eine alberne Bemerkung gemacht.

„Herr Cassel, ich wünschte, ich wüßte einen schonenderen Weg, um auf das zu sprechen zu kommen, was ich Sie fragen muß." Während Parlan sprach, sah er Cassel intensiv an. „Können Sie sich an das erinnern, was Ihnen zugestoßen ist?"

„Ja, zumindest teilweise", erwiderte Cassel. „Ailsa und ich waren in der Ratsversammlung. Man hatte uns angekündigt, und wir stiegen eben auf das Podium. Dann hat etwas mein Gesicht getroffen, und es hat eine Explosion gegeben. Danach kann ich mich an nichts mehr erinnern. Ich war besinnungslos."

„Es war ein Attentat", flüsterte Ragah, aber er verstummte sofort wieder, als ihn ein Blick aus Dr. Parlans Augen traf.

„Sie scheinen davon nicht überrascht zu sein. Auf einer gewaltfreien Welt wie der unseren bringt eine solche Tat einen ungeheuren Schock mit sich."

„Ich erinnere mich", sagte Cassel.

„Sie erinnern sich?"

„Ja, daran, daß Ragah auf mich eingeredet hat. Er hat gesagt, daß er den Mann finden würde."

Ein Ausdruck der Verwirrung huschte über Dr. Parlans Züge, aber er entschloß sich, das Thema zu wechseln: „Sie haben großes Glück gehabt, Herr Cassel. Als wir Sie hierherbrachten, wagten wir kaum zu hoffen, daß Sie überleben würden. Der Attentäter hat Sie förmlich zerfleischt. Sie wurden von einem Explosivgeschoß getroffen, und unmittelbar neben Ihnen ging eine Bombe hoch. Sie haben ein Auge und den Unterkiefer verloren..."

Cassel erinnerte sich an einen weißen Raum mit einer grünen Tür, an die Uhr, die Maschinen. Aber jetzt hatte er zwei Augen und einen Unterkiefer...

„...jemand hatte außerdem das Pult mit einem Explosionsband präpariert", fuhr Dr. Parlan fort. „Die Bombe hat Ihnen ein Bein weggerissen, und fast Ihre gesamte Haut erlitt Verbrennungen dritten Grades."

Ein Bein? Daran konnte Cassel sich nicht erinnern. Aber die Schmerzen fielen ihm wieder ein, die unerträglichen Schmerzen.

„Ich hoffe, Sie nehmen es uns nicht übel, daß wir ein wenig stolz auf uns sind", sagte Parlan. „Das Team in diesem Hospital hat bei Ihrer Wiederherstellung ein kleines Wunder vollbracht. Wir haben in einem Regenerationsbeschleuniger Klonduplikate der verlorenen Körperteile hergestellt, während wir Sie in einem anderen RB am Leben erhielten. Im vergangenen Monat haben wir nicht weniger als fünfzig komplizierte Operationen an Ihnen durchgeführt, alle waren erfolgreich, wie Sie vielleicht festgestellt haben."

Parlan ging zum Tisch hinüber, kehrte mit einem Handspiegel zurück und reichte ihn Cassel. „Es wird nirgendwo eine Narbe zu sehen sein."

Cassel musterte sein Gesicht. Es war ihm vertraut, auch das graugrüne rechte Auge. Er entdeckte eine leichte Veränderung in der Haut über seinem Kinn. Sie war glatter und rosiger als früher, fast kindlich. Er betastete seinen Unterkiefer mit den Fingerspitzen.

„Zerbrechen Sie sich darüber nicht den Kopf", sagte Dr. Parlan. „In weniger als einem Monat wird die neue Haut von der alten nicht mehr zu unterscheiden sein."

„Und wie ist es mit dem Auge?"

„Was soll damit sein?"

„Es scheint gut zu funktionieren. Ich kann damit sehen."

„Ich glaube nicht, daß Komplikationen auftreten werden." Dr. Parlan lächelte beruhigend. „Aber wenn Ihnen etwas auffällt, teilen Sie es uns bitte sofort mit. Das gilt für alles, das Ihnen ungewöhnlich erscheint. Sie sind durch ein wahres Martyrium gewandert. Es kann sein, daß es bei der Rückkehr in das normale Leben Schwierigkeiten geben wird."

„Können Sie etwas gegen meine Träume tun?"

„Träume?"

„In der Zeit, die ich im RB-Gerät war, habe ich geträumt", erklärte Cassel.

Dr. Parlans Stirn legte sich in nachdenkliche Falten.

„Ich weiß nicht, ob ich mich noch an alle erinnern kann", sagte Cassel. „Meistens spielten sie auf fremden Welten. Einige dieser Planeten kannte ich vom Hörensagen, Lanatia, Vertos, Palla. Andere waren mir völlig unbekannt: Gyon, Talald III, Sarthum. In allen Träumen ging es um Mordanschläge."

Parlans Gesichtsausdruck blieb beim Zuhören unverändert, aber Ragah war auf seinem Stuhlsitz nach vorn gerutscht. Beide Männer schienen mehr als ein oberflächliches Interesse an Cassels Worten zu haben.

„Das Handlungsschema variierte. Manchmal war ich nur ein Zuschauer, dann wieder der Mörder selbst. Einige Träume waren so klar und deutlich wie ein Holodrama, andere völlig vage. Ich kann mich noch gut an die Namen der Opfer erinnern: Adum Saht, Ragnar Oles, Javas Garridan, Bina Fanett, Tymon Priest ..."

Cassels Stimme erstarb. Die Erinnerung an die Träume wurde unerträglich, es waren Nachtmahre voller Gewalt. Wie alle Bewohner von Tula hatte er diesen Planeten zu seiner Heimat gemacht, weil er der Gewalt entkommen wollte, die jede Welt zerfraß, auf der die Menschen sich angesiedelt hatten. Es war ihm unerträglich, daß er solche Bilder im Kopf trug, auch wenn es nur Gedankenspiegelungen waren. Von dort war es nur ein kleiner Schritt bis zum Wahnsinn.

„Das ist gewiß sehr unangenehm", sagte Dr. Parlan. „Aber ich denke nicht, daß Sie sich deswegen Sorgen machen müssen. Es ist eine natürliche Reaktion auf das, was Ihnen zugestoßen ist. Herrn Tvars Bemerkungen vor dem Anschluß an das RB haben Ihre Unruhe sicher noch verstärkt. Ihr Verstand mußte die Ereignisse erst einmal verarbeiten."

Cassel nickte. Er fühlte sich erleichtert. Nachdem er von seinen Träumen gesprochen hatte, kam es ihm so vor, als habe man ihm eine schwere Last von den Schultern genommen.

„Tja, meine Herren", Dr. Parlan ging zur Tür hinüber, „ich muß mich nun um meine anderen Patienten kümmern. Herr Tvar, bitte bleiben Sie nicht zu lange. Herr Cassel braucht dringend Ruhe." Er wandte sich noch einmal an Cassel. „Versuchen Sie, sich zu erholen. Ich werde später noch einmal hereinschauen und überprüfen, ob Sie meinen Rat auch tatsächlich befolgen."

Mit diesen Worten verließ der Arzt das Zimmer. Einen Moment lang schwiegen die beiden Männer. Cassels Blick wanderte wieder zum Fenster. Von Osten zog in weiter Ferne eine düstere Wolkenbank herauf.

„Jonal." Ragah erhob sich von seinem Stuhl und ging zum Bett hinüber. „Ich kann Ihnen gar nicht beschreiben, wie sehr ich mich darüber freue, daß Sie alles überstanden haben. Jedermann in der Partei hat sich um Sie gesorgt. Ohne Sie gibt es keine Hoffnung, die Unabhängigkeit durchzusetzen."

„Sie übertreiben, Ragah", erwiderte Cassel. „So wichtig bin ich für die Partei nun auch wieder nicht." Er zwang sich zu einem Lächeln. Er wollte nicht über Politik sprechen. Der Höchste Rat stand seinem

Denken unglaublich fern. Aber Ragah war eben Ragah. Die Partei ging ihm über alles. Er war ein ehrlicher Kerl und gewiß von aufrichtiger Sorge erfüllt, aber er lebte, aß, trank, schlief und liebte für die Partei.

„Nach dem Attentat hat der Höchste Rat alle Sitzungen bis zu Ihrer Genesung ausgesetzt", berichtete Ragah. „In der Partei gibt es niemanden, der sich in der Lage fühlt, an Ihre Stelle zu treten. Wir ..."

Cassel hörte ihm nicht mehr zu. Dr. Parlan hatte es vermieden, das Gespräch auf Ailsa zu bringen. Eine düstere Erinnerung stieg in ihm auf. Der weiße Raum mit der grünen Tür war kein Fragment aus einem Traum gewesen. Das Bild Ailsas, wie sie auf dem Tisch lag und zur Decke hinaufstarrte, hatte sich in seinen Verstand eingebrannt. Er fühlte wieder die Kälte ihrer Hand in der seinen. Die leblose Steifheit der Finger. *Das war kein Traum gewesen.*

„Ailsa ist tot?" sagte Cassel und sah seinem Freund in die Augen. Es war eher eine Feststellung als eine Frage.

Ragah hielt mitten in einem Satz inne und senkte seinen Blick. „Ja. Das Geschoß des Mörders hatte sie in die Schläfe getroffen. Die Ärzte konnten nichts mehr für sie tun."

O Gott! Ein Explosivgeschoß! Ailsa, meine schöne Ailsa, was haben sie dir angetan!

„Die Bestattung war vor vierzehn Tagen", sagte Ragah. „Fast die gesamte Partei war am Grab. Die Holoprogramme haben den Gottesdienst übertragen. Ganz Tula hat um sie geweint."

„Warum gerade Ailsa, Ragah? Warum nicht ich?" Cassel konnte seine Tränen nicht länger zurückhalten. „Was hat sie denn getan? Warum hat man sie umgebracht?"

„Ich weiß es nicht, Jonal." Ragah schüttelte langsam den Kopf. „Wir versuchen herauszufinden, warum irgend jemand auf Tula zu einer solchen Tat fähig sein konnte."

Er war allein, ganz allein. Dieser Tatsache konnte er nicht entkommen. Ailsa war tot, und er war allein.

„... und die Gesellschaft hat eine Untersuchungskommission von der Erde hergeschickt. Sie waren sehr eifrig und haben getan, was sie konnten. Vor vier Tagen haben sie den Mann aufgespürt, der es getan hat. Seitdem verhören sie ihn, aber er hat nichts gesagt, nicht einmal unter Drogen. Er wird im Zivongebäude gefangengehalten. Sie haben die Fenster und Türen vergittert und so ein provisorisches Gefängnis hergerichtet ..."

Der Mörder war gefangen. Was machte das schon aus? Brachte es ihm Ailsa zurück? Cassel rollte sich auf die Seite und vergrub das Gesicht im Kissen. Er schluchzte, sein Körper bebte.

Später, als er keine Tränen mehr hatte und in ihm nichts als Leere zurückgeblieben war, erinnerte er sich daran, daß er irgendwann gehört hatte, wie Ragah das Zimmer verließ. Er war ihm dankbar dafür, daß er ihn allein gelassen hatte.

Bron Cadao grinste breit, sein Blick huschte über die verschlüsselte Botschaft. Sein Bericht über Cassels Heilungsprozeß und die Erwähnung der Träume hatten endlich das erhoffte Resultat gebracht. Er hatte die Bosse an der richtigen Stelle getroffen. Aus dem Ton der Mitteilung konnte er entnehmen, daß seine Vorgesetzten ihm nicht glauben mochten. Gleichzeitig aber waren sie so nervös, daß sie nicht länger abwarten konnten. Cassel war eine wandernde Zeitbombe, die ganz Tula zerfetzen konnte. Das hielten nicht einmal die Zivonleute aus.

Wenn man Dr. Parlan nicht überreden konnte, daß er Cassel unbedingt in den Psycho-Aufbau einweisen mußte, dann durfte er, Cadao, die Sache selbst nach eigenem Gutdünken in die Hand nehmen. Die Vorgesetzten hatten sich zu einem beispiellosen Schritt durchgerungen: Sie hatten ihm die Namen zweier anderer Agenten auf dem Planeten mitgeteilt. Diese sollten ihm helfen, wenn es sich als notwendig erwies.

Cadao warf die Mitteilung in den Müllschlitz und lehnte sich mit hinter dem Kopf verschränkten Händen in seinem Sessel zurück. Erst einmal würde er mit Parlan reden. Dabei mußte man natürlich behutsam vorgehen, um nicht den Verdacht des Arztes zu erregen. Wenn das nicht funktionierte, wäre der Zeitpunkt zum Handeln gekommen.

5

Cassel stand am Strand und sah den heranbrausenden Wellen zu. Es war entweder früh am Morgen oder später Nachmittag, er wußte es nicht. Der Himmel war von trüben grauen Wolken bedeckt.

– Ich weiß wirklich nicht, was ich sagen soll, Jonal. Du machst mir Angst.

Du! Cassel fuhr herum. Nein, da war niemand, nur die Stimme. *Ich mache dir Angst! Wer bist du? Was willst du von mir?*

– Stell dir einfach vor, ich sei ein guter Geist, Jonal. Einer, der dich besser kennt als du dich selbst. Wirklich, du erschreckst mich. Was glaubst du, warum ich mich sonst während der vergangenen Woche nicht gemeldet habe? Wie konntest du diesem Dr. Parlan von all den Sachen erzählen, die ich dir gezeigt habe; du hast ihm alles verraten, was ich dir beigebracht habe.

Scher dich fort! Wenn ich nur wüßte, wie ich dich loswerden kann!

– Parlan schwatzt etwas von ein, zwei Aufbausitzungen, und du läßt es zu, daß jemand an deinem Gehirn herumspielt. Ich wußte gar nicht, wie ich damit klarkommen sollte. Ich habe zehn Jahre gebraucht, bis ich eine Methode entwickelt hatte, um mich mit dir verständigen zu können. Denkst du, das will ich alles wieder aufgeben? Also habe ich während der letzten Woche euch beiden zugesehen, dem Doktor und dir. Jetzt sollten wir aber über den Mörder sprechen. Findest du nicht, du solltest allmählich etwas gegen ihn unternehmen?

Ich höre dir nicht zu. Du bist nur ein böser Traum!

– Böser Traum! Das ist spaßig, Jonal. Das gleiche habe ich über dich gedacht, fast zehn Jahre lang. Aber das hier ist kein Traum. Das ist uns beiden klar, nicht wahr?

Mir ist gar nichts klar. Sobald ich aufgewacht bin, werde ich mit Dr. Par-

lan sprechen. Die Aufbausitzungen werden dich zum Verschwinden bringen.
Dies muß der Beginn von Wahnsinn sein. Wer hätte je von einem
Mann gehört, der sich mit einem Traumbild unterhielt?

– Ach, hör auf, Jonal! Du bist völlig gesund. Die Therapiesitzungen
würden dir nicht helfen. Ich gehe nicht wieder fort. Ich weiß jetzt, wie
ich an dich herankomme, das werde ich nicht wieder verlernen. Vielleicht kannst du dich für eine Weile vor mir verstecken, aber ich werde
dich immer finden.

Der Klang der Stimme gefiel Cassel nicht. Sie wollte ihn verhöhnen.

– Nein – Jonal, ich mache mich nicht über dich lustig. Ich muß zugeben, du verursachst mir einigen Widerwillen, aber ich habe mich damit
abgefunden, daß du so bist, wie du bist. Um das gleiche bitte ich dich
auch. Es gibt keinen Grund, warum wir nicht Freunde sein sollten. Ich
kann dir helfen, wenn du es nur willst.

Ein Trugbild meiner Einbildungskraft, das ist es, was du bist!

– Für dich würde manches leichter, wenn du mich so akzeptiertest,
wie ich bin.

*Als was soll ich dich akzeptieren, als bösen Traum, als Nachwirkung
meiner Verletzungen?*

– Du glaubst doch selber nicht, was du da sagst, warum also sprichst
du es überhaupt aus? Alles, was ich dir gezeigt habe, ist höchst real.
Überprüfe es!

Wie?

Es kam keine Antwort. Cassel warf sich herum, er wollte den Mann
sehen, der zu ihm gesprochen hatte.

Wie soll ich es überprüfen?

Wieder keine Antwort. Er setzte sich in den weißen Sand und blickte
hinaus auf die graue See. Wellen rollten den Strand hinauf und benetz-
ten seine Füße.

Eine Tür öffnete sich mit lautem Schleifen und riß Jonal aus dem
Schlaf. Helle Lampen flammten auf und blendeten ihn. Er blinzelte
und versuchte, sich zu orientieren. Allmählich gewöhnten sich seine
Augen an das Licht.

Er lag nackt auf einem harten, kalten Untersuchungstisch, der in fünf
Stunden um kein Grad wärmer geworden war. Eine endlose Folge von
Tests, Spiegelungen und Messungen hatten ihm bis zur Erschöpfung
zugesetzt. Ihm fiel wieder ein, daß Dr. Parlan und seine zwei Assisten-
ten den Raum verlassen hatten, nachdem sie sich über ewige Zeiten mit
einer peinlich genauen Untersuchung seines Unterleibs beschäftigt hatten. Er hatte die Augen geschlossen und war offenbar eingenickt.

Aus den Lichtkegeln der Lampen drangen Stimmen zu ihm herab,
aber Cassel konnte die Sprecher nicht identifizieren. Es war ihm ohnehin gleich, wer dort sprach. Er hatte die Untersuchung satt. Jeder Zoll
seines Körpers fühlte sich unbehaglich. Cassel streckte sich ein wenig,
um den Schmerz aus den erstarrten Gliedern zu vertreiben. Es half
nichts.

Das tiefe Unbehagen steckte in seinem Geist, nicht in seinem Körper. Anspannung und Angstgefühl beherrschten ihn. Nach einer

Woche der Ruhe war der Mann im Schatten, die Stimme seiner Träume, zurückgekehrt.

Schattenmann, so hatte Cassel dieses Wesen mit der spöttischen Stimme, die ihn in seinen Träumen heimsuchte, getauft. Diese Kreatur existierte unabhängig von Cassel als eigenständiges Phänomen. So mußte es sein. Denn die andere Möglichkeit würde bedeuten, daß er den Schattenmann, seine Haß- und Rachegedanken, seine bluttriefenden, lebendigen Bilder vom Morden und Töten als Teil seiner selbst akzeptierte. Das konnte nicht sein. Alles was ihm auf Tula lieb war, stand dagegen. Cassel sträubte sich mit jeder Faser seines Geistes gegen diesen Gedanken.

„Nun, Herr Cassel, ich habe nicht das geringste an Ihrem Körper auszusetzen." Dr. Parlans Stimme war eine willkommene Unterbrechung der düsteren Überlegungen. „Ich sehe keinen Grund, warum wir Sie noch länger hierbehalten sollten."

Cassel richtete sich auf und streifte das weiße Hemd über, das der Doktor ihm gereicht hatte.

„Ich gehe mit Ihnen zu Ihrem Zimmer hinüber. Auf meinen Wunsch hat Herr Tvar heute morgen Ihre Privatkleidung gebracht. Sobald Sie angezogen sind, erledigen wir die letzten Formalitäten. Nach Ihrem Untersuchungsergebnis sind Sie geradezu unanständig gesund. Ich halte es wirklich für besser, wenn Sie nach Hause gehen, statt ein Krankenbett zu belegen. Ihre gewohnte Umgebung wird Ihnen guttun."

„Das ist die beste Nachricht, die ich in den letzten Wochen gehört habe." Mit einem fröhlichen Lächeln folgte Cassel dem Arzt aus dem Untersuchungszimmer. „Ich muß zugeben, in den letzten Tagen bin ich schwer an Langeweile erkrankt. Ich brenne darauf, endlich wieder einmal etwas Nützliches zu tun."

„Lassen Sie sich Zeit, nur nichts überstürzen", mahnte der Arzt, während sie Cassels Zimmer betraten. „Sie sind noch nicht soweit genesen, daß Sie jetzt alles aufarbeiten könnten, was in letzter Zeit liegengeblieben ist. Sie müssen die Dinge gelassen angehen und sich lange Erholungspausen gönnen. Ihre gesamte Muskulatur muß sich erst wieder an Belastungen gewöhnen. Sie dürfen sich nicht zu hart fordern. Halten Sie sich zunächst von aller Arbeit fern, egal ob körperlicher oder geistiger. Treiben Sie ein wenig Sport, aber auf keinen Fall im Übermaß, verstanden?"

„Erholen, ein bißchen Sport, nicht arbeiten." Cassel nickte. Auf dem Bett lagen seine Kleider, er begann sich anzuziehen.

„Ich meine es wirklich ernst", sagte der Arzt. „Für die nächsten zwei, drei Wochen müssen Sie jede Anstrengung meiden."

„Ja, ich verspreche es." Cassel war mit dem Ankleiden fertig. Er genoß es, seine eigene Kleidung auf dem Körper zu spüren, nachdem er wochenlang Krankenhaushemdchen getragen hatte. „Kann ich mir ein Taxi rufen?"

„Wir lassen eines für Sie bereitstellen." Parlan machte eine kurze Pause, dann sagte er: „Eines möchte ich noch mit Ihnen besprechen, bevor Sie uns verlassen: Hatten Sie weiterhin unter den Träumen zu leiden? Träumen Sie etwa immer noch solche Sachen?"

„Nein", erwiderte Cassel ohne Zögern. „Seit ich aus dem Regenerationsbeschleuniger kam und Ihnen von den Träumen erzählte, sind sie nicht wiedergekehrt."

Ein tiefes Schuldbewußtsein ergriff ihn. Er hatte gelogen. Warum? Er hatte keinen Grund, Parlan anzulügen. Er hatte noch niemals zuvor in seinem Leben gelogen. Doch in diesem Augenblick schien es ihm richtig, nicht die Wahrheit zu sagen. Er wußte, wie Parlan reagieren würde, wenn er ihm von seinem letzten Traum im Untersuchungszimmer erzählte. Psycho-Aufbau – Rekonditionierung – eine drastische Methode. Cassel erschien sie unangemessen, um ein paar Alpträume zu vertreiben. Wenn die Träume wiederkehrten, konnte er immer noch Hilfe suchen, aber nicht jetzt.

„Fein, fein." Dr. Parlan war sichtlich erleichtert. „Genau, wie ich gesagt habe: Die Träume waren eine Nachwirkung des Schocks. Wenn sie aber wiederkommen, müssen Sie es mir sofort mitteilen. Wir werden ein paar Sitzungen abhalten, und schon werden Sie sie für immer los sein."

Er will mit meinem Gehirn herumspielen. Cassel erschrak über sich selbst. Die Rekonditionierung war nichts Neues für ihn, für niemanden auf Tula. Er hatte sich mehreren Sitzungen unterzogen, hier und auf der Erde. Es war eine verbreitete psychiatrische Maßnahme, ein Schutz gegen antisoziale Verhaltensmuster.

„Wenn sie wiederkehren, werde ich mich mit Ihnen in Verbindung setzen", versicherte Cassel. Das würde er wirklich tun, *wenn* die Träume schlimmer werden würden. Im Moment konnte er selbst mit ihnen fertig werden. Die letzten Worte der Traumstimme gingen ihm nicht aus dem Sinn. Er mußte etwas herausfinden, bevor er sich an einen Psychiater wenden würde, der ihn psychisch umwandelte.

„Tja dann, ich sehe keinen Grund, warum ich Sie noch länger aufhalten sollte." Parlan streckte ihm die Hand entgegen. „Halten Sie sich an meine Anweisungen, und finden Sie sich in vierzehn Tagen zu einer neuen Untersuchung ein."

Cassel schüttelte dem Arzt die Hand, nickte ihm zu und verließ das Zimmer. Er verspürte gleichzeitig Unruhe und Erleichterung. Mit dem Lift gelangte er ins Parterre. Sekunden später hatte er den Haupteingang hinter sich gelassen.

Draußen hing Tulas Sonne bereits dicht über dem westlichen Horizont. Der Abend kam schnell heran. Cassel empfand leichte Enttäuschung. Parlans Untersuchungen hatten ihm fast einen ganzen Tag gestohlen. Doch davon wollte er sich nicht die Stimmung verderben lassen. Er war nicht mehr im Krankenhaus. Mehr konnte er für den Augenblick nicht verlangen.

Er sog tief den Atem ein und füllte die Lungen mit frischer Luft. Feiner Salzgeruch drang in seine Nasenlöcher, der Duft der See. Nach ein paar Augenblicken irritierte ihn der Geruch, denn er erinnerte ihn an die letzte Szene seines Traumes. Er verdrängte das bedrückende Bild aus seinem Kopf und trat auf die Rampe. Ein Haubentaxi schoß heran und stoppte unmittelbar vor seinen Füßen. „Jonal Cassel!" schnarrte der Lautsprecher in der Bordwand des Gefährts.

Cassel zog seine Ausweiskarte aus der Tasche und preßte sie gegen den Ableser des Taxis. Die Tür glitt zur Seite, Cassel schlüpfte hinein und machte es sich auf den Polstern bequem. Er gab die Koordinaten seiner Wohnung in den Steuerautomaten ein, lehnte sich zurück und schloß die Augen. Das Taxi steuerte seinem Bestimmungsort entgegen.

Überprüf es! Er konnte die Herausforderung des Schattenmannes nicht abschütteln. Der Traum verfolgte ihn. Trotz seiner Unklarheit, trotz der körperlosen Stimme erschien ihm dieser letzte Traum lebendiger als alle Träume, die er im RB-Gerät gehabt hatte. Er konnte sich an jedes Wort erinnern, so als habe er sich mit einem Geschäftspartner oder einem Freund unterhalten.

Er hätte Parlan davon erzählen sollen. Nun nagte der Traum in seinem Inneren und hielt sein Denken gefangen. Cassels Geist war instabil geworden. Es war nur noch ein Schritt bis zum Wahnsinn. Er brauchte die psychotherapeutischen Sitzungen dringend, um den Schock über Ailsas Tod und den Anschlag auf sein Leben zu überwinden.

Nein. Er schüttelte den Kopf. Die psychiatrische Umformung war der falsche Weg, zumindest zu diesem Zeitpunkt. Er konnte sich den Psychosonden, den Gedächtsnislöschungen nicht aussetzen, solange er sich nicht davon überzeugt hatte, daß der Schattenmann log.

Das Taxi wurde merklich langsamer. Cassel schreckte aus seinen Überlegungen auf. Er fluchte, seine Stimme hallte in der gewölbten Kabine wider.

Offenbar hatte er ein Fahrzeug älterer Bauart erwischt. Es war so programmiert, daß es den direkten Weg zum Zielpunkt wählte. Soeben fuhr das Taxi in das Geschäftsviertel von Farrisberg ein, in das Zentrum der Hauptstadt von Tula. Neuere Taxis wählten den zeitgünstigsten Weg zum Ziel. Sie hätten die Innenstadt auf einer der Ringstraßen umfahren. Der Weg durch das Geschäftsviertel kam einer Verzögerung von mindestens einer halben Stunde gleich.

Cassel stieß eine neuerliche Verwünschung aus und ließ sich in die Polster zurückfallen. Er konnte gegen die Verzögerung nichts unternehmen, so mußte er sie halt ertragen. Sein Blick wanderte an den Gebäuden hinauf, die hinter der durchsichtigen Kanzel vorüberzogen. Farrisberg war eine Musterstadt, so sauber und ordentlich wie alles auf Tula. Die hochragenden Bauwerke bestanden ganz und gar aus Stein und Stahl. Das konnten nur wenige Kolonialplaneten vorweisen.

Die Wohnviertel lagen abseits der Innenstadt. Die flache Landschaft in der Umgebung der Hauptstadt bot Bauland im Überfluß. Dennoch wohnten die meisten Tulaner unter der Erde. So blieb die Oberfläche des Planeten grün, und sein ökologisches Gleichgewicht wurde nicht gefährdet.

Für das alles hatte die Bevölkerung Tulas der Zivon-Entwicklungsgesellschaft zu danken. Die Gesellschaft – so wurde sie meist von den Tulanern genannt – genoß eine fast religiöse Verehrung.

Zivon, das war ein Lehnwort aus einer alten, toten Sprache der Erde. Was es bedeutete, wußte auf Tula niemand mehr. Man übersetzte das Wort gern mit „Kraft und Leben", denn das war es schließlich, was die

Gesellschaft für Tula tat: Sie spendete Kraft und Leben. Zivon war anders als die meisten anderen Forschungs- und Entwicklungsgesellschaften, die auf neuentdeckten Planeten eine gnadenlose Ausbeutung betrieben. Zivon war eine Philosophie. Ihr Ziel hieß Utopia, eine vollkommene Welt, auf der alle Menschen in Frieden und Eintracht lebten. Während die Konkurrenzunternehmen „ihre" Planeten in der fünfzigjährigen Kolonisierungsphase rücksichtslos ausgeplündert und danach die Siedler ihrem Schicksal überlassen hatten, legte Zivon den Samen zu einem Paradies.

Natürlich brachte Tula der Gesellschaft auch finanziellen Gewinn ein. Cassel war sich durchaus darüber im klaren, daß Profitinteressen der wesentliche Antrieb für Zivon waren. Auf einer an Bodenschätzen so reichen Welt wie Tula konnte man leicht Gewinne erzielen. Niemals würde irgendeine Entwicklungsgesellschaft – auch Zivon nicht – eine Welt aus rein philanthropischen Beweggründen besiedeln. Zivon machte ihre Gewinne mit dem Eisen-, Kupfer-, Silber-, Uran- und Holzabbau. Echtes Holz war ein gefragtes Luxusgut auf der Erde und hundert anderen Planeten. Wenn Tula die Unabhängigkeit erlangte, würde diese Welt allein durch den Holzexport auf einer soliden ökonomischen Basis stehen. Eine sorgfältige Bewirtschaftung der bewaldeten Kontinente könnte für den Planeten eine nie versiegende Quelle des Wohlstands bedeuten.

Aber Zivon kannte eben nicht nur Profitinteressen. Diese Tatsache hatte Tula zu dem gemacht, was es war. Die Gesellschaft glaubte an die Einwohner von Tula und an ihr Ideal: Hier sollte eine Welt geschaffen werden, frei von der Gewalt und dem geistigen Verfall, die unweigerlich alle Ansiedlungen der Menschen heimsuchten.

Cassel dachte an die rigorose psychische Umwandlung, der er sich hatte unterwerfen müssen, um eine Passage nach Tula zu bekommen. Die Testreihen und ihre Überprüfungen hatten mehr als ein Jahr gedauert. Von tausend wurde einer für Tula ausgewählt. Cassel hatte niemals jenen Augenblick höchsten Glücks vergessen, als er vor zehn Jahren die Einwanderungserlaubnis erhielt. Tula stellte ein wertvolles Experiment dar, und Cassel hatte ihm die letzten zehn Jahre seines Lebens gewidmet. Von allen Unternehmungen des Menschen war Tula die edelste, und sie war erfolgreich seit fünfzig Jahren. Nicht ein einziger gewalttätiger Akt hatte die Geschichte des Planeten besudelt.

Abgesehen von dem Mord an Ailsa.

Der Schmerz war wieder da. Ganz gleich, wohin seine Gedanken auch wanderten, schließlich kehrten sie immer wieder zu dem einen Punkt zurück. Parlan hatte ihn davor gewarnt, sich zu sehr mit ihrem Tod zu beschäftigen, aber Cassel konnte seine Gedanken nicht anhalten: Ailsa war tot, und er lebte. In ihm brannte ein Feuer. Er wußte, daß er mit ihrem Tod fertig werden und neu beginnen mußte. Das war der einzige Weg zum Überleben. Er durfte nicht aufgeben.

Cassel wandte seine Aufmerksamkeit den Menschen auf den Bürgersteigen zu, versuchte so, vor der Erinnerung an Ailsa zu fliehen. Es war Schichtwechsel, die Menschen strömten aus den Gebäuden und drängten zu den Taxisteigen.

Cassel hielt das Gesicht dicht an die Kanzelwölbung und beobachtete die Menge. Es gab keine Hast und kein Gedränge. Niemand bahnte sich mit Gewalt einen Weg zu den Taxisteigen. Keine stoßenden Arme waren zu sehen, keine ärgerlichen Gesichter. Nur freundliches Lächeln und ein gelassenes, gleichmäßiges Schreiten.

Cassel fühlte sich irritiert. Der Anblick war von einer merkwürdigen Leblosigkeit, die er nicht definieren konnte. Da draußen gingen menschliche Wesen, Männer und Frauen, die gerade ihre Vierstundenschicht beendet hatten. Sie hatten die Arbeit in den Büros hinter sich gelassen und kehrten nun zu ihren Wohnungen und ihrem Privatleben zurück. Aber es gab keine Eile, niemand beschleunigte seinen Schritt, um schneller in den Armen des Gatten oder Geliebten zu sein.

Eine unnatürliche Szenerie. Irgendwo unter den Tausenden mußte ein mürrisches Gesicht zu sehen sein, ein ärgerlich verzogener Mund, eine gefurchte Stirn. Cassel suchte die Gesichter ab, aber er entdeckte nur freundliche Mienen oder sich bewegende Lippen, die offenbar höfliche Gespräche führten.

Wie oft schon war er gemeinsam mit diesen Menschen aus den Büros heimgekehrt? Wie viele Male war er von der Arbeitsstätte zu den Taxisteigen geschlendert, in eine freundschaftliche Unterhaltung mit den Kollegen vertieft, und hatte sich daran erfreut, daß sein Leben in diesen geordneten Bahnen verlief?

Warum erschien ihm das alles jetzt so leer, so arm an Lebenskraft?

Cassel preßte seine Lider fest zusammen, hielt sie geschlossen. Was geschah mit ihm? Hatte er tatsächlich den Verstand verloren? Was war nur in ihn gefahren? Alle seine Gedanken waren von Zweifeln durchsetzt.

Er zwang sich, die Augen wieder zu öffnen und hinauszuschauen. Das Zittern legte sich. Es war richtig, wie sich die Menge draußen verhielt. Die Menschen *waren* friedlich. Sie benahmen sich wie menschliche Wesen, nicht wie Tiere, die sich mit Gewalt ihren Weg bahnten.

Der Verwaltungsbau der Zivon-Entwicklungsgesellschaft schob sich in Cassels Blickfeld. Er straffte sich, war plötzlich von Unruhe befallen. Ragah hatte gesagt, Ailsas Mörder würde in dem Gebäude gefangengehalten. Dort war der Mann, der Cassels Frau getötet hatte.

Er richtete sich auf. Seine Hände zuckten zum Steuerpult des Taxis. Sie erstarrten über den Tasten, schwebten dort, während die Koordinaten des Zivongebäudes wieder und wieder vor Cassels innerem Auge aufleuchteten.

Er ließ sich zurückfallen, spürte, wie das Taxi seine Fahrt beschleunigte. Was hätte es für einen Sinn gehabt? Was würde es ihm bringen, wenn er dem Mann gegenüberstand? Die Leere in seinem Innern würde nicht vergehen. Ailsa würde nicht zu ihm zurückkehren.

Draußen hatte sich die Bebauung gelichtet. Das Taxi erhöhte noch einmal die Geschwindigkeit. Jetzt huschte es durch die Waldlandschaft, die Farrisberg umgab. Cassel atmete tief ein.

Der Gedanke an den Mann im Zivongebäude wollte nicht weichen. Der Mörder saß nicht einmal im Gefängnis, es gab keine Gefängnisse auf Tula. Der Planet hatte eine Einwohnerzahl von drei Millionen überschritten, aber er besaß nicht eine einzige Gefängniszelle, nicht einen Gefangenen. Ein Phänomen, das für den Erfolg Tulas und Zivons sprach.

Und doch hatte auch diese Vorstellung für Cassel etwas Irreales. Auch wenn sich Zivon bei der Auswahl und Vorbereitung der Einwohner die größte Mühe gab, so konnte man doch nicht völlig ausschließen, daß auch einmal ein Misanthrop durch die Maschen des Netzes schlüpfte, daß ein Wolf auf der Schafweide von Tula erschien.

Das Taxi bremste ab und steuerte eine Abzweigung an. Jetzt schoß es unter dem Blätterdach von Alleebäumen dahin. Plötzlich endete der grüne Tunnel, und Cassel schaute hinaus auf den Ozean. Das Gefährt folgte dem Verlauf einer dreißig Meter hohen Felsküste. Tief unten trennte ein weißer Sandstreifen die Klippen vom Meer.

Ein durchdringendes Pfeifen ertönte in der Kanzel. Auf dem Steuerpult blinkte ein blaues Lämpchen auf. Gleichzeitig setzte eine Tonbandstimme ein:

„Ankunft in einer Minute! Bitte entfernen Sie alle persönliche Habe aus dem Fahrgastraum."

Ein zweites Pfeifen, wieder das blaue Blinken, und das Taxi stoppte. Die Tür schwang zur Seite. Cassel stieg aus und stand auf einer Betonplattform, sechs Meter vom Rand der Klippen entfernt. Die Taxitür schloß sich, und das Fahrzeug summte davon. Cassel war allein, mitten in unberührter Wildnis.

Dieser Eindruck trog. Ailsa und er hatten sich sehr bemüht, die Landschaft um das Haus so zu gestalten, daß sie natürlich gewachsen erschien. Nur die Betonplatte, auf der Cassel stand, paßte nicht ins Bild. Auch Ailsas Rosenstöcke gehörten nicht hierher. Rosen gehörten nicht zu Tulas ursprünglicher Flora, doch Ailsa hatte einen Zivonangestellten überredet, zwei Pflanzen für sie einzuschmuggeln.

Ein dumpfer Schmerz pochte in Cassels Brust, als er sich daran erinnerte, wie Ailsa die jungen Pflanzen umsorgt hatte. Fast wie Kinder hatte sie sie gehegt und gepflegt, bis sie zu prächtigen, dunkelrot blühenden Büschen herangewachsen waren. Hinter dem Haus stand Ailsas Gewächshaus, geschickt in das Felsgestein der Klippen eingepaßt. Dort blühten das ganze Jahr über exotische Pflanzen. Ailsa hatte sie alle geliebt, aber nur die Rosen schätzte sie so sehr, daß sie sie ins Freie pflanzte. Die Rosenstöcke waren ihr Geschenk an eine Welt, die sie liebte.

Cassel kehrte den Büschen den Rücken zu und ging zu einer Stange, die aus der Mitte der Betonplatte herausragte. Oben auf dem einen Meter hohen Stab war ein schwarzer Kasten befestigt. Cassel öffnete ihn und legte seine Hand auf die Identifizierungsplatte im Innern. Eine Sekunde später war ein Zischen wie von entweichender Luft zu hören. In der Platte öffnete sich ein großes, kreisrundes Loch, die Mündung des Schwebschachtes. Cassel trat hinein und sank langsam abwärts.

Das Haus war schwerer zu ertragen als die Rosenstöcke. Ailsa war überall, ihr Geist schwebte über den Sesseln, vor dem Einbauschrank, neben der Terrassentür. Das Schlafzimmer war erfüllt von den Heimlichkeiten, der Leidenschaft, der Liebe, die sie geteilt hatten. Cassel spürte die Versuchung, stehenzubleiben und alle Stunden mit Ailsa noch einmal zu durchleben.

Der Druck in seiner Brust und die Tränen in den Augen sagten ihm, daß das nicht möglich war. Er konne nicht in der Vergangenheit leben. Bei allem Verlangen, das in ihm brannte, war Ailsa nun ein Teil der Vergangenheit. Er war die Gegenwart, er lebte.

Das klang gut, stark und selbstbewußt. Er wußte, daß er eines Tages einmal tatsächlich so denken würde, aber jetzt war das Vergangene noch zu nahe, es hielt ihn gefangen.

Er überlegte, ob er Ragah anrufen sollte, um sich für ein paar Tage bei ihm einzuquartieren. Das würde leichter sein, als mit einem Geist zu leben. Doch er hatte nicht die Kraft, das Haus zu verlassen. Er wollte dort sein, auch wenn er sich vor der Erinnerung fürchtete, die in jedem Zimmer auf ihn wartete.

Schlafen. Wenn er schlafen könnte, würden die Erinnerungen für eine Weile verstummen. Morgen könnte er einen neuen Anfang machen. Vielleicht wäre das Haus dann auch nicht mehr so bedrückend.

Neben dem Bett fand Cassel ein Röhrchen mit Schlaftabletten. Er schob den Verschluß mit dem Daumen ab und schüttete den Inhalt auf seine Handfläche. Er betrachtete die gelbgrünen Kapseln einen Augenblick lang. Ailsa und er hatten gelegentlich eine Pille genommen, um die Nervosität zu bekämpfen. Es waren zwölf Kapseln übrig. Ein leichter Weg. Zuerst der Schlaf und dann das Ende aller Schmerzen, für immer. Zwölf Kapseln, ein paar Schlucke ...

Er warf zehn Kapseln in das Röhrchen zurück und verschloß es wieder. Warum er so handelte, hätte er nicht sagen können. Vielleicht war dieser Weg *zu* einfach, vielleicht fürchtete er den Tod noch mehr als die Einsamkeit. Er schluckte zwei Pillen – Schlaf, nicht Tod – und setzte sich aufs Bett.

Überprüf es! Die Aufforderung des Mannes im Schatten war plötzlich wieder da. Cassel stieß einen Fluch aus. Er verwünschte sich selbst, weil er die Pillen genommen hatte, bevor er sein Vorhaben ausgeführt hatte. Bevor die Wirkung einsetzte, blieb ihm noch etwas Zeit.

Cassel stand auf, ging in die Bibliothek und setzte sich vor die Konsole seines Computeranschlusses. Seine Finger glitten über die Tasten und gaben eine Kombination ein. Kurz darauf flackerte der Bildschirm auf, eine Leuchtschrift erschien: STADTBIBLIOTHEK – ANSCHLUSS HERGESTELLT – DATENBANK ABRUFBEREIT.

Cassels Finger bearbeiteten die Tastatur. Er gab „Mordanschläge" als Oberkategorie ein, danach paarweise die Namen der Opfer und der Planeten:

Adum Saht – Talald III; Javas Garridan – Lanatia; Ragnar Oles – Vertos; Bina Fanett – Palla; Tymon Priest – Gyon; Paulles Nught – Sarthum.

Cassel kaute nervös auf der Unterlippe. Er fürchtete sich davor, daß die Datenbank seine Träume bestätigen würde, und mehr noch davor, daß sie es nicht täte. Seine Handflächen wurden feucht, in den Schläfen pochte es.

Der Schirm flackerte. Er war von grünen Schriftzeichen bedeckt:

ADUM SAHT – TALALD III
Religiöser Führer des Wüstenplaneten Talald III. Seine Ermordung im
Jahre 378 Talaldzeit entfachte einen fünf Jahre andauernden Bürger-
krieg zwischen den zwei Balietid-Parteien, den Raeysa und den Kiatos.
Die Identität des Mörders ist unbekannt. Es wird vermutet, daß es sich
um einen von den Raeysa gedungenen Nichttalalder handelte.

378 Talaldzeit, das bedeutete: vor einundzwanzig Jahren nach Erdstan-
dard. Cassels Pulsschlag beschleunigte sich. Auf dem Bildschirm leuchtete die nächste Mitteilung auf.

JAVAS GARRIDAN
KEIN MORDANSCHLAG BEKANNT
Javas Garridan, Präsident der Xythine-Gruppe, kam bei einem
Hovercraft-Absturz ums Leben, als er die Xythine-Besitzungen auf
Lanatia besuchte. 3098 Lanatia-Standard-Zeit.

Vor neunzehn Erdenjahren also. Ein Hovercraft mit beschädigter Steue-
rung. Cassel konnte sich noch genau an seinen Traum erinnern. Er
kannte den Absturz bis in jede Einzelheit. Sein Wissen erschreckte ihn.

RAGNAR OLES – VERTOS
Ragnar Oles, alleiniger Besitzer der Oles-Kupferminen auf dem
Planeten Vertos, wurde von seiner Frau, Liane Oles, während eines
Ehestreits erstochen. 56 Vertosz. Die Frau wurde für nicht
zurechnungsfähig erklärt. Oles' Besitztümer fielen an den einzigen
Sohn, Paz Oles.

Behutsame Psycho-Konditionierung verbunden mit einer Überdosis
des Halluzinogens Patis hatten ausgereicht, damit Liane Oles davon
überzeugt war, daß ihr Mann sie umbringen wollte. Cassel konnte sich
an alles erinnern. Paz Oles mußte eine hübsche Gage ausspucken, aber
schließlich hatte er ja auch das gesamte Vermögen seines Vaters geerbt.

BINA FANETT – PALLA
KEIN MORDANSCHLAG BEKANNT
Bina Fanett, vormals ein Publikumsliebling des Holodramas,
beging Selbstmord auf dem Planeten Palla, indem sie sich aus dem
Fenster ihres Appartements stürzte. 1189 PZ.

Vor siebzehn Erdenjahren. Ein kleiner Stoß genügte. Die Fanett hatte
ihr Blatt überreizt. Für einen der Männer, die sie erpreßte, stand zuviel
auf dem Spiel.

TYMON PRIEST – GYON
Tymon Priest, Erster Vorsitzender der Unabhängigkeitspartei von
Gyon, kam bei einer Explosion in seiner Wohnung ums Leben.
Man vermutet, daß ein Attentäter eine Bombe gelegt hat, bisher keine
Bestätigung. 69 GZ.

34

Vor fünfzehn Erdenjahren. Cassel erinnerte sich an Priest. Man hatte ihm das gleiche Schicksal zugedacht wie diesem Mann, aber er hatte mehr Glück gehabt. Er war am Leben geblieben.

PAULLES NUGHT – SARTHUM

Paulles Nught, mutmaßlicher Mörder von acht Geiseln bei einem Banküberfall auf die Sarthum-Kreditkasse, wurde nach einem langen, heftig umstrittenen Prozeß freigesprochen. Einige Zeit später wurde Nught tot aufgefunden; seine Leiche war verstümmelt. Täter wurde nicht ermittelt. 575 SZ.

Der Ehemann einer der getöteten Geiseln hatte sich Nughts Tod etwas kosten lassen – damals, vor dreizehn Erdenjahren. Cassel konnte sich noch gut an Nughts Schreckensschreie erinnern. Der Mann wurde bei lebendigem Leib zerfleischt.

Der Bildschirm war leer.

Cassel starrte ihn benommen an. Jeder seiner Träume war Wirklichkeit gewesen. Wie war das möglich? Er suchte nach einer Erklärung und fand keine. Keines der Verbrechen war so bedeutend gewesen, daß man in den interstellaren Nachrichten davon berichtet hätte. Cassel war noch nie auf einem dieser Planeten gewesen. Einige kannte er vom Hörensagen, andere überhaupt nicht.

Der Schock seiner Entdeckung war mehr, als er ertragen konnte. Er mußte mit jemandem darüber sprechen, jemandem mitteilen, was er herausgefunden hatte. Ragah? Parlan?

Er stützte sich auf die Konsole und stand auf. Das Zimmer drehte sich um ihn.

Verdammt! Die Schlaftabletten taten ihre Wirkung. Er ging hinüber ins Wohnzimmer, dabei mußte er sich an den Wänden abstützen. Er fühlte sich vollkommen entspannt. Nichts spielte mehr eine Rolle.

Cassel ließ sich auf die Couch fallen und streckte sich auf ihr aus. Es war angenehm, die Polster unter dem Körper zu spüren ...

Er schloß die Augen und entspannte sich, vergaß den Computer, das Haus und die Geister.

Der Bildschirm erlosch. Ein blindes, graugrünes Auge starrte Bron Cadao an. Der Mann fuhr sich mit der Hand ungeduldig über den Nakken. Was er soeben gesehen hatte, gefiel ihm nicht. Parlan war ein Trottel. Cassel zerbrach sich immer noch den Kopf über diese Träume. Daß der Mann seinem Arzt nichts darüber gesagt hatte, machte die Situation nur schlimmer. Wäre Cadao nicht auf der Hut gewesen und hätte sich nicht rechtzeitig in Cassels Computerleitung eingeschaltet, hätte er womöglich viel zu spät davon erfahren.

Aber Cadao hatte alles unter Kontrolle. Bald würde das Problem nicht mehr existieren. In spätestens vierundzwanzig Stunden würde Jonal Cassel die Sicherheit des Tula-Projektes nicht mehr gefährden.

6

– Du überraschst mich immer wieder, Jonal.

Cassel wälzte sich herum. Der Nebel hüllte ihn sekundenlang ein wie ein milchig-weißer Kokon, dann löste er sich auf. Er starrte angestrengt durch den Dunst, versuchte, ihn mit den Blicken zu durchdringen, aber der Sprecher blieb unsichtbar.

– Wenn ich mir keine Sorgen um dich machen müßte, könnte ich mich über deine Dummheit von Herzen amüsieren.

Der Nebel hatte sich so weit gelichtet, daß Cassel die dunkle Silhouette eines Mannes erkennen konnte. Seine Magenwände verkrampften sich, eine sinnlose Angst drohte ihn zu überwältigen. Cassel wirbelte auf einem Fußballen herum und erstarrte. Sein ganzer Körper war von Angstschweiß bedeckt. Der Schattenmann stand immer noch vor ihm, halb verhüllt von den ziehenden Schwaden.

– Die Sache mit den Schlaftabletten war ein blödsinniger Einfall. Drogen vernebeln einem die Sinne, Jonal. Aber du brauchst dringend einen klaren Kopf. Sonst wirst du untergehen. Die Chancen stehen gegen dich, auch hier auf Tula. Wenn sich die Gelegenheit bietet, dann mußt du bereit sein. Du mußt zuschlagen, bevor sie damit rechnen. Wenn du das nicht schaffst, bist du erledigt. Eine zweite Chance wirst du nicht bekommen.

Ich werde überhaupt nichts tun! Er brauchte den Schattenmann nicht zu fragen, wovon er eigentlich redete, denn das Schreckgespenst seiner Träume kannte nur ein Thema: Rache an Ailsas Mörder.

– Du wirst etwas tun. Es wird einige Zeit dauern, bis du dich an die Tatsache gewöhnt hast, aber dann wirst du handeln. Als du heute am Zivonbau vorübergefahren bist, hast du es selbst gespürt. Wenn der richtige Zeitpunkt gekommen ist ... *Nein! Ich wollte ihn mir nur ansehen ... ihn befragen ... herausfinden, warum es geschah! Etwas anderes hatte ich nicht im Sinn. Ich könnte niemals ...*

– Ailsas Mörder töten.

Niemals! Ich will nur wissen, warum. Ich könnte niemals einen Menschen umbringen! Cassel preßte die Handballen gegen die Ohren, um sich vor der Stimme des Phantoms zu schützen. Es war vergeblich.

– Warum, warum, warum! Hör auf, dir etwas vorzuspielen. Du kennst die Gründe. Habe ich dir nicht alles gezeigt? Dein eigener Computer hat es bestätigt. Es wird Zeit, daß du die Dinge selbst in die Hand nimmst, wenn ich mich einmal so ausdrücken darf.

Ich will nicht! Ich kann nicht! Seine Arme sanken herab. Die Fäuste öffneten und schlossen sich krampfartig. Der Schattenmann kicherte. *Ich kann nicht töten!*

Er spürte, daß ihn die unsichtbaren Augen seines Peinigers durchbohrten wie ein Insekt, das mit einer Stecknadel auf sein stoffbespanntes Brett gespießt wird. Cassel wand sich unter diesem Blick, unter dem höhnischen Lächeln, das er auf dem verhüllten Gesicht des Mannes im Schatten vermutete. Er drehte ihm den Rücken zu, doch es half nichts, der Schattenmann stand wieder vor ihm.

– Finde dich damit ab, Jonal. Mach es uns doch nicht so schwer! Du kannst es in dir spüren, also akzeptiere es!

Nein, verdammt noch mal! Ich spüre gar nichts! Doch in seinem Inneren regte sich etwas. Dunkel und bedrohlich erwachte es in seiner Brust. Der Schattenmann verunsicherte ihn, ließ ihn an seinen wahren Gefühlen irre werden.

– In deinem Kopf geht einiges durcheinander, Jonal. Aber mit mir hat das nichts zu tun.

Wer bist du? Cassel drängte näher an die Schattengestalt heran. Er streckte die Hand aus. Die Nebelschwaden gerieten in Bewegung. In konzentrischen Kreisen entfernten sie sich von seiner Hand, so als ob er einen Stein in einen spiegelglatten See geworfen hätte. Die ziehenden Kreise verzerrten das Gesicht des Schattenmannes. Hilflos griff Cassels Hand ins Leere.

– Jonal, jetzt kommst du vom Zweck unseres Gespräches ab.

Es ist nicht unser Gespräch.

– Wie du willst. Auf die Situation hat deine Meinung keinen Einfluß. Wichtig ist allein, wann du den Mann aufsuchen willst, der deine Frau abgeschlachtet hat.

Morgen. Er gab sich keine Mühe, seine Absicht zu verbergen.

– Das soll mir für heute genügen. Es ist immerhin ein Anfang, ein Schritt in die richtige Richtung.

Der Nebel wurde wieder dichter und hüllte den Mann völlig ein. Cassels greifende Hand wirbelte nur neue Kreise auf.

Der Sturzbach massierender Wasserstrahlen versiegte, als sich die Brausenköpfe automatisch abschalteten. Einen Augenblick später strömte Luft aus den Wanddüsen der Kabine.

Cassel fröstelte. Ailsa stellte die Trockenluft immer auf eine zu niedrige Stufe ein. Die Heißluft, die er bevorzugte, mache sie nur lethargisch, sagte sie. An diesem Morgen mußte er ihr zustimmen. Zwar war sein ganzer Körper von einer Gänsehaut überzogen, doch die kühle Luft war genau das, was er jetzt brauchte. Die Schlaftabletten waren zu stark gewesen. Er hatte verschlafen und seinen verkaterten Kopf nur mit äußerster Anstrengung unter die Dusche schleppen können. Ailsas kühle Luft trug nun Schicht um Schicht das undurchdringliche Gewebe ab, mit dem sein Verstand umsponnen war. Cassel rieb sich mit den Händen über Arme und Beine, um den Trockenvorgang zu beschleunigen. Er lächelte, als das Leben prickelnd in seine Gliedmaßen zurückkehrte. Heute mußte er hellwach sein ...

Hellwach ... Hatte das nicht der Schattenmann gesagt? Die Wirklichkeit stürzte auf ihn ein. Die Tabletten hatten nicht nur für einen tiefen Schlaf gesorgt. Für einen Moment lang hatte er sogar vergessen, daß Ailsa ...

Oder war das nur ein weiterer Hinweis darauf, daß er einem Nervenzusammenbruch entgegentrieb?

Die Luftdüsen schalteten sich mit einem leisen Zischen aus. Die Kabinentür glitt zur Seite. Cassel stieg hinaus.

Von überall her starrten ihm Erinnerungen entgegen. Kleine Dinge, die von dem Leben sprachen, das er mit seiner Frau geteilt hatte: Kämme, Bürsten, Kosmetikfläschchen auf der Ablage unter dem Frisierspiegel. Er fuhr mit der Hand zärtlich über die Reihe der ordentlich aufgehängten Kleider. Weiche, schmiegsame Stoffe, die Synthetikgewebe ihrer Arbeitsoveralls ...

Alle nutzlos und ohne Leben.

Cassel schloß die Augen und stemmte sich gegen den Strom der Erinnerungen. Sie gehörten in eine andere Zeit, die Vergangenheit, er konnte nichts daran ändern. Er versuchte gleichmäßig zu atmen, um so wieder einen festen Halt zu gewinnen. Ein zarter Duft hing in der Luft, ein Hauch, wie er manchmal in einem Kopfkissen zurückbleibt, nachdem die Geliebte es verlassen hat. Cassels geschlossene Augen füllten sich mit Tränen.

Mit plötzlicher Entschlossenheit wischte er sich die Feuchtigkeit aus den Augenwinkeln. Dann zog er wahllos einen Anzug aus dem Schrank und schlüpfte hinein. Ailsa war tot. Er konnte es nicht ungeschehen machen. Alle Trauer brachte sie nicht zu ihm zurück.

Seine Entschlossenheit half ihm nicht gegen den Schmerz, den er spürte, als er durch die anderen Zimmer des Hauses schritt. Es war falsch gewesen, so schnell hierher zurückzukehren. Er brauchte Zeit, bis er sich Ailsas bedrückender Gegenwärtigkeit in diesen Räumen stellen konnte. Wenn er länger hierblieb, würde er nur näher an den Rand des Abgrunds treiben.

Sein Blick fiel auf den Computerbildschirm in der Bibliothek. Alles fiel ihm wieder ein. Der Schattenmann. Neue Zweifel und Unsicherheit drangen auf ihn ein. Das Netz der Wirklichkeit wurde dünn. Er mußte mit jemandem sprechen, ihm alles anvertrauen und gemeinsam mit ihm nach einer Antwort suchen.

Antwort? Gab es diese Antwort überhaupt? Ein unbestimmtes und dennoch sicheres Gefühl sagte ihm, daß er die Antwort finden könnte, wenn ihm nur jemand bei der Suche helfen würde. Er konnte sich nicht an Ailsas und seine gemeinsamen Freunde wenden. Sie würden ihm noch mehr zusetzen als das leere Haus. Freundlich lächelnd würden sie sich vor Verlegenheit winden, während sie ihn zu trösten versuchten. Parlan? Er zuckte vor dem Gedanken an den Arzt zurück. Der Psycho-Aufbau schreckte ihn. Die elektronischen Sonden konnten Zweifel ausmerzen und Erinnerungen löschen, aber sie lieferten keine Lösungen, brachten keine Antworten. *Hellwach,* die Mahnung des Schattenmannes hallte in seinem Innern nach. Er mußte hellwach bleiben.

Wer also?

Ragah Tvar. Der Gedanke an diesen Mann gab Cassel Sicherheit. Andere konnten ihm besser helfen, das war gewiß. Aber konnte man ihnen trauen? Jeder Name eines Freundes oder Geschäftspartners war von einem Zweifel begleitet. Cassel griff nach dem Visiophon und tippte Tvars Nummer ein.

Während Cassel alle Träume seit den Tagen im Regenerationsbeschleuniger erzählte, beobachtete er das wachsende Mißtrauen in Ragahs Gesichtsausdruck. Höflich wie er war, versuchte Ragah seine Ungläubigkeit zu verbergen, aber Cassel konnte sie ihm dennoch ansehen. Welche Reaktion hatte er von dem Parteifreund erwartet? Cassel war sich nicht sicher, aber er hatte auf ein anderes Verhalten Ragahs gehofft. Er stockte mitten im Satz.

„Stimmt etwas nicht, Jonal?"

„Du glaubst mir kein Wort." Cassel lehnte sich tief enttäuscht im Sessel zurück. „Es tut mir leid, daß ich dich bemüht habe. Ich glaube, es hatte keinen Sinn, daß du hierher gekommen bist."

„Es war richtig, daß du mich angerufen hast." Ragah beugte sich vor. Sein Gesicht war von aufrichtiger Sorge geprägt. „Du brauchtest einen Freund, und ich bin gekommen, weil ich dir helfen will. Du willst nicht in diesem Haus bleiben, das kann ich verstehen. Ailsa ist seit mehr als einem Monat tot, und ich kann ihre Gegenwart hier immer noch spüren. Für dich muß das unerträglich sein. Du solltest dir ein Appartement in Farrisberg mieten ... Bleib einen oder zwei Monate dort, bis du dich stark genug fühlst, hierher zurückzukehren."

Ragah, der immer ängstlich darauf bedacht war, niemanden zu verletzen, war dem Problem, ob er Cassel glaubte, vorsichtig ausgewichen. Das sah ihm ähnlich. Cassel entschied sich für den direkten Weg: „Was sagst du zu den Träumen?"

„Ich weiß nicht, was ich dazu sagen soll. Aber ich bin sicher, daß du mit Parlan sprechen solltest. Vielleicht hat er mit seiner These recht, und deine Träume haben etwas damit zu tun, daß du mit Ailsas Tod nicht fertig wirst."

„Ailsa wurde ermordet!" Cassel war von der Schärfe in seiner Stimme selbst überrascht. Er gab sich Mühe, ruhiger zu werden, aber Ragahs Ungläubigkeit ärgerte ihn. „Und der Schattenmann? Die Dinge, von denen er mir erzählt hat, waren keine Traumgeschichten. Ich habe dir vom Computer erzählt. Wie erklärst du dir das?"

„Ich weiß es nicht", beteuerte Ragah. „Ehrlich, ich weiß nicht, was ich dazu sagen soll."

„Genauso geht es mir auch", entgegnete Cassel. „Darum benötige ich deine Hilfe."

„Ich werde tun, was ich kann, aber ich bin mir nicht sicher, ob es für dich eine Hilfe sein wird." Ragah sah ihn bittend an. „Dr. Parlan könnte ..."

„Nein! Ich brauche Parlan nicht!" brüllte Cassel. Er sprang auf und stieß den Sessel zurück. „Vielleicht später einmal, aber nicht jetzt. Ich muß zuerst die Antwort finden, das alles durchdenken ..."

„Aber so ein Psycho-Aufbau ..."

„... liefert mir auch keine Antworten." Cassel ging zum Computeranschluß. „Ragah, ich weiß überhaupt nichts mehr. Vielleicht hast du recht. Aber im Augenblick erscheint es mir falsch, zu Parlan zu gehen."

Ragah stand auf und trat neben Cassel. Er streckte die Hand aus und ergriff den Freund bei der Schulter. „Also gut. Ich habe versprochen, dir zu helfen. Was soll ich tun?"

Cassel lächelte ihm dankbar zu. Dann gab er die Daten für die Stadtbibliothek in den Computer ein. Als der graugrüne Schirm verkündete, daß er aufnahmebereit sei, tippte Cassel wiederum die Namen der Opfer und die der zugehörigen Planeten ein. Er wandte sich an Ragah. „Ich möchte, daß du dir folgendes genau ansiehst und mir sagst, ob du Zusammenhänge zwischen den einzelnen Fällen entdeckst."

Der Schirm flackerte.

ADUM SAHT – TALALD III
Kein Eintrag

Cassel starrte ungläubig auf den Bildschirm. Er spürte Ragahs mißtrauischen Blick auf sich ruhen. Die Schrift auf dem Schirm wurde durch eine andere ersetzt:

JAVAS GARRIDAN – LANATIA
Kein Eintrag

„Da muß irgend etwas schiefgegangen sein, ein Kurzschluß, eine Panne ..." Cassel schaute auf den Schirm und las, daß über Ragnar Oles im Zusammenhang mit Vertos keine Informationen verfügbar waren. Seine Finger huschten über die Tasten und wiederholten die vollständige Eingabe.

Viermal verkündete die Leuchtschrift, daß der Speicher über keinerlei Informationen über Adum Saht, Javas Garridan, Ragnar Oles oder Bina Fanett verfügte.

„Ich verstehe nicht ... Gestern abend ... Er hat ..." Cassel wich langsam vom Computer zurück. Aus dem Nichts hatte ihn ein Hammerschlag getroffen. Das Netz der Wirklichkeit war zum Zerreißen gespannt.

„Jonal." Ragah griff behutsam nach Cassels Arm und führte ihn zu einem Sessel. „Nimm es nicht so schwer. Es war einfach zuviel für dich."

Ich habe den Verstand verloren. Gestern abend war alles so real. Es kann kein Traum gewesen sein. Aber ...

„Jonal, du brauchst unbedingt Erholung. Du hättest wirklich nicht hierherkommen dürfen." Ragahs Stimme klang gedämpft, wie aus weiter Ferne. „Ich werde Dr. Parlan anrufen."

Parlan? Ein, zwei Tage im Hospital, und alles wäre wieder normal. Der Psycho-Aufbau wäre ein einfacher Weg, fast wie die Schlaftabletten. Zu einfach. Alle Fragen ausmerzen in einem Bad aus tanzenden Elektronen und Chemikalien, dann würde niemand mehr nach Antworten suchen müssen.

Cassel starrte wieder den Computer an. Letzte Nacht waren die Informationen noch vorhanden gewesen. Er konnte sich nicht erklären, wieso sie heute verschwunden waren, aber er *wußte,* was er gesehen hatte. Das alles ergab keinen Sinn, aber den ergab auch Ailsas Tod nicht. Dr. Parlan konnte ihm die Antworten, die er brauchte, nicht geben. Es gab auf Tula nur einen Menschen, der das vermochte.

Ragah war an das Visiophon getreten. Jetzt eilte Cassel zu ihm hinüber und drückte die Löschtaste nieder. „Ich bin noch nicht soweit, daß ich Parlan sprechen will", sagte er.

„Jonal, du brauchst dringend Hilfe", protestierte Ragah, während Cassel über das Visiophon ein Taxi anforderte.

Jonal sah seinen Freund von der Seite an. Dessen Augen hatten sich vor Verblüffung geweitet, er wich einen Schritt zurück. *Ist mein Anblick so furchteinflößend? Sieht man mir schon an, daß ich den Verstand verliere?* Ragah griff noch einmal nach dem Sprechapparat. Cassel schlug seinen Arm zur Seite.

„Ich will dich nicht verletzen", sagte er. „Aber ich werde es tun, wenn ich dich nicht anders aufhalten kann. Wir fahren jetzt zum Zivonbau."

Ragahs Gesicht war schneeweiß geworden.

„Schon gut, schon gut, Jonal. Ich habe versprochen, dir zu helfen." Ragah schluckte. „Ich werde mit dir kommen, aber ich glaube nicht …"

„Es genügt mir, daß du mich begleitest." Cassel ergriff ihn am Arm und drängte ihn zum Schwebeschacht.

Cassel ließ sich tief in die Polster des Taxis sinken. Über der durchsichtigen Kanzel trieben flusige weiße Wolken gemächlich über den blauen Himmel. In Cassels Kopf überschlugen sich die Gedanken, gleichzeitig verspürte er eine tiefe innere Ruhe. Endlich handelte er. Er saß nicht einfach da und bejammerte die Umstände, die ihn bedrängten. Ob der Weg, den er eingeschlagen hatte, sich als der richtige erwies, spielte im Augenblick keine Rolle. Es kam darauf an, daß überhaupt etwas geschah.

Sein Blick begegnete den Augen Ragahs, der ihm in der Enge der Kanzel gegenübersaß. Zumindest äußerlich schien er seine Furcht überwunden zu haben. Cassel ließ sich nicht täuschen. Bei der ersten Gelegenheit würde Ragah Parlan anrufen und ihm in allen Einzelheiten schildern, was sich zugetragen hatte. Dann gab es für Cassel keine andere Möglichkeit mehr, als dem Psycho-Aufbau zuzustimmen. Doch zuerst würde er Ailsas Mörder sehen. Wenn er von ihm die Antwort bekäme …

Ragah räusperte sich. „Jonal, bist du wirklich davon überzeugt, daß dieser Mann dir etwas sagen kann?"

„Nein, das bin ich nicht", antwortete Cassel. „Aber im Moment ist er alles, was ich habe."

„Zivon hat eine offizielle Untersuchung angesetzt. Denkst du etwa, du erfährst mehr als die Leute von Zivon?"

„Nein, wahrscheinlich nicht, aber …" Er sprach den Satz nicht zu Ende. Ragah würde ihn nicht verstehen. Cassel erkannte auf dem Gesicht des Freundes die gleiche freundliche Ausdruckslosigkeit, die er gestern auf den Gesichtern der Passanten nach dem Schichtwechsel beobachtet hatte. „Ragah, warum wurde Ailsa ermordet?"

Die Augenbrauen des Freundes ruckten überrascht in die Höhe. „Jemand hat versucht, dich zu töten. Daß Ailsa sterben mußte, ist ein tragischer Zufall."

Warum, das frage ich mich immer wieder, aber ich finde keine

41

Lösung", erwiderte Cassel. „Ailsa ist an meiner Stelle gestorben, aber warum hat jemand meinen Tod gewollt?"

„Du bist der Führer der Unabhängigkeitspartei", entgegnete Ragah. „Das muß der Grund sein."

„Das bedeutet also, irgendwer oder irgend etwas will die Volksabstimmung über die Autonomie verhindern."

„Irgend etwas?"

„Wer würde am meisten davon profitieren, wenn Tulas Unabhängigkeit nicht zustande kommt?"

Ragahs Augen weiteten sich, dann schüttelte er langsam den Kopf. „Nein, du willst doch nicht andeuten, daß Zivon etwas mit dem Mord an Ailsa zu tun hat?"

„Fällt dir jemand ein, der mehr zu verlieren hätte? Zivon hat sich ein einträgliches Monopol auf Tula aufgebaut. Wenn die Tulaner sich für die Unabhängigkeit entscheiden, stünde Zivon plötzlich im Wettbewerb zu den anderen Gesellschaften, die gern mit uns ins Geschäft kommen würden. Der Verlust eines ganzen Planeten dürfte ein ausreichendes Motiv für einen Mord darstellen."

„Jonal, das kannst du nicht ernstlich annehmen!" In Ragahs Zügen spiegelte sich Betroffenheit über Cassels Sakrileg. „Zivon basiert auf dem Konzept der Gewaltfreiheit. Wie kannst du nur denken, daß Zivon etwas mit dem Mord an Ailsa zu tun hat?"

„Du hast recht, ich glaube selbst nicht ernstlich daran." Cassel versuchte Ragah und sich selbst zu beruhigen. „Darum komme ich ja auch nicht weiter. Wenn Zivon es nicht war, wer dann ... und *warum?*"

„Vielleicht war es jemand aus der Verwaltungsabteilung von Zivon. Eine Person, deren Stellung durch die Unabhängigkeit gefährdet wird."

„Ja, vielleicht", dachte Cassel laut. Die Möglichkeit war nicht von der Hand zu weisen. Sie war wahrscheinlicher als eine unmittelbare Beteiligung Zivons. Aber für die Gesellschaft stand das Tula-Monopol auf dem Spiel.

Das Taxi wurde langsamer, als es in das Geschäftsviertel von Farrisberg einfuhr. Am Ende der Straße erhob sich das Zivongebäude. Von der Nachmittagssonne angeleuchtet, überragte das weiße Bauwerk alle anderen Gebäude in der Stadt. Es war seit dem Beginn der Besiedlung vor fünfzig Jahren das Zentrum Tulas.

Cassel musterte die Fassade. Sie bot keine Antwort auf die Fragen, die ihn bedrängten. Für Zivon war es lebenswichtig, daß die Autonomie verhindert wurde, aber Cassel konnte sich die Gesellschaft nicht als Beteiligte an einem Mordkomplott vorstellen. Zivon hatte andere Möglichkeiten, die Unabhängigkeit zu verhindern. Sie konnte Tulas Wirtschaft vernichten, dazu brauchte sie keine Gewalt anzuwenden.

Wenn es Zivon nicht war, wer dann? Und warum?

Hatte Cassel bei seinen Überlegungen irgend jemanden oder irgend etwas übersehen? Ein Mitglied der Unabhängigkeitspartei könnte ihn aus dem Weg räumen wollen, um selbst Parteiführer zu werden. Lag das Motiv bei Ailsa? Ein völlig neuer Gedanke. Ging es einfach um Eifersucht? Wollte ein früherer Liebhaber Ailsas Rache nehmen? Hatte der Täter vielleicht gar sein Ziel erreicht? Hatte der Anschlag tatsächlich Ailsa gegolten, und war er, Cassel, nur zufällig in die Schußlinie geraten?

„Was ist, Jonal?" Ragah betrachtete ihn aufmerksam.

„Nichts, nur ein dummer Einfall", gab Cassel zu. Er mußte sich eingestehen, daß das Netz seiner Überlegungen dünn geknüpft war. Jeder Tulaner, der es auf Cassels oder Ailsas Leben abgesehen hatte, wäre bei der jährlichen Psychoprofil-Überprüfung entdeckt worden. Antisoziale Tendenzen wären sofort durch Psycho-Aufbau eliminiert worden.

Das Taxi kündigte an, daß sie ihr Fahrtziel fast erreicht hatten. Es bog von der Hauptfahrbahn ab und hielt auf der einspurigen Zufahrt von Zivons Hauptverwaltung.

Im Innern des Gebäudes steuerte Cassel den Informationsstand an und reichte einem Angestellten seine Ausweiskarte. Der Mann, auf seinem Namensschild stand ARS ESTIN, ließ sich von Cassel den Zweck seines Besuches schildern, dann steckte er die Ausweiskarte in einen Prüfschlitz. Er gab Cassel den Ausweis zurück und geleitete ihn zu einer Reihe von Sesseln neben den Schwebschächten in der Empfangshalle. Cassel ließ sich in einem der Sessel nieder, Ragah setzte sich neben ihn.

Zehn Minuten später stieg eine Frau mit versteinerter Miene aus dem Schwebschacht. Sie trug die gelbe Uniform der Zivon-Sicherheitsbeamten. Ohne ein Wort zu verlieren, überprüfte sie noch einmal Cassels Ausweiskarte, dann bedeutete sie den beiden Männern mit einem Handzeichen, ihr in den Schwebschacht zu folgen. Im zwanzigsten Stockwerk verließen sie den Schacht wieder. An der Tür erwartete sie eine schwergewichtige Frau in brauner Kleidung, die der Sicherheitsbeamtin zunickte. Daraufhin führte diese Cassel und Ragah durch den Korridor bis zu einer Tür, neben der ein ebenfalls gelb gekleideter Mann Wache stand. Die Frau in Braun war der Gruppe gefolgt. Nun trat sie vor Cassel und lächelte ihm zu.

„Bürger Cassel, wir fühlen uns durch Ihren Besuch sehr geehrt. Mein Name ist Leig, Vrinda Leig. Sicherheitsabteilung, Zivon, Terra. Ich bin mit der Untersuchung des Mordes an Ihrer Frau betraut. Kommen Sie bitte in mein Büro!" Sie öffnete eine Tür, die der bewachten gegenüberlag. Die Frau in der gelben Uniform gesellte sich zu dem Türwächter.

„Ja, sind denn keine offiziellen Vertreter einer Behörde von der Erde hier?" fragte Cassel, nachdem er auf einem ihm zugewiesenen Stuhl Platz genommen hatte. Es überraschte ihn, daß ausschließlich Zivon-Bedienstete die Untersuchung führten.

Frau Leigs Gesicht nahm einen gekränkten Ausdruck an. „Zivon ist mit allen juristischen Befugnissen auf Tula ausgestattet", erwiderte sie. „Wenn es sich als notwendig erweist, können wir die terranische Polizei um Unterstützung bitten. Es ist bei uns jedoch üblich, daß wir solche Untersuchungen ohne fremde Hilfe zu einem Abschluß bringen, wenn es nur irgend möglich ist."

„Wird es auch diesmal möglich sein?" Cassel hatte ein Gefühl, als ob um ihn herum unsichtbare Wände aus dem Boden wüchsen. Daß die Frau eine Zivonangestellte war, legte einen Verdacht nahe: Hier sollte etwas vertuscht werden. Mißtrauen und Ärger schwangen in seiner

Stimme mit. „Und wann werden die Untersuchungen abgeschlossen sein, wenn man fragen darf?"

Frau Leig fühlte sich in die Defensive gedrängt. Um so selbstbewußter klang ihre Stimme: „Herr Cassel, es läßt sich schwer abschätzen, wie lange diese Untersuchung dauern kann. Wir haben große Erfolge vorzuweisen. Den Mörder Ihrer Frau haben wir gefaßt, als er versuchte, sich als Arzneimittelvertreter von Tula abzusetzen. Wäre unser Team nicht gewesen ..."

„Seitdem ist eine Woche vergangen, Frau Leig!" Cassel schnitt ihr das Wort ab, bevor sie sich in einer detaillierten Beschreibung der Festnahme ergehen konnte. „Was ist seither geschehen? Was haben Sie von dem Gefangenen erfahren?"

Die Beamtin starrte Cassel einen Augenblick lang an, dann sagte sie: „Schauen Sie sich das an!"

Sie betätigte ein paar Tasten an ihrem Computeranschluß. Die Deckenlampe wurde dunkler, gleichzeitig leuchtete ein Wandbildschirm auf.

„Das ist der Mörder Ihrer Frau", erklärte Frau Leig.

Der Schirm zeigte einen Mann, der sich auf einer tragbaren Pritsche ausgestreckt hatte. Im Hintergrund war ein vergittertes Fenster zu sehen. Cassel musterte den Mann ausgiebig. Er hätte nicht sagen können, wie er sich einen typischen Mörder vorstellte, doch die Gestalt auf dem Schirm erschien ihm zu jung, zu zart und zerbrechlich.

„Man sieht es dem Hundesohn nicht an, nicht wahr?" fragte Frau Leig. „Aber wir haben ihn zweifelsfrei identifiziert. Außerdem trug er die Waffe bei sich, mit der Ihre Frau erschossen wurde."

„Und weiter?" Cassel sah die Beamtin an.

Frau Leigs Blicke wichen ihm aus, sie schüttelte den Kopf. „Ich fürchte, das ist auch schon alles. Wir kennen seinen Namen nicht, auch nicht sein Alter oder seine Heimatwelt. Wir vermuten, daß es sich um einen gedungenen Schützen handelt. Sein Akzent läßt auf Terra als Heimatplaneten schließen. Aber das ist alles nicht gesichert. Wir haben sein Bild, seine Stimm- und Fingerabdrücke in jeden erreichbaren Polizeicomputer eingegeben, aber bisher hat sich daraus nichts ergeben."

Sie brach ab, aber als Cassel nichts erwiderte, fuhr sie fort: „Es ist immer gut, zuerst die Polizeiregister zu befragen. So kann man Zeit sparen. Wenn wir ganz und gar auf die allgemeine Bevölkerungskartei angewiesen sind, dann kann es ein, zwei Jahre dauern, bis wir etwas erfahren. Es würde mich nicht überraschen, wenn bei der Polizei nichts gegen unseren Mann vorliegt."

Cassel schaute wieder auf den Schirm. „Und was sagt er selbst?"

„Bisher haben wir nichts aus ihm herausholen können. Für diese Untersuchung haben wir unsere Spitzenkräfte eingesetzt. Wir haben jede legale Verhörmethode ausprobiert – und einige weniger legale –, der Mann kann uns nichts sagen."

„Kann nicht?" fragte Cassel. „Oder will nicht?"

„Kann nicht", wiederholte Frau Leig. „Offenbar hat man ihn einer Behandlung unterzogen, die dem sogenannten Psycho-Aufbau vergleichbar ist. Die Methode ist nicht neu. Besonders bei bezahlten Mördern wird sie häufig verwendet."

Cassel fühlte, wie die unsichtbaren Wände dichter an ihn heranrückten, ihn wie in einem Kasten einschlossen.

„Nach allem, was wir wissen, hat der Mann keine Erinnerungen an das Geschehene", sagte Frau Leig. „Er weiß nicht mehr, daß er Ihre Frau umgebracht hat. Auch an den Techniker, den wir tot im Ratsgebäude gefunden haben, kann er sich nicht erinnern."

„Sind Sie sich dessen sicher?" fragte Cassel. „Kann man einen Gedächtnisverlust nicht simulieren?"

„Ich bin so sicher, wie man es in einem solchen Fall eben sein kann. Es gibt Berichte über einige Personen, die sich den Psychosonden widersetzen konnten. Aber ich glaube, diese Möglichkeit können wir ausschließen. Der Mann ist von fünf Psychiatern untersucht worden. Alle stimmen darin überein, daß er irgendeiner psychischen Manipulation unterzogen wurde."

Cassel sprang auf. Es war ein Versuch, aus der Enge der unsichtbaren Wände zu entkommen. Das konnte doch nicht das Ende sein! Nichts war geklärt, keine Frage beantwortet. Irgendwo mußte man ansetzen können. Wer auch immer für den Mord an Ailsa verantwortlich war, gewiß hatte er einen Fehler gemacht. Alles, was Cassel tun mußte, war, diesen Fehler zu finden.

„Und was haben Sie nun vor?" Cassel starrte Vrinda Leig finster an. „Jemand muß für die Gedächtnislöschungen verantwortlich sein. Haben Sie nach dieser Person gesucht?"

„Wir tun wirklich, was wir können", antwortete Frau Leig ausweichend. „Aber die Untersuchung braucht ihre Zeit."

„Zeit zum Vergessen!" Cassel gab sich keine Mühe, sein wachsendes Mißtrauen zu verbergen. „Wenn die Angelegenheit erst einmal aus dem öffentlichen Bewußtsein verschwunden ist, dann kann man sie nach und nach mit Aktenstaub zudecken."

„Herr Cassel, Zivon hat kein Interesse daran, irgend etwas zu verbergen." Frau Leig sprach mit gut gespielter Entrüstung. „Uns ist ebenso wie Ihnen daran gelegen, daß die für den Mord an Ihrer Frau Verantwortlichen gefunden werden."

Cassel schaltete ab. Worte, nichts als hohle Phrasen, dachte er. Was er brauchte, waren Ergebnisse, etwas Greifbares. Der Bildschirm leuchtete noch immer. Elektronische Impulse produzierten das Bild eines einsamen Mannes in einer provisorischen Zelle. „Ich will mit ihm sprechen."

Die Frau starrte Cassel an. In ihren Augen spiegelte sich Empörung. Es kränkte sie, daß Cassel sich so verächtlich über ihre Autorität hinwegsetzte. Sie nickte. „Er befindet sich im Zimmer gegenüber."

Cassel spürte ihre Augen in seinem Rücken. Ragah, die Leig, die zwei gelbgekleideten Wachen, alle hatten sie mit innerer Zufriedenheit sein Scheitern beobachtet. In einer Stunde war es ihm nicht gelungen, den Mörder zu einer Antwort zu bewegen, nicht einmal zu einem einfachen Ja oder Nein. Der Mann hatte auf dem Rand der Pritsche gehockt und höhnisch gegrinst. Selbstsicherheit sprach aus dieser Miene, die Gewißheit, daß ihm nichts geschehen würde.

„Herr Cassel!" Frau Leig legte ihm die Hand auf die Schulter. „Es ist sinnlos. Am besten gehen Sie jetzt."

„Einen Augenblick noch!" Er streifte ihre Hand ab, dabei ließ er den Mörder keine Sekunde lang aus den Augen. „Für wen arbeitest du? Wer hat dich bezahlt?"

Der Mann hob den Kopf und sah Frau Leig an. Das gelangweilte Lächeln wich nicht von seinen Lippen. „Ich bin müde. Schaffen Sie diesen Bürger fort und lassen Sie mich in Ruhe!"

Das durfte nicht das Ende sein: der Mord an Ailsa aus dem Hirn des Täters gelöscht! Irgend jemand war dafür verantwortlich; so einfach durfte er nicht davonkommen.

„Herr Cassel, ich wünsche, daß Sie jetzt gehen." Frau Leig verstärkte den Druck ihrer Finger. „Ich habe Ihnen gewährt, worum Sie mich baten, aber jetzt ist es genug."

Das Netz der Wirklichkeit zerriß. Die überdehnten Fäden rollten sich zusammen. Die Träume, der Schattenmann, der Computer, das alles zersprang wie ein Geflecht aus Violinsaiten mit einem Klang, der in Cassels Schädel dröhnte. Ailsa war tot. Jemand mußte dafür bezahlen.

Fremdartige Gefühle – Zorn, Haß, Wut, Rachedurst – brodelten in seinem Hirn, so als hätte jemand reines Natrium in ein Wasserbecken geworfen. Plötzlich spürte er warmes, nachgiebiges Fleisch unter den Händen. Ein erstickter Schreckenslaut drang an seine Ohren. Die Hände schlossen sich, preßten sich in den weichen Hals, den sie umfangen hielten. Der Schrei verwandelte sich in ein Gurgeln.

Erregte Rufe erfüllten die Luft. Füße hasteten über die glänzenden Bodenfliesen. Cassel achtete nicht darauf. Seine ganze Aufmerksamkeit galt der gequetschten Luftröhre unter seinen Händen. Die Augen des Mannes traten weiter und weiter aus den Höhlen. Faustschläge hagelten in Cassels Gesicht. Eine heiße, träge Flüssigkeit rann aus der zerschlagenen Nase in seinen Mund und erfüllte ihn mit einem süßlichen Rostgeschmack. All das bemerkte Cassel nicht. *Jemand mußte bezahlen!*

Ein Hammerschlag sauste auf sein Rückgrat nieder. Cassel biß die Zähne zusammen, versuchte, auch diesen Schlag zu ignorieren. Er verstärkte nur den Druck der Finger. Warum gab dieser verdammte Kehlkopf nicht endlich nach? Hände zerrten an Cassels Schultern und Handgelenken. Er brüllte wie ein Tier, um sie zu verscheuchen, aber sie ließen nicht los.

Und dann rutschte der Hals aus der Klammer der steifen Finger. Cassel taumelte zurück. Noch immer hingen diese Hände an ihm.

„Schafft ihn raus!" Er erkannte Frau Leigs Stimme. „Ruft einen Arzt, er soll sich um den Mann kümmern!"

Cassel wurde hochgerissen, vorwärts gestoßen. Eine seltsame Ruhe erfüllte ihn. Allmählich nahm er seine Umwelt wieder wahr. Die Leig kauerte bei dem Gefangenen, sie richtete ihn auf. Der Mann öffnete die Augen und rieb sich vorsichtig den Hals. *Er lebte – Ailsas Mörder war noch am Leben!* Cassel stöhnte laut.

Sie schoben ihn durch die Tür. Sein Rücken prallte dumpf gegen die Korridorwand. Die beiden Wachen preßten sich gegen ihn und hielten ihn fest.

„Diesen Burschen hier sollte man auch einsperren", sagte die Frau. „Ich habe gedacht, dies sei eine gewaltfreie Welt."

„Ich kann ihn verstehen. Der Mistkerl dort in der Zelle hat schließlich seine Frau umgebracht. Wäre ich an seiner Stelle, hätte ich genauso gehandelt. Ich glaube, ich werde jetzt allein mit ihm fertig. Kümmere du dich um den Doktor!"

Bevor die Frau etwas sagen konnte, schaltete sich Ragah ein. „Ich werde einen Arzt rufen. Herr Cassel wird von einem Nervenarzt betreut, er ..."

Parlan! Wilde Panik loderte auf. Cassel hörte eine Stimme schreien: „NEINNNN!"

Es war seine eigene Stimme. Sein Knie flog hoch und bohrte sich in den Unterleib des Mannes. Der Wächter stieß ein leises Wimmern aus, knickte zusammen und sank auf den Boden. Die Frau fuhr herum. Sie schaute genau in Cassels heranfliegende Faust. Dann folgte sie ihrem Gefährten – zwei gelbe Farbtupfer auf dem makellosen Weiß des Korridorbodens.

Cassel rannte los.

7

Cassel blieb stehen. Seine Lungen brannten, die Wadenmuskeln hatten sich zu schmerzhaften Klumpen verkrampft. Er drehte sich langsam einmal um die eigene Achse. Dabei betrachtete er seine Umgebung, ohne etwas wahrzunehmen. Wo war er?

Warum war er überhaupt gerannt? In seinem Bewußtsein regte sich etwas. Cassel griff danach, doch es schlüpfte ihm durch die Finger. Er mußte doch einen Grund für seine Eile gehabt haben ...

Es spielte keine Rolle. Wichtiger war das taube Gefühl in der Oberlippe. Einen Moment lang spürte er ihm nach, bevor er mit der Hand zum Mund faßte. Die Fingerspitzen entdeckten eine dickflüssige, klebrige Feuchtigkeit. Cassel nahm die Hand wieder herunter.

Blut.

Er zitterte. Wie eine Sturmflut brauste die Erinnerung heran. Der Zivonbau! Der Gefangene! Die Wachen! Er stieß das alles von sich. Er konnte die Gedanken daran nicht ertragen. Sein Daumen rieb über das Blut auf den Fingerspitzen. *Eine schöne Bescherung!* Er mußte sich unbedingt säubern, bevor jemand auf ihn aufmerksam wurde.

In seiner Umgebung ragten hohe Verwaltungsgebäude auf, von Baumwipfeln halb verdeckt. Ein ironisches Lächeln spielte um Cassels Lippen. Noch hatte er nicht vollends den Verstand verloren. Er wußte wieder, wo er war; einen Kilometer vom Zivonbau entfernt, in einem kleinen Park mitten in Farrisberg. Früher hatte er seine Mittagspausen hier verbracht. Der Park war immer eine Abwechslung vom monotonen Büroalltag gewesen. Es tat gut, wieder in dem Park zu stehen. Er erinnerte Cassel an die ruhige, sichere Vergangenheit.

Er sah sich noch einmal nach allen Seiten um. Es war niemand in der Nähe. Offenbar waren ihm Frau Leigs Wachen nicht hierher gefolgt.

Cassel ging zu einem kleinen Pavillon in der Mitte des Parks und betrat den verglasten Aufenthaltsraum. An einer Wand erstreckte sich über einer Reihe von Handwaschbecken ein breiter Spiegel. Cassel betrachtete sein Gesicht. Nasenlöcher und Oberlippe waren blutverkrustet. Cassel hielt die Hände unter einen Hahn, und sie füllten sich mit Wasser. Immer wieder schöpfte er sich das Wasser über das Gesicht.

Er blickte wieder hoch zum Spiegel und nickte. Nun, da das Blut abgewaschen war, sah er fast wieder menschenähnlich aus, viel besser, als er erwartet hatte. Nase und Lippe waren zwar geschwollen, aber damit konnte er leben. Vorsichtig berührte er die Nase mit dem Zeigefinger. Sie schien nicht gebrochen zu sein.

Er trocknete das Gesicht mit dem Jackenärmel, dann überprüfte er seine Kleidung. Sie war verrutscht und verknittert, so als ob er eine Nacht in ihr geschlafen hätte, aber sie hatte keine Blutspritzer abbekommen. Das war gut so. Blutflecken wären jedermann sofort aufgefallen.

Alles in allem war Cassel mit seiner Erscheinung zufrieden. Er verließ den Aufenthaltsraum. Vor einem Trinkbrunnen blieb er stehen und trank in tiefen Zügen, um das trockene Brennen in seiner Kehle zu lindern. Er schaute sich um, noch immer war er allein. Da setzte er sich langsam in Bewegung. Wohin er gehen sollte, wußte er nicht. Im Hinterkopf hegte er den Gedanken, Frau Leig und ihre Wachen könnten auf der Suche nach ihm sein. Er mußte wahrscheinlich in Bewegung bleiben, aber eigentlich machte es ihm auch nichts aus, ein gejagter Flüchtling zu sein. Er wollte nachdenken, und es half ihm, wenn er dabei gehen konnte.

Wie ein Mensch, der eine Zwiebel schält, arbeitete sich Cassel Schicht um Schicht durch die chaotischen Ereignisse des Tages. Er versuchte, die Erinnerungsfragmente zu einem Ganzen zu fügen. Oberflächlich betrachtet unterschied sich das Geschehene kaum von den Alpträumen, die ihm der Schattenmann gebracht hatte. Doch es gab einen wesentlichen Unterschied: Diesmal ging es um wirkliche Geschehnisse. Er hatte Ailsas Mörder tatsächlich angegriffen. Er mußte sich eingestehen, daß er den Mann umgebracht hätte, wenn man ihn nicht fortgerissen hätte. Daß es mit dem Leben dieses Mannes nicht getan gewesen wäre, spielte keine Rolle. Es wäre ein Anfang gewesen. Er konnte noch immer die weiche Haut unter seinen Fingern spüren. Es war ein gutes Gefühl. Er hatte richtig gehandelt. Die Rache hatte ihm das Recht verliehen.

War es gut? War er im Recht?

In seinem tiefsten Innern regte sich ein dumpfes Grollen. *Gut?* Er schreckte zusammen. *Recht?* Wie konnte er so etwas denken? Das Gute und Rechte waren einen Bund eingegangen mit der Gewalt, die er heimlich im Innern genährt hatte. In ihm zersprang etwas. Seine lebenslange Abscheu vor menschlicher Grausamkeit zersplitterte wie eine Plastikplatte. Unter ihr kam eine klare Tatsache zum Vorschein: Er wollte sich rächen. Er wollte ein anderes menschliches Wesen den Schmerz spüren lassen, den er selbst gefühlt hatte. Erschreckender noch war der Kern dieses brodelnden Gefühls: Er wollte die Rache um seiner selbst willen, nicht wegen seiner Liebe zu Ailsa. Es war auch kein Schuldgefühl, weil sie an seiner Statt gestorben war – sondern reine Selbstsucht, entstanden aus dem inneren Drang, Gewalt mit Gewalt zu begleichen.

Sein Bewußtsein erbebte, die Fundamente seines Geistes zitterten. Sein ganzes Leben lag nackt vor seinen Augen. Tage und Erlebnisse schienen ineinander verwoben wie die Maschen einer Häkeldecke. Was ihm vor einem Monat noch einfach und klar erschienen war, ergab jetzt keinen Sinn mehr. Ohne daß er es gespürt hatte, war etwas in ihn eingedrungen, hatte ihn besiegt, benutzt und dann fortgeworfen.

Wie konnte das geschehen?

In Cassels Hirn stieg das Bild des explodierenden Rednerpultes auf. Er wies die Vision unwillig von sich. Ailsas Ermordung war eine Sackgasse für den Lauf seiner Gedanken. Ihr Tod brachte keine Antwort, nur die beiden unausweichlichen Fragen: WER? WARUM? Die Antworten waren ferner denn je.

Wie ein Wort auf einer fortwährend abgespielten Tonbandschleife erklang der Name Zivon wieder und wieder in Cassels Kopf. Alle Wege liefen dort zusammen. Vielleicht war die Gesellschaft tatsächlich die einzig mögliche Antwort, und Cassels Liebe zu Tula verstellte ihm den Blick. Vielleicht ... Er hatte keine logische Begründung dafür, warum er diesen Überlegungen keinen Glauben schenkte. Er konnte sich einfach nicht vorstellen, daß Zivon die Macht war, die das geordnete Gefüge seines Lebens zerstört hatte.

Gewiß hatte Ragah mit seiner Vermutung recht: Irgendeine Einzelperson in der Gesellschaft oder der Partei würde von Cassels Tod profitieren. Cassel straffte sich und suchte nach der Rationalität im wirbelnden Durcheinander des Irrationalen. Er klammerte sich an die Logik wie an einen Strohhalm, nur um nicht im Sog des Wahnsinns unterzugehen.

Es konnte jemand gewesen sein, der Kontakte zum interplanetarischen Bereich hatte. Das war so ein Strohhalm der Vernunft. Frau Leig vermutete, daß der Mörder nicht von Tula stammte. Sein Akzent deutete auf Terra hin. Also war viel Geld im Spiel, genug, um einen Mörder von der anderen Seite des Universums herbeizuholen, genug, um dessen Gage und die anschließende Psychorkonditionierung zu bezahlen. Konnte ein einzelner das arrangieren? Auf der Erde wäre es nicht schwierig. Aber auf Tula? Das Risiko einer Entdeckung war unvergleichlich viel höher. Die jährliche Psychoprofilüberprüfung auf Tula war ein unüberwindliches Hindernis. Die Tests waren überaus gründlich. Ihr einziger Sinn bestand darin, abweichendes Sozialverhalten aufzuspüren. Anschließender Psycho-Aufbau war Pflicht. Der Auftraggeber für den Mord steckte in der Falle.

Also blieb nur – eine Verschwörung.

Der Gedanke machte Cassel zu schaffen. Denn er mündete wieder in eine alte Bahn ein: Zivon. Die ausgedehnte Organisation der Gesellschaft konnte ungehindert schalten und walten. Niemand würde je einen Verdacht schöpfen. Wer sonst hätte die Möglichkeit, einen verbrecherischen Psychiater zu bezahlen oder einen Mörder unbemerkt auf dem Planeten einzuschleusen?

Und die Stadtbibliothek von Farrisberg, ihre Liste von Mordopfern und Planeten? Tulas gesamtes Computernetzwerk gehörte Zivon. Sie kontrollierten es, speisten ständig neue Daten ein und löschten andere Programme.

Cassel schüttelte den Kopf. Am Morgen war er sich völlig sicher gewesen über das, was er auf dem Bildschirm sah. Und jetzt? Hatte er jetzt noch eine Gewißheit? Ein Mann, wie er, der vom Morden träumte, der versucht hatte, einen Menschen umzubringen; warum sollte ein solcher Mann keine Halluzinationen haben? Sie wären nur ein weiterer Schritt in Richtung Wahnsinn ...

Nein! Gestern abend waren die Informationen noch im Speicher gewesen. heute morgen waren sie verschwunden! Dafür gab es nur eine Erklärung: Jemand hatte den Speicher manipuliert. Die Daten der Verbrechen waren aus der Bank entfernt worden. Und das sprach dafür, daß mehr als Geld im Spiel war. Das sprach von Macht, von Zugang zu den Unerreichbaren.

Es hieß auch, daß Cassel beobachtet wurde. Jemand überwachte alle seine Aktivitäten. Wenn jemand die Daten gelöscht hatte, dann mußte der Unbekannte bemerkt haben, daß Cassel diese scheinbar unzusammenhängenden Informationen abgerufen hatte.

Der Schattenmann? Cassel mußte unwillkürlich an die Gestalt aus seinen Träumen denken. Irgendwie paßte auch dieser Nachtmahr ins Bild. Wenn es Cassels rätselhaften Feinden möglich war, das Erinnerungsvermögen des Mörders auszulöschen, dann besaßen sie auch die Mittel, sein Bewußtsein zu manipulieren.

Es paßte alles zusammen. Ihr Versuch, ihn umzubringen, war gescheitert, nun schlugen sie an einer neuen Front zu. Das Bild klärte sich auf eine abscheuliche Weise. Sie brauchten nur den Keim des Wahnsinns in sein Bewußtsein zu pflanzen. So erreichten sie, was dem Mörder nicht gelungen war. *Sie hatten es schon erreicht!* Sobald sein Angriff auf den Mörder von den Medien aufgegriffen wurde, war er, Jonal Cassel, Ratsmitglied, Führer der Unabhängigkeitspartei, für immer erledigt, als hoffnungslos geisteskrank gebrandmarkt.

Cassels Wangen brannten, gleichzeitig trat ihm der kalte Schweiß aus allen Poren. War es so einfach gewesen, ihn zu manipulieren? Kaum hatte man ihn aus dem Krankenhaus entlassen, schon führte er seinen vorprogrammierten Auftrag aus wie ein hirnloser, gefügiger Zombie.

Die Klarheit des Blicks war wieder verschwunden. Ein Windstoß wirbelte die sorgfältig arrangierten Gedankenketten durcheinander. Alles war so schnell gegangen, alles war so unverständlich. Es erschien völlig logisch und im nächsten Augenblick wieder absolut sinnlos.

Cassel sah sich um. Er versuchte, etwas Sicherheit aus den vertrauten Erscheinungsformen in seiner Umgebung zu gewinnen. Der Park lag jetzt einen halben Kilometer hinter ihm; über Farrisberg senkte sich grau und trüb der Abend. Hier und da schlenderten die Arbeiter der Spätschicht ihrem Ziel entgegen. Kabinentaxis aus den Wohngebieten brachten bereits die ersten Gäste zu den Restaurants und Theatern.

Die Ereignisse des Nachmittags liefen noch einmal vor seinem inneren Auge ab. In jeder Einzelheit sah er, in welch schreckliche Verwirrung ihn sein entwurzelter Verstand getrieben hatte.

– Da hast du einmal selbständig gehandelt, und jetzt wirst du nicht damit fertig! Du bist der Führer der mächtigsten Partei auf dem Planeten, Jonal, und du benimmst dich wie ein Kind.

Cassel blieb wie angewurzelt stehen. *Der Schattenmann!* Aber er schlief doch gar nicht. Das war kein Traum wie sonst.

– Du hast nur getan, was jeder andere Mann auch getan hätte, wenn er plötzlich dem Mörder seiner Frau gegenübersteht. Was glaubst du wohl, warum die Polizei solche Gegenüberstellungen normalerweise nicht zuläßt? Weil sie nicht an einem Mord schuldig werden will. Nur auf dieser Welt der Einfaltspinsel schickt man den Gatten des Opfers zu dem Mörder in die Zelle.

Er träumte nicht. Er war hellwach, aber er hörte die Stimme des Schattenmanns. Cassel fuhr herum. Seine Augen suchten überall nach dem Sprecher. Doch der war nirgendwo zu sehen.

– Zu ärgerlich, daß du die Sache vermasselt hast. Erwürgen war völlig unangemessen. Du hattest gar nicht genügend Zeit, einen echten Schaden anzurichten, du hast dem Hundesohn nur ein wenig den Hals zusammengedrückt. Eine Faust gegen die Schläfe, dann den Handballen aufwärts gerissen, gegen die Nase, das hätte etwas gebracht. Aber jetzt ist es zu spät. Sie werden dich nie wieder so nahe an den Mann heranlassen.

Cassel begann zu zittern. Er versuchte, die Stimme aus seinem Kopf zu vertreiben. Das konnte nicht sein, das durfte nicht sein.

– Mach dir deswegen keine Vorwürfe. Der Bursche, den die Leig gefangenhält, ist sowieso nicht der, hinter dem du wirklich her bist. Es wäre nett gewesen, ihn als Vorspeise mitzunehmen, na ja. Die Leute, die du unbedingt finden mußt, sind die Auftraggeber. Wer hat für die Sache bezahlt? Darauf müssen wir unsere Anstrengungen konzentrieren.

Konnte Parlan ihm überhaupt noch helfen?

– Jetzt vergiß doch einmal diesen Geisteskrankheitsblödsinn. Du irrst vom eigentlichen Thema ab. Du mußt die Antwort finden.

„Welche Antwort?"

– Die Antwort auf die Frage, die an dir frißt.

Das war der Wahnsinn. Die Wirklichkeit schlüpfte ihm aus den Händen.

– Ja verdammt! Jetzt hör endlich auf zu jammern! Dieser ganze beschissene Planet ist wahnsinnig, nicht du! Sieh dich doch um. Tula könnte es eigentlich nicht geben. Menschen können so nicht leben. Finde die Antwort, Jonal, gib dir Mühe!

„Wo? Wie? Ich weiß nicht, was ich tun soll!"

– Yerik Belen kennt die Antwort. Du mußt Belen finden, Yerik Belen, dann erfährst du alles, was du wissen willst.

„Yerik Belen, wer ist das?" Der Schattenmann gab keine Antwort. Cassel kannte niemanden, der so hieß.

„Kann ich Ihnen helfen?" Eine Frau sprach, und eine Hand legte sich auf Cassels Schulter.

Cassel schreckte zusammen. Plötzlich begriff er, daß er laut gesprochen hatte. Menschen scharten sich um ihn. Sie starrten ihn an und tuschelten untereinander. Seine Ängste spiegelten sich in ihren Mienen.

„Ist etwas passiert?" fragte die Frau.

Cassel schüttelte benommen den Kopf. Zehn Meter von ihm entfernt wartete ein leeres Taxi an einer Rampe. Er bahnte sich mit den Ellenbogen einen Weg durch die Menge und rannte zu dem Fahrzeug. Er wußte nicht, was er tun sollte. Traumgestalten redeten nicht mit gesunden Menschen, Stimmen materialisierten sich nicht in der Luft. Er wollte nach Hause fahren und Parlan anrufen, bevor der letzte Faden riß, der ihn noch mit der Wirklichkeit verband.

„Den habe ich doch schon einmal gesehen!" rief eine Männerstimme in Cassels Rücken. Andere antworteten ihr: „Auf dem Holo! Das ist Jonal Cassel!"

Er beschleunigte seine Schritte, zog die Taxitür zur Seite und ließ sich auf den Sitz fallen. Dann gab er seine Adresse in das Steuerpult ein.

Der Betonboden öffnete sich. Cassel stieg in den Schwebschacht und sank langsam in die Tiefe. Im Wohnzimmer prallte er zurück. Zwei Männer in grüner Krankenpflegerkleidung saßen auf dem Sofa. Cassels Überraschung legte sich sofort wieder. Natürlich hatten Ragah und Parlan damit gerechnet, daß er hierherkommen würde.

„Cassel?" fragte der größere der beiden. Die Männer standen langsam auf.

„Kein Grund zur Eile", erwiderte Cassel. „Ich wollte Dr. Parlan sowieso gerade anrufen. Ich habe eingesehen, daß er recht hatte. Ich brauche tatsächlich dringend einen Psychoaufbau. Ich will ..."

Beide Männer faßten gleichzeitig in die Taschen ihrer grünen Kittel. Als sie die Hände wieder herauszogen, hielten sie blinkendes Metall in den Fingern.

Cassel brauchte nur einen kurzen Blick, um die Pistolen zu erkennen und auf sie zu reagieren. Sein Arm griff nach hinten, die Hand wischte über den Lichtschalter neben der Tür. Im Zimmer war es sofort stockfinster. Cassel ließ sich auf den Boden fallen.

Zwei Feuerblumen erblühten in der Dunkelheit. Etwas bohrte sich in die Wand. Ein Donnerschlag krachte, und auf Cassels Rücken rieselten Mörtelsplitter. *Explosivgeschosse!* Seine Finger krallten sich in den Teppich.

„Die Tür!" Das mußte die Stimme des kleineren Mannes gewesen sein. „Stell dich vor die Tür!"

Füße tappten über den Boden. Cassel veränderte seine Stellung, blieb aber dicht beim Lichtschalter. Die Füße blieben stehen. Cassel bewegte sich nicht. Minutenlang hörte er nur den Schlag seines Herzens in den Ohren. Er versuchte, sich das Zimmer vorzustellen: Ein Mann stand vor dem Sofa, etwa zwei Meter entfernt. Der andere hatte sich neben der Tür aufgestellt, von ihm trennte Cassel höchstens ein halber

Meter. Die einzigen Gegenstände, die Cassel zur Not als Waffe benutzen konnte, befanden sich auf der anderen Seite des Raumes; gegen Pistolen konnte er mit ihnen ohnehin nichts ausrichten. Der Mann vor dem Sofa stand ihm im Weg. Er konnte nichts tun als warten.

Beim Sofa bewegte sich etwas. Schwarze Umrisse in der Finsternis. Cassel lauschte den näherkommenden Schritten. Er sog langsam den Atem ein, ging in die Hocke, spannte alle Muskeln an und versuchte, die Entfernung nach dem Geräusch der Füße zu schätzen.

Als sie etwa einen Schritt entfernt waren, sprang Cassel. Er riß den linken Arm hoch und traf die Pistolenhand des Mannes, stieß sie gegen dessen Gesicht. Licht blitzte auf, der Explosionsknall folgte. Im gleichen Augenblick rammte Cassel seinen rechten Handballen in das unsichtbare Gesicht. Das Gewicht seines Körpers hatte hinter dem Schlag gelegen, und er traf sein Ziel.

Gemeinsam mit dem Gegner stürzte Cassel auf den Teppich. Er hieb ihm gleichzeitig beide Fäuste gegen die Schläfen. Die Pistole ging noch einmal los. Der Mann hatte im Todesreflex den Abzug durchgerissen. Jetzt lag er still.

Cassel tastete den Arm des Toten entlang und zog die Pistole aus den schlaffen Fingern. Jetzt hielt er den massiven Kolben in der Hand. Der Zeigefinger legte sich leicht über den Abzugsbügel.

„Wal?" flüsterte der Mann bei der Tür. „Wal?"

„Hm." Cassel dämpfte seine Stimme mit dem Jackenärmel. „Der Bursche ist tot."

„Ich werde mal den Lichtschalter suchen."

Ohne sich aus seiner Hockstellung aufzurichten, hob Cassel die Waffe. Seine Hand zitterte, und er umfaßte mit der Linken das rechte Handgelenk, um es abzustützen.

Die Deckenlampen flammten auf. Sie tauchten das Zimmer in grelles Licht. Cassel zielte auf die Stirn des Mannes, sah den bestürzten Ausdruck auf seinem Gesicht, sah, wie sich die Waffe des Gegners langsam hob. Er zog ab. Das alles hatte nur einen Wimpernschlag lang gedauert.

Der Rückschlag riß Cassels Arme hoch. Zwischen die Augen des Gegners war ein kleines Loch gestanzt. Der Kopf flog zurück, dann explodierte das Geschoß. Cassel wandte das Gesicht zur Seite.

Cassel faßte nach der Halsschlagader des Mannes, der bei ihm auf dem Boden lag. Er fühlte keinen Pulsschlag. Tot. Beide Männer waren tot. Er hatte sie getötet.

Die Erkenntnis schnürte ihm die Kehle zu. Was machte es schon aus, daß die beiden ihm nach dem Leben getrachtet hatten! Er hatte getötet. Er befahl seinen Fingern, den Pistolenkolben freizugeben, aber sie gehorchten ihm nicht. Er wollte schreien, aber die Stimme gefror in der Kehle. Er hatte getötet. *Ich mußte es tun!* Das Gehirn weigerte sich, die Erklärung zu akzeptieren.

„Ich mußte es tun!" rief er laut.

Etwas drang an sein schreckerfülltes Bewußtsein. Ersticktes, fernes Flüstern. Cassel mühte sich, die Worte zu verstehen, aber sein Kopf pendelte unkontrolliert von einer Seite zur anderen.

Aus den Augenwinkeln nahm er eine verschwommene Bewegung

wahr. Er taumelte herum, die Pistole flog hoch, bereit, einen neuen Angriff abzuwehren. Neben der Tür standen zwei Männer, ihre Gesichter waren blaß. *Aus Furcht?* Cassel blinzelte. *Ragah und Parlan.* Er starrte auf ihre Münder, versuchte, ihr undeutliches Gemurmel zu verstehen.

Ragah tat einen Schritt auf ihn zu, doch der Arzt hielt ihn zurück. Dann ging er seinerseits mit ausgestrecktem Arm zu Cassel hinüber.

„Jonal ..." Cassel erkannte seinen Namen. Er legte den Kopf schräg. Die anderen Worte waren unverständlich.

Dr. Parlan kam näher, ließ sich vorsichtig vor Cassel auf die Knie sinken. „Die Pistole, Jonal, gib mir die Pistole!"

Parlans Mundbewegungen paßten zu den gehauchten Worten, aber die Stimme schien von einer anderen Stelle zu kommen. Cassel starrte den Doktor an. Er begriff nicht, was der Arzt von ihm wollte.

„Ruhig, Jonal, ganz ruhig. Ich werde dir nicht weh tun." Diesmal hatte die Stimme mehr Ähnlichkeit mit Parlans Sprechweise gehabt. „Du mußt dich entspannen. Ich bin gekommen, um dir zu helfen. Aber zuerst mußt du mir deine Waffe geben."

Cassels Muskeln entspannten sich, aber seine Glieder wollten ihm nicht gehorchen. Parlan konnte ihm helfen. Er war Arzt. Er würde ihm helfen.

– Gib sie ihm nicht, Jonal!

Der Schattenmann brüllte dazwischen. Erneuter Schrecken lähmte Cassels Verstand.

– Trau ihm nicht! Hau ab! Lauf, Jonal, so schnell du kannst!

Parlans Hand griff nach der seinen. Cassels Finger öffneten sich, die Pistole entglitt ihm. Ihm war, als sei ihm eine Last von Seele und Körper genommen.

„So, Jonal", Dr. Parlan sprach mit beruhigender Stimme, „jetzt werde ich dir etwas geben, und dann wirst du dich gleich besser fühlen."

Cassel sah die Nadel und spürte den brennenden Schmerz, als ihm die Druckluft das Medikament in die Vene trieb.

„Jetzt zähle rückwärts", wies ihn der Doktor an. „Beginne bei Hundert!"

Lächerlich! Da lagen zwei tote Männer in seinem Wohnzimmer, und der Doktor verlangte von ihm, rückwärts zu zählen. Parlan hatte den Verstand verloren, nicht er. Er wollte es ihm sagen.

– Du Narr! Wehr dich dagegen, Jonal! Wehr dich!

Cassel hörte nicht mehr zu. Er schloß die Augen und schlief.

Ungeduldig wartete Bron Cadao darauf, daß die Meldung aus dem Computer kam. In all seinen Jahren auf Tula war ihm die Lage noch nie so sehr aus den Händen geglitten. Cassel lebte noch immer, und die zwei Agenten waren tot.

Ungläubig schüttelte Cadao den Kopf. Wie hatte Cassel das nur fertiggebracht? Die beiden waren gut trainiert und perfekt ausgebildet, sonst hätte man sie auf diesem Planeten gar nicht eingesetzt. Was sie auch falsch gemacht haben mochten, für Cadao gab es nur einen Schluß: Diese Fehler durften nicht wiederholt werden, das hieß, falls seine Vorgesetzten nicht wieder einmal ihre Meinung geändert hatten.

54

Die Möglichkeit, daß die Chefs nun wieder zum Rückzug blasen könnten, machte Cadao mehr zu schaffen als der Gedanke daran, daß er es jetzt selbst übernehmen müßte, Cassel umzubringen. Aber wenn seine Vorgesetzten so unfähig waren, daß sie nichts gegen diese Morduntersuchung unternommen hatten, dann konnte man ihnen alles zutrauen.

Cadao bereute es, ihnen mitgeteilt zu haben, daß Cassel sich jetzt in Dr. Parlans Obhut befand. Das war genau die Art Information, die bei den Leuten einen erneuten Sinneswandel hervorrufen würde. Die Möglichkeit, Cassel über den Psycho-Aufbau aus dem Weg zu räumen, entsprach genau dem Denken dieser hohen Herren. Nach einem solchen Weg hatten sie immer gesucht, seit Schwarzes Schaf seinen Auftrag so gründlich verpatzt hatte.

Endlich spuckte der Computer einen Papierstreifen aus. Cadao riß ihn ab und entschlüsselte seine Anweisungen. Ein fröhliches Lächeln huschte über seine Züge. Die Chefs waren doch nicht so einfältig, wie er befürchtet hatte – dies eine Mal jedenfalls nicht. Sie hatten den vorausgegangenen Befehl erneuert: Er sollte Jonal Cassel töten.

Cadaos Lächeln wurde breiter.

8

– Die Zeit wird allmählich knapp, Jonal. Du mußt dich jetzt zusammenreißen und zuschen, daß du hier herauskommst.

Die Silhouette des Schattenmannes zeichnete sich vor einer blendend hellen Lichtquelle ab. Cassel fühlte sich so erschöpft, daß er sich nicht abwenden konnte.

– Gegen die beiden Burschen hast du dich nicht schlecht geschlagen. Alles braucht seine Zeit, aber du machst Fortschritte. Danach hast du ein unmögliches Bild abgegeben. Dumm, Jonal, sehr dumm!

Ich habe sie getötet. Er wußte, daß der Nachtmahr niemals begreifen würde, wieso ihn die Tatsache, daß er getötet hatte, so sehr quälte. Er hatte ein Leben, das der Gewaltfreiheit gewidmet war, mit einem Schlag zerstört. *Ich habe zwei Menschen getötet.*

– Ja, du hast sie umgelegt. Wenn du es nicht getan hättest, könntest du jetzt nicht hier liegen und darüber jammern. Du oder sie, das war die Frage. Was hättest du denn sonst tun sollen?

Es klang vernünftig, wenn der Schattenmann es aussprach, viel besser, als wenn er selbst es sagte.

– Du hättest dich nicht in Parlans Hände begeben dürfen. Das war ein schwerer Fehler. Jetzt mußt du etwas dagegen unternehmen, bevor es zu spät ist. Sie haben zweimal versucht, dich umzubringen. Sie werden so lange nicht damit aufhören, wie sie keinen Erfolg haben. Hier hockst du wie auf einer Schlachtbank. Setz dich endlich in Bewegung!

Ja. Cassel zweifelte an seinem Verstand. Alles, was der Schattenmann sagte, klang logisch. Das war es, was ihn am meisten erschreckte.

– Wahnsinn! Verstand! Jonal, kannst du denn nicht begreifen, daß mit dir alles in Ordnung ist? Du bist gesund. Kapierst du das nicht? Kümmere dich lieber um die anderen, um die, die deine Frau erschossen haben und die dich umlegen wollten.

Aber wer sind „die"? Warum ist mir dies alles zugestoßen? Was habe ich denn getan?

– Suche Yerik Belen.

Wer ist Yerik Belen? Nun hatte der Schattenmann ihn schon zum zweitenmal gedrängt, nach diesem Belen zu suchen.

– Finde Yerik Belen, dann wirst du alles erfahren.

Wo? Wo soll ich nach Belen suchen? Wo hält er sich auf?

– Auf der Erde, Jonal. Auf der Erde kannst du ihn finden. Wenn du die Antwort wissen willst, mußt du zur Erde reisen.

Das helle Licht flackerte. Die Silhouette des Schattenmannes wurde unscharf, dann löste sie sich völlig auf. Cassel war allein. Nur ein Name war ihm geblieben: Yerik Belen.

Das Gebrumm eines Insektenschwarms hüllte Cassel ein. Er zog sich tiefer in sein Versteck zurück, doch das Brummen wurde stärker. Es bohrte Löcher in die schützende Hülle des Schlafes. Cassel schwebte ans Licht.

– Vorsicht, Jonal! Sie beobachten dich.

Er hielt nach allen Seiten Ausschau, aber den Schattenmann konnte er nirgends entdecken. Es war noch heller geworden, und das durchdringende Brausen formte sich zu Worten: „Man kann es kaum fassen: zwei Männer. Wie konnte es nur dazu kommen?"

Cassel öffnete die Lider zu schmalen Schlitzen. Er stellte sich schlafend und sah sich vorsichtig um. Er lag wieder in einem Krankenhauszimmer. Am Fußende des Bettes standen Dr. Parlan und ein zweiter Mann. Cassel schloß die Augen wieder und lauschte.

„Ganz so überraschend kam der Ausbruch nicht", sagte Dr. Parlan. „Ich hätte es schon früher bemerken müssen. Die ersten Anzeichen waren diese Träume im Regenerationsbeschleuniger. Aber Mord habe ich ihm einfach nicht zugetraut. Wie konnte er die beiden Pfleger ohne jeden Grund erschießen?"

Ohne Grund? Und was ist mit ihren Pistolen? Ein kalter Schrecken fuhr Cassel in die Glieder. Parlan hatte die Waffe des zweiten Attentäters wahrscheinlich nicht gesehen. Und Ragah? Vermutlich auch nicht. Es war sicher ein schwerer Schock für die beiden Männer gewesen, ihn mit den Leichen zu finden. Sie waren so sehr mit ihm, Cassel, beschäftigt, daß sie gar nicht auf die Idee kamen, die Vorgänge im Wohnzimmer zu rekonstruieren. Cassel unterdrückte den Impuls, vom Bett aufzuspringen und zu erklären, daß die beiden Pfleger ihn erschießen wollten. Ohne die zweite Pistole besaß er keinen Beweis. Die andere Pistole würde jetzt nicht mehr auf dem Wohnzimmerboden liegen. Für jemanden, der Datenspeicher löschen konnte, war es ein Kinderspiel, einen so kleinen Gegenstand wie eine Pistole verschwinden zu lassen.

„Machen Sie sich keine Vorwürfe! Einen solchen Fall hat es auf Tula noch nie gegeben. Jetzt wissen Sie, wie die Dinge stehen, und Sie können den alten Zustand wiederherstellen. Mehr wird von Ihnen nicht erwartet.

„Ich möchte Ihnen gern zustimmen", erwiderte Dr. Parlan, „aber ich fühle mich mitverantwortlich für das Geschehene. Die beiden Männer könnten noch leben, wenn ich die Symptome früh genug erkannt und entsprechend gehandelt hätte."

Die Situation war von einer absurden Komik. Cassel mußte mit Mühe ein sarkastisches Kichern unterdrücken. Er lag hilflos auf dem Rücken, hatte Angst um sein Leben und seinen Verstand, und dieser Arzt wälzte sich in einem Tümpel aus Schuldgefühlen und Selbstmitleid.

„Wie lange steht er jetzt schon unter Schlafmitteln?" wollte Parlans Begleiter wissen.

„Seit zwei Tagen", antwortete Parlan. „Ich weiß noch nicht, wie viele Sitzungen ich benötigen werde, um seine normale Charakterstruktur wiederherzustellen. Deshalb habe ich dafür gesorgt, daß er gut erholt ist, wenn wir beginnen."

Der andere Mann lachte leise. „Ich kenne mindestens zehn Kollegen, die gern an Ihrer Stelle wären. Auf dem nächsten Medizinerkongreß werden Sie den interessantesten Fall präsentieren können."

„Daran hatte ich noch gar nicht gedacht", entgegnete Dr. Parlan. „Erinnern Sie mich bitte daran, daß ich die Sitzungen aufzeichnen lasse."

Cassel hatte genug gehört. Sein Leben war zu einem interessanten Fall reduziert worden. Ein neurotischer Psychiater wollte sich mit der Behandlung einen Namen machen. Cassel streckte sich und gähnte. Die beiden Männer wurden auf ihn aufmerksam. Dr. Parlan lächelte und trat zu ihm ans Bett.

„Fühlen Sie sich besser?" fragte er.

„Ein bißchen benommen", erwiderte Cassel. Er schaute sich mit ausdruckslosen Augen im Zimmer um, so als ob er es zum erstenmal wahrnähme. „Wo bin ich?"

„Im Hospital. Sie stehen wieder unter meiner Obhut. Können Sie sich an irgend etwas erinnern?"

„Zwei Männer haben mich in meinem Haus überfallen." Er bereute diesen Satz sofort. So klar hatte er nicht antworten wollen.

Parlan räusperte sich, entweder weil ihm die Worte fehlten, oder weil er nicht weiter auf das Thema eingehen wollte. „Herr Tvar hat mir mitgeteilt, daß Sie Ihre Träume vor mir verheimlicht haben."

Cassel hatte damit gerechnet, daß Ragah dem Psychiater alles sagte, was er wußte. Doch nun, da seine Vermutung bestätigt wurde, fühlte er sich dennoch verraten. Ragah hatte so gehandelt, wie er es für richtig hielt. Wahrscheinlich hätte Cassel an seiner Stelle das gleiche getan. Trotzdem fühlte Jonal sich im Stich gelassen.

„Ich glaube, es wäre gut, wenn wir darüber redeten", sagte Dr. Parlan. „Für uns beide wird vieles leichter, wenn wir die Wurzeln Ihres Problems zu fassen bekommen."

Während deine Sonden in meinem Gehirn stecken, hm? Der Arzt und sein Begleiter begannen miteinander zu tuscheln. Cassel wollte etwas sagen. Er wollte dem Nervenarzt mitteilen, daß das Objekt der interessanten Fallstudie nicht daran dachte, sich in den Psycho-Aufbausaal schleppen zu lassen. Doch ein solcher Ausbruch wäre närrisch gewesen. Cassel beschloß, den Mund zu halten.

„Ich werde Ihnen einen Pfleger mit dem Abendessen schicken", sagte Parlan, während er mit dem anderen Arzt zur Tür ging. „Morgen früh werde ich wieder zu Ihnen hereinschauen."

Ihm gegenüber hatte Parlan nichts davon gesagt, daß die erste Aufbausitzung für morgen angesetzt war. Offenbar wollte der Psychiater ihn nicht wissen lassen, was er beabsichtigte. *Ein bißchen sadistisch und eigenartig,* dachte Cassel, *wie alles in meinem Leben.*

– Das wirst du nicht mit dir machen lassen, oder?

Du schon wieder! Ich brauche deine Einmischungen wirklich nicht! Cassel preßte die Lider zusammen und hielt sie geschlossen. Er fürchtete sich davor, sich im Zimmer umzusehen und niemanden zu entdecken.

– Du brauchst Hilfe, Jonal. Du sitzt in der Klemme.

So war es tatsächlich. Der Schattenmann machte wieder einmal alles nur noch schlimmer. Seine Ratschläge stürzten ihn nur tiefer in die Katastrophe, oder ...

– Hör auf, dir etwas vorzumachen, Jonal. Du kannst dich nicht vor den Tatsachen verstecken. Wenn du deinen Hintern nicht bald aus dem Bett schwingst, wird dieser Parlan dir morgen seine Klauen ins Gehirn schlagen.

Cassel kniff die Lider noch fester zusammen. Er wollte nichts sehen, nichts hören, nichts denken.

– Das ist eine intelligente Antwort, Jonal. Du ignorierst einfach alles, dann wird es schon von allein verschwinden. Morgen schiebt Parlan die Sonden in dein Gehirn. Dein Verstand wird in ein Bad aus Chemikalien getaucht. Du wirst auf eine behutsame Weise auseinandergenommen und neu zusammengesetzt. Wenn Parlan mit dir fertig ist, wirst du von alledem nichts mehr spüren. Alles wird wieder vollkommen normal erscheinen. Nur eine Sache wird sich verändert haben: Du bist dann nicht mehr derselbe.

Das weiß ich, verdammt noch mal! Parlan konnte ihm helfen. Er konnte den Wahnsinn hinter sichere Wände verbannen. Aber um welchen Preis? Kleinere Löschungen gehörten zu jedem Psycho-Aufbau. Wie aber wollte Dr. Parlan seine gesamte Psyche umformen? Welche Erinnerungen würden die Sonden aussortieren? Den Schattenmann und die Träume, natürlich. Aber auch den Mord an Ailsa? Cassel fürchtete, daß das dem Psychiater nicht reichen könnte, daß er tiefer gehen würde, daß er ganze Teile der Zeit mit Ailsa ausmerzen würde. Das durfte nicht geschehen. Die Erinnerungen waren alles, was ihm geblieben war.

– Immer vorausgesetzt, sie lassen dich überhaupt bis morgen leben.

Cassel bat den Schattenmann nicht, den Satz näher zu erläutern. Zwei Anschläge auf sein Leben waren gescheitert, und bis morgen früh hatten seine Feinde genügend Zeit für einen dritten Versuch. Vielleicht hatten sie diesmal Erfolg.

– Na also, allmählich blickst du durch! Wenn du weiterhin jammernd und zeternd hier liegen bleibst, wirst du den morgigen Tag nicht mehr erleben. Sollten sie dich jedoch aus irgendeinem Grund leben lassen, bist du nicht mehr Jonal Cassel, wenn Parlan mit dir fertig ist.

Ich muß hier raus, gab Cassel endlich zu.

– Je eher, desto besser!

Ja, ja.

– Denke an Yerik Belen. Finde ihn, und du wirst alles erfahren.

Cassel öffnete die Augen, richtete den Oberkörper auf und stützte sich mit den Ellenbogen ab. An der Wand stand ein Schrank. Jonal schlüpfte aus dem Bett und ging zu ihm hinüber. Im Schrank hingen ein paar Kleiderbügel auf einer Stange, ansonsten war er leer. Dr. Parlan ging kein Risiko ein. Welcher Mensch mochte schon an Flucht denken, wenn sein einziges Kleidungsstück ein Krankenhaushemdchen war, das kaum die Hinterbacken bedeckte?

Die Zimmertür flog auf. Ein Pfleger mit einem Tablett erschien im Türrahmen, doch plötzlich versperrte ihm ein kräftiger Männerarm den Weg.

„Tut mir leid. Hier hat niemand Zutritt außer Dr. Parlan und mir selbst", erklärte die menschliche Sperre mit fester Stimme. „Das ist ein schwerer Fall. Hat zwei Menschen umgebracht. Wenn du nicht Nummer drei werden willst, dann laß Onkel Alf das Tablett hineintragen."

„Ich kann gut auf mich selbst aufpassen, Alf ..."

Alf schob seinen Kollegen sanft zurück. Die Tür schloß sich wieder und dämpfte die Stimmen der beiden Männer. Cassel stieß einen leisen Fluch aus. Er hatte richtig vermutet: Hatte dieser Parlan doch tatsächlich einen Wachmann vor seiner Tür postiert.

Cassel klappte die Schranktüren zu, stieg wieder ins Bett und zog sich die Decke bis zum Hals. Als sich die Zimmertür wieder öffnete, hatte Cassel die Pose eines halb Bewußtlosen angenommen. Er sah Alf aus schläfrigen Augen entgegen.

„Es ist angerichtet, Herr Cassel!" verkündete Alf fröhlich, stellte das Tablett auf einen Rolltisch und schob ihn ans Bett. „Die Küche hat sich besonders angestrengt. Hier haben Sie die normale Krankenportion, aber wenn Sie denken, daß Ihr Magen damit fertig wird, können Sie ein extragroßes Stück Fleisch bekommen."

Es war leicht zu verstehen, warum Dr. Parlan Alf zum Wachdienst vor Cassels Tür eingeteilt hatte. Der Mann war riesig. Der weite Kittel konnte den kraftvollen Körperbau nicht verbergen. Offenbar war der Pfleger ein Anhänger des Bodybuilding. Muskeln, wie er sie mit sich herumtrug, entstanden nicht von allein, dazu bedurfte es eines jahrelangen Krafttrainings. Der Kittelstoff spannte sich über dem furchteinflößenden Bizeps. Der Arm endete in einer tellergroßen, fleischigen Hand.

„Warten Sie, ich werde das Kopfende ein wenig anheben. Dann können Sie besser essen." Alf betätigte einen Knopf an der Seite des Bettes. Cassel wurde in eine sitzende Haltung gehoben. Der Pfleger lächelte ihn noch einmal herzlich an. „Sieht nicht übel aus, oder?"

Ein warmer Duft zog von dem Tablett in Cassels Nase. Er senkte den Blick. Was Alf ihm da zu bieten hatte, sah mehr als verlockend aus. Im Magen rumpelte es. Cassel mußte daran denken, daß er hastig gefrühstückt hatte, bevor sie zum Zivonbau gefahren waren. Seitdem waren mehr als zwei Tage vergangen. Er hatte wirklich Grund, hungrig zu sein.

– Und der Verurteilte verspeiste ein herzhaftes Mahl.

Cassel ignorierte die höhnischen Worte des Schattenmannes. Seine Finger schlossen sich um die Plastikgabel.

– Der erste Bissen könnte dein letzter sein, Jonal.

Cassel ließ die Gabel fallen. Entsetzen strömte wie ein elektrischer Schlag durch seinen Körper. Wer ihn töten wollte, konnte leicht sein Essen vergiften. Einen Moment lang dachte er darüber nach, ob er das Tablett von sich stoßen sollte, um die Verlockung aus seinen Augen zu entfernen. Doch dann ließ er sich matt in die Kissen sinken.

– So ist es richtig. Ruhig bleiben. Nur nicht den Verdacht des Gorillas erregen.

„Aber, aber, Herr Cassel, Sie müssen doch halb verhungert sein. Eines kann ich Ihnen garantieren: Wenn Sie die Sachen nicht essen, dann lasse ich sie mir schmecken."

Der Pfleger nahm die Gabel, spießte etwas Gemüse auf und schob den Bissen Cassel an die Lippen. Cassel bekämpfte den Drang, den Mund aufzureißen und den wohlriechenden Happen zu verschlingen. Er rührte sich nicht und starrte aus leeren Augen durch den Pfleger hindurch. Hartnäckig versuchte es Alf mit einem Stück Fleisch, aber er erzielte das gleiche Ergebnis.

„Na, dann nicht." Mit einem Schulterzucken gab Alf auf. „Ich werde das Tablett hier stehen lassen. Wenn Sie doch noch Hunger bekommen, essen Sie soviel Sie mögen." Er stapfte davon. An der Tür drehte er sich noch einmal um. „Wenn Sie etwas brauchen – ich warte draußen."

Cassels Aufmerksamkeit wandte sich wieder dem Essen zu. Der Drang, mit den Händen in die dampfenden Köstlichkeiten zu greifen und sie in den Mund zu stopfen, war fast unüberwindlich. Er sagte sich, daß seine Ängste lächerlich wären, nichts als ein neuerlicher Anfall von Paranoia. Andererseits, wenn Dr. Parlan nicht glaubte, daß die beiden Männer Cassel töten wollten, dann hatte er sicher auch keine Vorkehrungen getroffen, um zu verhindern, daß jemand das Essen des Patienten vergiftete. Cassel schob das Tablett zurück.

– Gut. Jetzt wollen wir versuchen, aus dieser Todesfalle zu entkommen.

Cassel stieg wieder aus dem Bett und ging zum Fenster. Wie fast alle Gebäude auf Tula verfügte auch das Krankenhaus über ein eigenes Binnenklima. Also war das Fenster fest in die Wand eingesetzt und ließ sich nicht öffnen. Es diente ausschließlich zum Lichteinlaß. Cassel warf einen Blick nach unten und verzichtete darauf, die Scheibe einzuschlagen. Das Zimmer lag viele Etagen über dem Boden. Auch der angestaubte Holodramatrick der aneinandergeknoteten Bettlaken mußte hier versagen.

Vom Fenster aus betrachtete Cassel das Krankenzimmer. Die Tür war der einzige Ausgang, und der wurde von Alf scharf bewacht. Er mußte etwas zum Anziehen finden und Alf aus dem Weg schaffen. Diese beiden einfachen Aufgaben mußten gelöst werden, wenn …

Alf. Cassel grinste. Hastig schaute er sich noch einmal im Zimmer um. Das, wonach er suchte, stand auf dem Nachttisch, ein weißer Wasserkrug aus Kunststoff. Er hob den Plastikbehälter an.

– Zu leicht.

Obwohl er mit Wasser und Eisstücken gefüllt war, hatte der Krug ein geringes Gewicht. Aber schließlich wollte er den Pfleger nicht umbringen, sondern nur betäuben. Das müßte gelingen.

Cassel stellte den Behälter wieder ab und legte sich ins Bett. Er streckte die Hand aus und schob das Tablett vom Rolltisch. Es schepperte auf dem Fliesenboden wie ein umstürzendes Schlagzeugbecken. Plastikgeschirr klapperte ohrenbetäubend. Essen verteilte sich in feuchten Brocken und glitschigen Bahnen über den Boden.

Der Lärm war noch nicht verklungen, als Alf zur Tür hereinstürmte. Fassungslos starrte er auf den Boden. Dann stemmte er die Arme in die Hüften und schaute Cassel fragend an.

„Die Toilette", brabbelte Cassel mit scheinbar gelähmter Zunge. „Ich wollte zur Toilette gehen."

Angewidert schüttelte Alf den Kopf. Er zeigte auf eine Tür in der Wand rechts neben dem Bett. „Steigen Sie auf der anderen Seite aus. Ich möchte nicht, daß Sie in dieser Bescherung herumstapfen."

So unsicher und schwerfällig wie er es vermochte, kroch Cassel über das Bett. Alf beobachtete fast eine Minute lang, wie der Patient sich abmühte, die Füße aus der Bettdecke zu befreien, dann bückte er sich und begann die verstreuten Geschirrteile einzusammeln.

Geräuschlos huschte Cassel aus dem Bett und griff nach der Plastikkanne. Er stopfte den korkähnlichen Verschluß fest in die Öffnung und schlich quer durch das Zimmer, bis er unmittelbar hinter dem Pfleger stand. Jetzt ließ er mit aller Kraft die Wasserkanne niedersausen. Sie knallte auf den Kopf des Muskelmannes. Kunststoff splitterte, Wasser und Eis spritzten ins Zimmer.

Alf schwankte, aber er fiel nicht. Mit einer Hand stützte er sich auf dem Boden ab. Dann griff er sich mit der anderen Pranke in den Nakken und massierte stöhnend seinen Hinterkopf.

Ratlos beobachtete Cassel, wie sich der Pfleger langsam erhob und zu ihm umdrehte. Eigentlich hätte er auf dem Boden liegen müssen. Der Mann zwinkerte. Offensichtlich versuchte er sich darüber klarzuwerden, was geschehen war.

Cassel hatte sich schneller wieder gefaßt als der Pfleger. Er riß die Faust zu einem Aufwärtshaken hoch, der Alf genau an der Kinnspitze traf. Der Pfleger trug eine gewaltige Menge Muskelfleisch mit sich herum, und er verfügte über einen dicken Schädel, aber sein Kinn war aus Glas. Alf stürzte schwer auf den Fliesenboden.

Voll wilder Entschlossenheit zerrte Cassel die Krankenhauskleidung von dem leblosen Zweihundert-Pfund-Körper. Er warf sein Hemd fort und schlüpfte in Alfs Kleidungsstücke. Sie waren ihm etliche Nummern zu groß, aber besser als nichts.

Cassel riß ein Laken in Streifen und fesselte dem Pfleger Arme und Beine. Anschließend stopfte er ihm ein Tuch in den Mund. Er lief zur Tür.

– Wenn du die Sache nicht schon wieder schmeißen willst, besorgst du dir besser eine Ausweiskarte.

Cassel erstarrte in der Bewegung, denn er mußte einsehen, daß der Schattenmann recht hatte. Er klopfte die Taschen der ausgeborgten Kleidung ab. Leer. Noch bevor ihn Panik anflog, wanderte sein Blick zum unteren Bettgiebel. Dort hing sein Ausweis säuberlich an einem der Bettpfosten. Cassel grinste, schob die Karte aus der Metallklemme und steckte sie in die Tasche.

Von den Ärzten und Schwestern unbemerkt, überwand er den Korridor. Der Schwebschacht trug ihn zum Taxisteig. Er entdeckte den Rufknopf und zitierte ein Fahrzeug herbei. Mit den Händen in den Taschen – um die viel zu weite Hose zu halten – schaute Cassel zum Sternenhimmel hinauf und gab sich Mühe, völlig gelassen und ruhig zu erscheinen, wobei er die ganze Zeit daran denken mußte, daß jeden Augenblick jemand das Krankenzimmer betreten und den gefesselten Alf finden konnte.

Minuten, die zu Stunden wurden, vergingen, bis endlich die Lichter eines Taxis von der Hauptbahn abbogen und sich der Rampe näherten. Cassel stieg ein, seine Finger huschten über das Steuerpult.

Während das Taxi langsam Fahrt aufnahm, drehte Cassel sich um und spähte zurück, wo das Krankenhaus und Farrisberg in der Dunkelheit versanken.

Suche Yerik Belen. Die Worte des Mannes im Schatten hallten in Cassels Kopf.

9

In der Geborgenheit der Taxikabine hatte Cassel das Zeitgefühl verloren. Er mußte seinen Mördern entkommen – diesen Gedanken hatte er nicht völlig verloren, aber im Augenblick beschirmte ihn die transparente Taxikanzel vor der Außenwelt und ihren Nöten. So fiel es Cassel nicht schwer, sich einzureden, daß das Taxi alles war, worauf es ankam. Es war viel leichter, aufs Geratewohl die Steuertasten zu drücken, als zum Sternenhimmel hinauszuschauen und sich einzugestehen, daß dort draußen eine Alptraumwelt auf ihn wartete.

– Auf die Dauer wird das nicht funktionieren, Jonal. Du hattest Zeit genug, dich zu erholen. Jetzt mußt du eine Entscheidung treffen.

Als du mir nur im Traum erschienen bist, warst du leichter zu ertragen.

– Und du verschwendest zuviel Zeit. Alf wird sicher bereits irgendwo vermißt.

Oder jemand sucht bereits nach mir, oder Alf ist aus der Bewußtlosigkeit erwacht und hat sich befreit.

– In diesem Taxi bist du zu leicht aufzuspüren. Du mußt dich um deine Abreise von Tula kümmern.

Zur Erde?

– Zu Yerik Belen.

Zu Yerik Belen.
– Du wirst Kleidung und Geld brauchen.
Dann muß ich nach Hause zurückkehren.
– Das Risiko wirst du eingehen müssen. Wer den Speicher der Bibliothek löschen kann, der hat auch Zugang zu den Buchungscomputern der Transportgesellschaften. Wenn du zum Buchen deine Ausweiskarte benutzt, kannst du dir ebensogut einen kleinen Sender um den Hals hängen.

Cassel mußte einsehen, daß der Schattenmann recht hatte, aber der Gedanke, das Haus aufzusuchen, gefiel ihm nicht. Jeder, der nach ihm suchte – Parlan oder die Mörder –, würde sich zuerst dorthin wenden.

– Ich habe ja gesagt, es ist ein Risiko. Du brauchst einen Computeranschluß, um dir Bargeld zu verschaffen. Das heißt: Du mußt nach Hause fahren.

Cassel überlegte einen Moment lang, ob er so lange warten sollte, bis am nächsten Tag die Banken öffneten, aber dann ließ er diesen Gedanken fallen. Er bezweifelte, daß „sie" ihm soviel Zeit lassen würden.

Er sank durch den Schwebschacht abwärts. In seinen Schläfen dröhnten die Schläge einer Baßtrommel. Alle Muskeln waren angespannt. Cassel war auf alles vorbereitet, was ihn im Haus erwarten mochte. Doch da war nichts als undurchdringliche Finsternis. Er blieb im dunklen Wohnzimmer stehen und lauschte, hörte aber nichts.

– Jonal, du trödelst wieder!

Cassel drückte auf den Lichtschalter. Helligkeit vertrieb die Finsternis. Er blinzelte ein paarmal, um sich an das Licht zu gewöhnen. Das Zimmer war leer, mehr als leer. Ein eigentümliches Gefühl beschlich ihn. Etwas stimmte hier nicht.

Ohne sich zu bewegen, ließ er seinen Blick langsam durch den Raum wandern. Er konnte nicht feststellen, woher seine Irritation stammte. Alles war an seinem Platz, schien völlig unverändert ...

... das war es, was nicht stimmte! In diesem Zimmer hatte er zwei Menschen umgebracht und ihr Blut vergossen. Aber auf dem tiefen Teppichboden war nicht ein einziger Fleck.

Cassel tastete mit der Hand über die Wand. Er mußte an die tiefen Löcher denken, die die Explosivgeschosse in Putz und Mauerwerk gerissen hatten. Die Wände waren völlig unversehrt, und es waren nicht einmal die Spuren einer Reparatur zurückgeblieben. Alles, was an die Geschehnisse in jener Nacht erinnern konnte, war verschwunden. Warum? Welchen Grund konnte irgend jemand haben, die Ereignisse zu vertuschen?

– Jonal, dazu ist jetzt wirklich nicht der richtige Zeitpunkt. Sieh zu, daß du von hier verduftest.

Cassel schüttelte ungläubig den Kopf, dann eilte er ins Schlafzimmer. Nachdem er aus Alfs Pflegeruniform geschlüpft war, streifte er sich hastig einen Anzug über. Als nächstes öffnete er einen kleinen Koffer und warf ihn aufs Bett.

– Laß das sein. Du kannst dir später neue Sachen kaufen. Zeit ist das einzige, was du dir nicht kaufen kannst.

Cassel warf den Koffer wieder in den Schrank und lief ins Wohnzimmer zurück. Erinnerungen stiegen in ihm auf, aber die Geister waren verschwunden. Ailsa war nicht mehr hier. Das Haus war ein leerer Kasten, eine Ansammlung von unbelebten Zimmern.

– Geld, Jonal, vergiß den Zaster nicht!

Verdammt! Er ging rasch zur Computerkonsole und schob seine Ausweiskarte in den Prüfschlitz. Dann tippte er die Daten der Kreditbank ein. Eine Sekunde später erschien der Kontostand auf dem Schirm.

– Mehr als du brauchst. – Laß einen Teil des Geldes auf dem Konto. Warum?

– Du kannst deine Karte später noch einmal benutzen.

Dann werden sie durch die Karte auf meine Spur kommen.

– Sollen sie ruhig ein wenig deiner Spur folgen – zu Anfang jedenfalls.

Cassel wollte sich nicht mit dem Schattenmann auf eine Diskussion einlassen. Er betätigte die Tasten und rief drei Viertel der Gesamtsumme aus seinem und Ailsas Konto ab. Der Schirm flackerte zur Bestätigung. Dann schoben sich aus einen Schlitz im unteren Teil der Konsole die perforierten Bögen mit den Geldscheinen. Die Scheine waren von unterschiedlichem Wert. Cassel gab ein paar neue Daten in den Computer ein, dann begann er, die Bögen in Einzelscheine zu zerreißen. Er wartete auf eine Information über Yerik Belen.

– Du hast keine Zeit, Jonal. Wenn sie Alf gefunden haben, werden sie zuerst hierher kommen.

Cassel ignorierte die drängende Stimme. Er stopfte sich die Geldscheinbündel in die Kleidertaschen. Der Bildschirm verkündete, daß die Speicher keine Angaben über Yerik Belen enthielten. Cassel war nicht überrascht.

Zwei Stunden! Zwei verfluchte Stunden! Bron Cadao ließ sich in den Stuhl vor der Computerkonsole fallen. Cassel hatte zwei Stunden Vorsprung. Diesmal konnte er niemandem die Schuld geben, nur sich selbst. Er hätte es wissen müssen, aber dieser Parlan hatte ihm versichert, Cassel würde bis zur ersten Aufbaubehandlung unter Sedativa stehen.

Oh, verdammt! Cadao schnitt eine Grimasse. Beim Betätigen der Computertasten hatte er sich einen Fingernagel abgebrochen.

Der Schirm wurde hell und teilte mit, daß der Anschluß ans Transportsystem hergestellt war. Cadao rief die Taxifahrten der letzten zwei Stunden ab und gab Cassels Kennummer ein. Einen Augenblick später lieferte der Bildschirm die gewünschte Information.

Cassel hatte zweimal ein Taxi benutzt. Die erste Fahrt führte über zahlreiche Umwege von der Klinik zu seinem Haus, die zweite vom Haus zu einem Theater in Farrisberg.

Bron Cadao lehnte sich zurück und betrachtete die beiden Fahrtberichte. Beide kündeten von Verwirrung und mangelnder Entschlußfähigkeit. Gut so. Offensichtlich hatte Cassel immer noch nicht erkannt, welche Bedrohung er für das Tula-Projekt darstellte. Der Mann hatte Angst und war auf der Flucht. Deshalb die ziellosen Fahrten – ein verzweifelter Versuch, die Verfolger in die Irre zu führen.

Cadao beschloß, Cassel erst einmal laufenzulassen. Er würde schnell ermüden. Gleichzeitig würde sein Selbstbewußtsein steigen, denn er würde glauben, seine Verfolger abgeschüttelt zu haben. Wenn Cassel stehenblieb, unfähig, weiter zu fliehen, würde Cadao zuschlagen.

Einem Ratschlag des Schattenmannes folgend buchte Cassel eine Passage auf dem Überschallbus von Farrisberg nach Neudruka. Er zahlte bar. In der Stadt verzichtete er auf das Taxifahren; er ging zu Fuß.

Während der vergangenen Monate hatte ihn der Wahlkampf mehrere Male in diese Stadt geführt. Damals war ihm Neudruka als eine Stadt erschienen, die sich in jeder Hinsicht von der Hauptstadt Tulas unterschied. Jetzt stellte er fest, daß alle diese Unterschiede nur die Fassade betrafen. Gewiß, hier bevorzugte man eine andere Architektur. In Neudruka herrschten Flachbauten vor, während Farrisberg eine Stadt der schlanken Hochbauten war. Doch damit waren die Unterschiedlichkeiten bereits erschöpft. Ebensogut hätte man beide Städte nach denselben Bauplänen errichten können. Hier wie dort war man nach einem stadtplanerischen Prinzip vorgegangen. Nach gleichem Schema wechselten Geschäfts-, Verwaltungs- und Wohnbereiche einander ab, um der Monotonie im Stadtbild zu begegnen.

Und die Bürger von Neudruka? Cassel beobachtete sie durch das Fenster eines kleinen Cafés während des morgendlichen Schichtwechsels. Man hätte einen jeden von ihnen plötzlich nach Farrisberg transportieren können. Niemand hätte irgendeinen Unterschied bemerkt.

– Zur Erde, Jonal. Du mußt dich um die Überfahrt kümmern, damit du ...

... *Yerik Belen finden kannst. Ich weiß. Aber zuerst muß ich verlorengehen.*

– Was soll das heißen?

Cassel kicherte. Es freute ihn, daß der Schattenmann nicht in jeden Winkel seines Denkens folgen konnte. *Du wirst es erleben.*

– Jonal, ich hatte gehofft, daß du inzwischen Vertrauen zu mir gefaßt hast. Warum läßt du mich nicht an deinen Plänen teilhaben? Habe ich mich nicht als guter Freund erwiesen?

Klang da nicht verletzter Stolz in der Stimme des Schattenmannes mit? Cassels Grinsen wurde breiter. Er hatte etwas gefunden, womit er seinen ungebetenen Gast ärgern konnte.

– Da du dich mir offenbar nicht anvertrauen willst, werde ich dir erklären müssen, wie unser weiteres Vorgehen aussieht: Nach Beendigung dieses Frühstücks wirst du in einem hiesigen Hotel ein Zimmer mieten, dabei wirst du deine Ausweiskarte benutzen. Anschließend wirst du sie ein zweites Mal gebrauchen, diesmal hast du vor, eine Überfahrt auf dem nächsten Kreuzfahrer zu buchen, der zur Erde abgeht. Willst du weitere Einzelheiten wissen?

Cassels Lächeln erstarb. Er schlang die letzten Bissen hinunter, dann steuerte er das nächstgelegene Hotel an. Während er leise Flüche ausstieß, stimmte der Schattenmann ein fröhliches Liedchen an.

Jetzt waren zwölf Stunden vergangen, und Cassel hatte nicht ein einziges Mal seine Karte benutzt. Bron Cadao war verwirrt. In ihm regte sich Mißtrauen. Wo steckte dieser Mensch?

Die Erkenntnis traf ihn wie ein Hammerschlag.

Er hatte schon zu lange auf Tula gelebt. Allmählich wurde er so träge und vertrauensselig wie die Leute in seiner Umgebung. Cadaos Finger huschten über die Tastatur des Computers. Er stieß eine laute Verwünschung aus, als Cassels Kontobewegungen auf dem Bildschirm erschienen. *Oh, verdammt!* Warum hatte er Cassels Konto nicht einfrieren lassen, als dieser in die Klinik eingeliefert wurde? Jetzt war es zu spät.

Cadao gab ein planetenweites Suchprogramm ein. Nach einer halben Stunde lieferte der Schirm Cassels Eintragung in das Gästebuch eines Hotels in Neudruka. Der Schirm flackerte noch einmal auf. Außerdem hatte Cassel eine Fahrt zur Erde auf einem Passagierschiff gebucht.

„Hurensohn!" Cadao setzte eine verschlüsselte Eilmeldung an seine Vorgesetzten ab. Ohne die Antwort abzuwarten, buchte er einen Sitz auf dem nächsten Bus nach Neudruka.

Jonal Cassel wachte auf, als das Luftkissen des Busses mit einem überraschenden Stoß auf die Landebahn prallte. Ein weiterer Stoß, weicher diesmal, das Landefahrwerk des Busses berührte die Tarmakdecke. Der Flugbus rollte gemächlich über das Feld, während die Schutzschirme von den Fenstern glitten. Draußen strahlten die blendenden Lichter des Raumhafens von Epai in die Nacht. Cassel überflog Tulas größten Handelshafen mit unruhigen Blicken, dann schaute er auf die Uhr. Achtzehn Stunden waren vergangen, seit er Farrisberg verlassen hatte. Das Schiff, auf dem er die Überfahrt gebucht hatte, würde in sechs Stunden von Neudruka ablegen.

– Soviel Zeit hast du durch dein kleines Täuschungsmanöver mindestens gewonnen. Wenn du ein wenig Glück hast, kannst du den Planeten schon früher verlassen.

Der Bus hielt an einem Ausstiegstunnel. Cassel erhob sich und stieg gemeinsam mit den anderen Fahrgästen aus. Er verließ sich nicht gern auf sein Glück. Aber ihm blieb keine andere Möglichkeit. In der Abfertigungshalle fand er eine leere Informationskabine. Er betrat sie und forderte eine Liste aller anstehenden Flüge zur Erde an, auf denen noch Plätze frei waren. – Am besten wäre ein Frachter.

Cassel stimmte dem zu und änderte seine Anfrage ab. Der Schirm zeigte eine Liste mit fünf Frachtern, die innerhalb der nächsten vierundzwanzig Stunden in Richtung Erde flogen. Auf der *Carrie Ann* waren noch zehn Kojen zu vergeben.

– Das wäre fast optimal.

Das Wörtchen „fast" bezog sich auf die Tatsache, daß die Passagierfähre zum Frachter bereits in dreißig Minuten startete. Zu wenig Zeit. *Onadis Küken* startete in zwei Stunden. Auch das war zu früh. Bis dahin konnte Cassel unmöglich alles erledigen, was getan werden mußte.

Sein Blick fiel auf das dritte Schiff, *Tommy John*. Die Passagierfähre des Frachters ging um sechs Uhr morgens ab.

– Zwischenstops auf Lanatia, Tai und Javol, letzter Zielhafen: Erde.

Der indirekte Flug würde länger dauern, stellte Cassel fest. Aber das war genau das, was er wollte. Sie würden damit rechnen, daß er einen Direktflug wählte. Die Möglichkeit, das Schiff auf einem der drei Planeten verlassen zu können, würde seinen Verfolgern ebenfalls Kopfzerbrechen bereiten. Er fand es zwar unerfreulich, daß der Frachter später startete als das Passagierschiff in Neudruka, aber daran war nun einmal nichts zu ändern.

ADUM SAHT – TALALD III

Religiöser Führer des Wüstenplaneten Talald III. Seine Ermordung im Jahre 378 Talaldzeit entfachte einen fünf Jahre andauernden Bürgerkrieg zwischen den zwei Balietid-Parteien, den Raeysa und den Kiatos. Die Identität des Mörders ist unbekannt. Es wird vermutet, daß es sich um einen von den Raeysa gedungenen Nichttalalder handelte. Vermutung bis heute unbestätigt.

Cassel spürte ein warmes Gefühl der Sicherheit, der Geborgenheit, während er vom Bildschirm die Informationen über Javas Garridan, Ragnar Oles, Bina Fanett und die anderen ablas.
– Hoffentlich fühlst du dich jetzt besser.
Cassel achtete nicht auf die sarkastische Stimme des Schattenmannes. Er war von tiefer Erleichterung erfüllt. Wenn die Informationen in Epai zur Verfügung standen, so konnte das nur bedeuten, daß die Speicher in Farrisberg manipuliert worden waren. Es gab „sie" also wirklich. Nun hatte er Gewißheit. Zwar wußte er nicht, wer sie waren, ob es sich um eine Einzelperson oder um eine weitverzweigte Organisation handelte, aber das änderte nichts an der Genugtuung, die Cassel empfand.
– Du bist nicht krank – das habe ich dir doch immer gesagt.
Und was ist mit dir? Cassel hatte sich so sehr an die ständige Gegenwart des Schattenmannes gewöhnt, daß er zunehmend den Blick für eine Tatsache verloren hatte: Die Existenz dieses Nachtmahrs war der Beweis, daß mit seinem Verstand etwas nicht stimmte.
Cassel wandte seine Aufmerksamkeit wieder dem Computer zu. Er forderte sämtliche Pressemeldungen über seine Person während der lezten Woche an. Es vergingen ein paar Minuten, dann verkündete der Bildschirm das Fehlen jeglicher Neuigkeiten über Jonal Cassel. Er runzelte verblüfft die Stirn. Wenn „sie" ihn in Mißkredit bringen wollten, wieso hatten sie den Tod der beiden Männer nicht bekanntgemacht? Warum gaben sie sich solche Mühe, den Vorfall geheimzuhalten?
– Jonal, die Zeit ist kostbar. Zum Nachdenken ist jetzt nicht der richtige Augenblick. Im Moment geht es nur darum, daß du dir einen Platz auf dem *Tommy John* verschaffst.
Genau das habe ich vor.
Cassel öffnete die Kabinentür und trat hinaus in die dämmrig erleuchtete Abfertigungshalle. Als seine Augen sich auf das matte Licht eingestellt hatten, entdeckte er das dreigeschossige Restaurant. Offenbar war es eines der beliebtesten Lokale in ganz Epai. Um jeden Tisch drängten sich die Gäste. Cassels Blick blieb an einem Mann hängen, der

auf unsicheren Beinen von einem der Tische zur runden Bar schwankte. Der Mann ließ sich auf einem Hocker abseits von den anderen Gästen nieder und gab der Barfrau ein Zeichen. Cassel durchquerte das Restaurant und setzte sich auf einen Hocker neben dem Betrunkenen.

Nachdem er sein Glas mit leichtem violettem Wein in Empfang genommen hatte, nippte Cassel an der kühlen Flüssigkeit und lauschte zu seinem Nachbarn hinüber. Die höfliche, junge Bardame lächelte freundlich, während ihr der Mann umständlich und mit schwerer Zunge von dem Ärger erzählte, den er kürzlich mit der Zivon-Verwaltung gehabt hatte. Cassel erfuhr, daß der Mann aus Ara stammte und einmal im Vierteljahr zwei Wochen lang als Rechnungsprüfer im Zivonbau in Epai arbeitete.

– Du hast einen guten Blick, Jonal. Ich glaube, du hast deinen Mann gefunden.

Cassel blieb keine Zeit zum Antworten. Der Rechnungsprüfer stand plötzlich auf seinen weichen Knien neben dem Hocker und erklärte der Bardame, daß er für heute sein Limit erreicht habe und nun sein Hotel ansteuern wolle. Cassel folgte ihm ins Freie, wo der Mann ein Taxi herbeirief, um sich danach schwankend und erfolglos an der Tür des Fahrzeugs zu schaffen zu machen.

Cassel trat neben ihn. „Kann ich Ihnen helfen?"

„Ich glaube fast, ich habe heute abend ein bißchen zuviel getrunken. Ich muß ins Epai Elite."

„Da wohne ich auch." Cassel half dem Mann beim Einsteigen. „Ich hoffe, es stört Sie nicht, wenn ich mitfahre?"

„Ehrlich gesagt, Bürger, ich würde mich über Ihre Gesellschaft freuen. Sonst vergesse ich am Ende noch, rechtzeitig auszusteigen. Ich spendiere die Fahrt."

Es dauerte einige Zeit, bis der Mann in einer Jackentasche seine Ausweiskarte gefunden hatte. Er reichte Cassel die Karte, und dieser schob sie in den Schlitz im Steuerpult. Das Taxi bestätigte den Zielpunkt und setzte sich in Bewegung. Die Karte schob sich wieder aus dem Schlitz. Der Rechnungsprüfer beugte sich vor und griff nach ihr.

– Jetzt, Jonal!

Cassel schlug zu. Seine Faust traf den Mann genau am Kinn. Ohne auch nur einen Überraschungslaut auszustoßen, sank der Betrunkene in das Rückenpolster.

– Vor morgen mittag wacht der nicht mehr auf.

Cassel dirigierte das Taxi wieder zum Raumhafen. Während es an der nächsten Fahrbahnschleife wendete, zog Jonal die Karte aus dem Schlitz und betrachtete sie prüfend. Doron Tem. Nicht gerade ein Name nach seinem Geschmack, aber immerhin eine neue Identität. Er steckte die Ausweiskarte ein.

Zehn Minuten später hielt das Taxi vor dem riesigen Abfertigungsgebäude des Raumhafens Epai. Cassel öffnete die Kabinentür und stieg aus. Von außen schob er seine eigene Ausweiskarte in den Prüfschlitz und gab seine Adresse in Farrisberg in das Steuerpult ein. Dann sprang er zurück. Die Taxitür schloß sich, und das Fahrzeug verschwand in der Dunkelheit. Ein leichtes Schuldgefühl erhob sich in Cassels Brust, als er daran dachte, wie Tem wohl zumute sein mochte, wenn er am Morgen einen halben Kontinent von Epai entfernt erwachte und mit einem bösen Kater zu kämpfen hatte.

Cassel betrachtete die Eingangstür zur Abfertigungshalle. Trotz der frühen Morgenstunde war der Raumhafen von Leben erfüllt. Ein unablässiger Strom von Passagieren, Besatzungsmitgliedern und Hafenbediensteten flutete durch die Türen.

– Bald sind wir zu Hause, Jonal.

Cassel holte tief Luft. Er ging auf die Türen zu und klopfte dabei auf die Tasche, in der Tems Ausweiskarte steckte. *Ich hoffe, ich sehe selbstsicherer aus, als ich mich fühle.*

„Hase und Igel", murmelte Bron Cadao und ließ sich vor dem Computerbildschirm auf den Stuhl fallen.

Seine Busfahrt nach Neudruka war nichts anderes gewesen als der Wettlauf des Hasen mit dem Igel; Jonal Cassel hatte das hübsch eingefädelt. Während Cadao einem Phantom nachjagte, hatte sich Cassel längst in eine andere Richtung abgesetzt. Das alles sprach für eine ärgerliche Tatsache: Cassel wußte, daß seine Bewegungen überwacht wurden.

Einen Augenblick lang dachte Cadao darüber nach, ob er seine Vorgesetzten über den neuesten Stand der Entwicklung informieren sollte, doch dann ließ er den Gedanken rasch wieder fallen. Sein Fehlerkatalog in dieser Angelegenheit würde sich in der Personalakte nicht gut ausmachen. Die Pensionierung war greifbar nahe, er durfte seine Chancen jetzt nicht zunichte machen.

Gemäß Cadaos Anforderung spuckte der Computer eine Liste aller Raumpassagierlisten der letzten zehn Stunden aus. Danach rief Cadao die Listen der nächsten zwei Tage ab. Spalte für Spalte studierte er sie mit der Gewissenhaftigkeit eines Buchhalters – Cassels Name war nicht zu finden. Aber damit hatte Cadao auch gar nicht gerechnet. Es war überaus schwierig, sich auf Tula eine neue Identität zu verschaffen, aber Jonal Cassel war ein gejagtes Wild. Er dachte mit der Logik eines Menschen, der um sein Überleben kämpft.

Als nächstes leitete Cadao eine planetenweite Überprüfung von Cassels Ausweis- und Kreditkarte ein. Er runzelte die Stirn, als ihm der Bildschirm einen einzigen Gebrauch der Karte anzeigte: Eine Kabinentaxifahrt von Epai nach Farrisberg. Das Taxi mußte zur Stunde noch unterwegs sein. Warum sollte Cassel ein Taxi benutzen, wo man mit dem Flugbus doch viel schneller vorankam? Warum hatte er seine Ausweiskarte benutzt?

In Cadao stieg tiefes Mißtrauen auf. Diese Taxifahrt stank nach Täuschungsmanöver. Bron Cadao fluchte auf den Planeten, auf dem es keine Polizeistreifen gab, und auf die Geheimhaltung, zu der er gezwungen war. Er brauchte dringend Hilfe, doch es gab niemanden, dem er trauen konnte. Ob dieses Taxi nun eine Finte war oder nicht – es war alles, was er hatte. Wenn es vor Cassels Haus auftauchte, würde er es dort erwarten.

Cassel trat aus der Untersuchungskabine. Eine Frau mittleren Alters in weißem Kittel händigte ihm seine Kleider aus, dabei hielt sie den Blick fest auf die Skalen des Medizincomputers geheftet. Cassel legte die Kleidungsstücke über eine Stuhllehne und begann, sich anzuziehen. Eine Glocke schrillte. Er fuhr herum.

– Ruhig, Junge, du bist zu nervös.

Cassel lächelte verlegen. Ihm war, als würde er auf einem Hochseil balancieren. Wenn ihn irgend jemand erkannte, war alles verloren. Inzwischen hatten „sie" gewiß längst entdeckt, daß seine Buchung auf dem Passagierschiff in Neudruka nur eine Finte gewesen war. Er wurde gesucht ...

„Herr Tem." Die Frau hielt ihm einen blauen Overall entgegen. „Darin werden Sie sich sicher wohler fühlen."

„Bitte?" Cassel starrte das Kleidungsstück ratlos an.

„Die meisten Passagiere tragen diese Overalls gern", erklärte die Frau. „Wenn Sie allerdings Ihre eigene Kleidung vorziehen ... Es gibt keine Kleidervorschriften an Bord."

Cassel versuchte verzweifelt, sich einen Reim auf ihre Worte zu machen.

„Es bestehen keinerlei medizinische Bedenken gegen Ihren Flug, Herr Tem." Sie zog einen Papierbogen aus dem Computer, riß ihn ab und reichte ihn Cassel. „Dies Blatt geben Sie bitte der Dame dort hinter der grünen Tür. Die Einschiffungsformalitäten beginnen in zehn Minuten. Aber vielleicht sollten Sie sich doch besser etwas anziehen, bevor Sie zum Schalter gehen."

Sie ließ ihren Blick einmal über Cassels nackten Körper wandern, schnitt eine Grimasse, erhob sich von ihrem Stuhl und schlenderte zur Tür. Cassel streifte den Overall über und legte seinen Anzug in den Koffer zu den anderen Kleidungsstücken, die er in Epai gekauft hatte. Hinter der grünen Tür verbarg sich eine kleine Wartehalle, in der ein paar Klappstühle aufgestellt waren. Einige Fahrgäste waren bereits dort. Sie plauderten miteinander oder versuchten vergeblich, auf den unbequemen Plastikmöbeln versäumten Schlaf nachzuholen. Cassel gab seinen Untersuchungsbericht einer Frau, die hinter einem Schreibtisch saß. Der Bericht wurde zu seinen anderen Reiseunterlagen genommen. Eine Fährte, dachte Cassel, aber er hoffte, daß der *Tommy John* längst unterwegs sein würde, wenn „sie" seine Spur wieder aufnahmen.

„Herr Tem", sagte die Raumhafenangestellte, „Sie finden die Kabinenliste dort drüben an der Wand. Wenn Sie eine andere Unterbringung wünschen, können Sie sich nach dem Eintritt in den Tachyonraum direkt an die Besatzung wenden."

Cassel nickte und ging zum Anschlagbrett. Er entdeckte Doron Tems Namen neben der Kabinennummer P-25. Alle Kabinen an Bord des Frachters waren mit zwei Personen belegt, nur bei der Nummer 25 fand sich ein einzelner Name. Cassels Nervosität legte sich ein wenig. Er fand es beruhigend, daß er während der Reise nicht den neugierigen Fragen eines Kabinengenossen ausgesetzt sein würde.

– In ein paar Minuten sitzt du in der Fähre zum *Tommy John*. Zwei Stunden später befindet sich der Frachter im Tachyonraum. Wenn sie an Bord eine Falle aufgebaut haben – nun, darum mußt du dich später kümmern.

In einer Stunde – Cassel warf einen raschen Blick auf die Uhr – *fährt Doron Tem vor meiner Haustür vor.*

– Ein bißchen knapp. Aber das Risiko mußtest du eingehen.

Du hast leicht reden.

„Darf ich um Ihre Aufmerksamkeit bitten?" Eine Frau, die sich als Besatzungsmitglied vorgestellt hatte, trat auf ein kleines Podest an der Stirnseite der Halle.

Cassel setzte sich auf einen Klappstuhl und hörte der Uniformierten dabei zu, wie sie erklärte, daß der *Tommy John* kein Luxuskreuzer, sondern nur ein Raumfrachter sei.

„Die Unterbringung an Bord ist mehr als zufriedenstellend, aber wir bieten Ihnen kein Unterhaltungsprogramm, um die Eintönigkeit der Reise aufzulockern", fuhr sie fort. „Ich kann Ihnen jedoch versprechen, daß wir über einige Einrichtungen verfügen, die der Entspannung dienen, zum Beispiel eine umfangreiche Videothek, einen Schwerkraft-Gymnastikraum und eine gravitationsfreie Sporthalle ..."

Cassel ließ seinen Blick über die Fahrgäste wandern. Später, wenn der Frachter unterwegs war, konnte er sich immer noch über die Eintönigkeit des Fluges Gedanken machen. Er schaute auf die Uhr und fragte sich, wie weit das Taxi noch von Farrisberg entfernt sein mochte.

Allgemeines Füßescharren riß Cassel aus seinen Gedanken. Auf der Stirnseite der Halle hatte sich die Tür zum Einstiegstunnel geöffnet. Am Ende des kreisrunden Ganges konnte man die geöffneten Fährentüren sehen. Die Fahrgäste formierten sich zu einer lärmenden Schlange, die sich in den zylindrischen Tunnel wälzte. In Cassels Ohren rauschte es, als er sich erhob, um sich ans Ende der Schlange zu begeben.

DORON TEM.

Bron Cadao gab den Namen in den Computer ein. Der Bildschirm verkündete, daß Tems Ausweis- und Kreditkarte bisher nicht benutzt worden war. Aber Cassel mußte sie doch zu einem bestimmten Zweck gestohlen haben.

Die Finger huschten über die Tasten, riefen noch einmal die Passagierlisten ab, die Cadao am Abend zuvor überprüft hatte. Auf der sechsten Liste stand Tems Name.

Cadao stieß unterdrückte Flüche aus, als er entdeckte, daß der *Tommy John* in fünf Minuten startete. Es gab keine Möglichkeit, den Riesenfrachter jetzt noch aufzuhalten.

Cadao stieß sich mit dem Stuhl von der Konsole ab. Dann stand er auf und ging durchs Zimmer. Aus einem Schrank zog er eine Flasche irdischen Bourbon hervor, schenkte sich drei Fingerbreit in ein Glas und goß den Whisky in einem Zug hinunter. Danach füllte er das Glas noch einmal, um es ebenso schnell wieder zu leeren. Jetzt erst wandte er sich wieder dem Computer zu. So, wie die Dinge lagen, war ihm die Sache aus der Hand geglitten. Jetzt mußte Cadao seine Vorgesetzten informieren – und die Konsequenzen tragen.

Jonal Cassel stellte den Koffer in einem Fach unter der Koje ab. Er setzte sich auf die Bettkante und betrachtete die Kabine, die für die nächsten drei Monate sein Zuhause sein würde. Da er noch nie auf einem Luxuskreuzer gereist war, besaß er keine Vergleichsmöglichkeit, dennoch hatte er das Gefühl, daß die Dame in der Halle mit der Beschreibung „mehr als zufriedenstellend" ein wenig übertrieben hatte.

Die Kabine hatte eine Grundfläche von vier Quadratmetern, an einer Wand befand sich die Tür zu einer engen kombinierten Dusche und Toilette. Neben der Tür an der Wand befand sich ein Metallschild mit einer Bedienungsanleitung für die Dusche und die Rationierungsvorschriften für das Wasser zur Körperreinigung.

Ein Bildschirmanschluß an die Videothek war auf dem Kabinenboden festgeschraubt, ebenso der einzige Stuhl. Schränke gab es nicht. Alle persönliche Habe der Reisenden mußte in den Staufächern unter den Kojen untergebracht werden.

Die beiden Kojen befanden sich an den Längswänden des Raumes. Sie waren mit einem Sichtschutz ausgestattet, der die Koje und einen schmalen Streifen des Raums von der Kabine abtrennte. Der dünne Schutzschirm konnte bei Bedarf aus dem Boden ausgefahren werden. Cassel war erleichtert, daß er die bedrückende Enge der Unterkunft nicht mit einem Fremden teilen mußte. Der Gedanke an drei Monate in dieser Behausung war ohnehin schwer zu ertragen.

– Es hätte schlimmer kommen können. Freu dich, daß sie dich nicht in eine Vier-Personen-Kabine gesperrt haben.

Bevor Cassel etwas erwidern konnte, verkündete eine männliche Stimme aus dem Lautsprecher, daß sich das Schiff dem Übertritt in den Tachyonraum näherte. Cassel befolgte die Anweisungen: Er legte sich auf die Koje und schnallte sich fest. An der Tür war das Knacken der automatischen Verriegelung zu hören. Cassel verspürte Angst und Mißtrauen. Es half ihm nichts, daß er sich daran erinnerte, daß das Verriegeln seiner Sicherheit diente. Beim Übertritt kam es immer noch gelegentlich zu Unfällen. Wenn das geschah, sollten die einzelnen Kabinen als Rettungsboote dienen. In der Theorie jedenfalls. In der Praxis blieb von einem Schiff, das die Hälfte seiner Atome in den Tachyonraum schickte und die andere Hälfte im Normalraum beließ, nicht viel übrig.

Aus der Sprechanlage summte es. Noch zehn Sekunden bis zum Sprung. Plötzlich besann sich Cassel an den einzigen Tachyon-Übertritt, den er bisher erlebt hatte. Das war vor zehn Jahren gewesen, auf seiner Reise von der Erde nach Tula.

Es war zu spät. Zuerst kam ein Gefühl wie von einer scheinbaren Beschleunigung. Dann drückte eine Riesenfaust in Cassels Magengrube. Er stöhnte, preßte die Zähne zusammen, schluckte trocken und versuchte Luft hinter seine Trommelfelle zu pumpen. Dennoch war er sich sicher, daß er im nächsten Augenblick seine Eingeweide erbrechen würde. Plötzlich war die Übelkeit vergangen. An ihre Stelle traten Verwirrung und Orientierungslosigkeit. Cassel krallte die Finger in die Kojenmatratze. Er suchte nach Halt in einem Universum, das flüssig geworden war. Dann war auch das vorüber. Der Summer ertönte wieder, und die Männerstimme erklärte, daß man den Übertritt in den Tachyonraum erfolgreich und beim ersten Versuch hinter sich gebracht hätte. Der *Tommy John* machte gute Fahrt, im Bereich jenseits der Lichtgeschwindigkeit.

Ohne es zu merken, hatte Cassel den Atem angehalten, jetzt ließ er die Luft aus den schmerzenden Lungen entweichen. Geschafft! Er war ihnen entkommen! Sein Körper erschlaffte, als die Anspannung der letzten Tage ihn aus ihrem Griff entließ.

10

Jonal Cassel stand allein in der Aussichtskanzel des *Tommy John*. Er schloß die Finger um das Geländer, so fest, daß die Knöchel weiß hervortraten. Unter den Füßen spürte er die Festigkeit des Decks. Die Füße selbst steckten in Haftschuhen, die ihm jederzeit einen sicheren Stand gewährten. Dennoch hatte er das Gefühl, endlos zu fallen. Die Schwerelosigkeit und das gewaltige Zyklopenauge der Kanzel waren stärker als alle Logik. Die Gefühle hatten die Oberhand.

Er lächelte, genoß den Sturz. Zum erstenmal hatte er diese Erfahrung gemacht, als der Frachter um Lanatia kreiste. Auch wenn er inzwischen wußte, was er zu erwarten hatte – die Halluzination traf ihn immer wieder mit überraschender Kraft. Das eigentümliche Vergnügen glich einer Fahrt auf dem Jahrmarkt. Alle Sinne riefend warnend *Gefahr!*, während der Verstand rational blieb – jedenfalls fast. Cassel genoß den Widerstreit in seinem Innern wie ein Rauschgiftschnüffler eine Prise Himmelsstaub.

In den letzten drei Tagen hatte er den größten Teil seiner Zeit vor dem riesigen Rundfenster verbracht. Die anderen Reisenden und der größte Teil der Besatzung nutzten den Ladeaufenthalt zu einem Abstecher nach Javol. Cassel genoß die Einsamkeit, aber die Vorsicht war der eigentliche Grund, warum er an Bord geblieben war. In den zwei Monaten, seit er Tula verlassen hatte, hatte er keine Anzeichen dafür entdecken können, daß man ihm gefolgt war. Aber er unterschätzte seine Feinde nicht. Eine fremde Welt bot viele Möglichkeiten, um einen unerfahrenen Touristen verschwinden zu lassen.

Während also die menschliche Fracht des *Tommy John* die exotischen Wasserstädte von Javol besichtigte, stand Cassel Stunde um Stunde vor dem Geländer, die Augen auf die Unendlichkeit hinter dem Rundfenster gerichtet. Davor hatte er dem Kommen und Gehen der Fähren zugesehen, die die Laderäume des Frachters leerten und aufs neue füllten. Interessanter noch war es gewesen, die Männer in den Raumanzügen zu beobachten, die schwerfällig über die Hülle des *Tommy John* krochen, um kleinere Wartungsarbeiten und Reparaturen durchzuführen. Neben dem gewaltigen Schiffsleib wirkten sie winzig klein, und doch hatten die silbergekleideten Arbeiter dem Metallkoloß einen Hauch von Menschlichkeit verliehen. Sie hatten sozusagen das natürliche Verhältnis wiederhergestellt. Also war der *Tommy John* doch nur eine Maschine, die dem Menschen diente und nicht ein glänzender Gott, der auf den Strömen des Ultralichtraumes tanzte.

Im Moment kamen keine Fähren von Javol herauf. Die Planetenkugel füllte das Beobachtungsfenster aus, ein gewaltiger, blau, grün, rot und orange gesprenkelter Ball. Die bläulich-weißen Polkappen und ein paar mächtige Wolkenbänke standen in einem seltsamen Gegensatz zur buntscheckigen Planetenoberfläche.

Eigentlich galt Cassels Blick jedoch einem Himmelsschauspiel, das jenseits der Planetenkugel am Himmel zu sehen war. Die Mannschaft hatte das Phänomen Teufelsschlund getauft. Es handelte sich um die Überbleibsel eines zerborstenen Sterns: kosmische Gas- und Materiewolken. Wie das Gebilde an seinen merkwürdigen Namen gekommen war, konnte Cassel leicht nachvollziehen, denn die Wolken umfaßten ein schwarzes Nichts. Sie ähnelten den Kiefern eines gewaltigen Rachens, der den Planeten zu verschlingen drohte.

Der hauchfeinen Schönheit des kosmischen Schauspiels wurde sein Name allerdings nicht gerecht. Die Wolken leuchteten mit der Kraft eines irisierenden, inneren Feuers. Sie waren durchzogen von einem Netzwerk spinnenhaft feiner Adern. Wie die Flügel einer Libelle, dachte Cassel, aber doch nicht wie der Rachen eines Dämons. Es bestand auch nicht die reale Gefahr, daß die Wolke eines Tages Javol verschlingen würde. In Wahrheit trieb sie von dem Planeten fort, dem Rand der Galaxis entgegen.

Die Fahrt auf dem *Tommy John* unterschied sich sehr von Cassels erstem Raumflug. Man hatte ihn und Ailsa mit einem anderen Paar in einer Kabine zusammengepfercht, kleiner als jene, die er jetzt allein bewohnte. Das Schiff selbst war ein Frachter gewesen, den man zu einem Kolonistenschiff umgebaut hatte. Während des sechswöchigen Fluges von der Erde nach Tula hatten sie nicht einen Blick auf die strahlende Pracht werfen können, die sich hinter den Bordwänden verbarg.

Cassel ließ das Geländer los und ging mit schlurfenden Schritten zu den Liegesesseln hinüber. Die Zeit heilte viele Wunden. Die zwei Monate auf dem *Tommy John* waren lindernder Balsam gewesen; sie hatten ihm geholfen, mit Ailsas Tod fertigzuwerden. Die Leere war geblieben, aber der Schmerz hatte sich in ein wehmütiges Brennen verwandelt, war zum Heimweh nach einer unwiederbringlich vergangenen Zeit geworden.

Ein Signalhorn dröhnte durch die Gänge des Frachters. Cassel schreckte zusammen. Im letzten Augenblick konnte er sich an den Sessellehnen festklammern, sonst hätte ihn seine ruckhafte Bewegung bis zur Decke des schwerelosen Raumes geschleudert. Das Horn hatte die Ankunft einer Passagierfähre angekündigt. Das nächste Signal würde bedeuten, daß die Fähre im Hangar festgemacht hatte. Noch einmal fünfzehn Standardminuten später würde der *Tommy John* die Umlaufbahn verlassen. Kurz danach stand dann wieder der Übertritt in den Tachyonraum bevor.

Cassels Blick wanderte wieder zum Planeten. Er suchte nach der ankommenden Fähre. Es dauerte einige Zeit, bis er einen dunklen Punkt vor dem weißen Hintergrund der Wolkenhülle Javols entdeckte. Der Punkt wurde schnell größer, wurde zu einem Fleck, der bald die typische, schwerfällige Gestalt eines Fährschiffes annahm. Cassel beobachtete den Anflug des kleinen Transporters, der sich neben dem mächtigen Rumpf des *Tommy John* zwergenhaft klein ausnahm. Dann war die Fähre hinter einer Wölbung des Frachterrumpfes verschwunden. Cassel konnte die Erschütterung spüren, als die Fähre anlegte. Wieder erscholl das Signalhorn.

Cassel warf einen letzten Blick auf Javol und die Nebelschleier des Teufelsschlundes. Dann verließ er die Aussichtskanzel durch einen zylindrischen Tunnel. Besatzungsmitglieder, die gerade von ihrem Landurlaub zurückgekehrt waren, hasteten an ihm vorüber, um ihre Positionen einzunehmen. Die gleiche Hast herrschte in den Passagiergängen, wo die Fahrgäste zu den Kabinen strebten. Beim Übertritt wollte jedermann sicher angeschnallt in der Koje liegen.

Durch die allgemeine Verwirrung bahnte sich Cassel den Weg zu seiner Kabine. Er schob die Tür zur Seite, trat ein und erstarrte. Vor dem freien Kabinenbett war der milchig-graue Sichtschutz hochgefahren. Es dauerte einen Augenblick, bis Cassel begriff, was das zu bedeuten hatte. Er war nicht mehr allein in der Kabine. Hastig suchte er den Raum nach weiteren Hinweisen auf den Eindringling ab. Er fand nichts.

Furcht, Mißtrauen, Vorsicht, alle beängstigenden Gefühle, die er während der Reise allmählich abgelegt hatte, waren mit einem Schlag wieder da. Zwei Monate lang hatte er die ungestörte Ruhe in der Kabine genossen. Warum mußte das jetzt vorbei sein?

Der dritte Warnton des Horns schreckte ihn aus seiner Verbitterung auf. Er legte sich eilig auf seine Koje und zog die Sicherheitsgurte fest. Dann warf er wieder einen Blick auf den Sichtschirm. Dieser Einbruch in seine Privatsphäre machte ihm zu schaffen. Cassel versuchte den Verdacht und die Angst von sich zu schieben, aber sie verließen ihn nicht. Hatten „sie" ihn schließlich doch gefunden? Warum hatten sie so lange dazu gebraucht? Sein Täuschungsmanöver auf Tula war zu durchsichtig gewesen.

Nein, sagte er sich. Dies war der ganz normale Reisealltag. Es gab eben keine freien Plätze mehr an Bord. Die letzte Etappe der Fahrt stand bevor. Die Routen zur Erde waren allesamt stark frequentiert. Die Erde! In einem Monat würde er wieder auf der Erde sein, zum ersten mal seit zehn Jahren.

Er hatte sich bemüht, mit dem Gedanken an die Heimat gegen die Ängste anzukämpfen, aber das gelang ihm nicht. Irgendwo auf der Erde wartete Yerik Belen, der die Antwort auf alle seine Fragen wußte.

Tula, das vor Minuten noch unendlich fern erschienen war, rückte plötzlich wieder dicht heran und wurde höchst real. Die Sicherheit, die Cassel auf dem *Tommy John* gefunden hatte, erwies sich als trügerisch.

Cassel starrte auf den undurchsichtigen Schirm. Nach einer Weile entdeckte er am Giebel seiner Koje einen Schalter, er legte ihn um, und sein eigener Sichtschirm fuhr aus dem Kabinenboden hoch. Dann schloß Cassel die Augen und bereitete sich innerlich auf die widerwärtigen Körpergefühle beim Tachyonsprung vor.

Erst als aus dem Sprecher ein Glockenläuten die Essenszeit ankündigte, bemerkte Cassel, daß er geträumt hatte. Er gähnte, räkelte sich und lächelte. Er verspürte einen gesunden Appetit. Die Reise tat ihm wirklich gut. Gerade hatte er eine Erfahrung genossen, die er als weiteres Anzeichen für seine fortschreitende geistige Gesundung deutete: einen sehr erotischen Traum. Nach Monaten der Leere hatte er sich damit abgefunden, daß alle fleischlichen Begierden in ihm abgestorben waren. Er hatte etwas Verlorengeglaubtes wiedergefunden. Das erschien ihm nun wie der Start in ein neues Leben. Nach und nach würde er Tula hinter sich lassen.

Er richtete sich auf und schwang die Beine aus dem Bett. Einen halben Meter von der Koje entfernt stand der Sichtschirm. Sofort waren alle Gedanken an einen Neubeginn verflogen. Verärgert griff er nach dem Schalter, um den Schirm herunterzulassen. Der Schirm vor der anderen Koje war ebenfalls unten, das Bett leer. Aus der Duschkabine war Wasserrauschen zu hören. Cassel zögerte einen Augenblick lang, er konnte sich nicht entscheiden, ob er seinem Kabinengenossen begegnen wollte oder nicht. Schließlich beschloß er, das Treffen so lange wie möglich aufzuschieben. Er streifte den Overall über und stürmte aus der Kabine.

Draußen läutete die Essensglocke zum zweitenmal. Cassel schloß sich den anderen Passagieren an, die durch den Tunnel dem Speisesaal entgegenstrebten. Speisesaal war eine schmeichelhafte Bezeichnung. Eigentlich handelte es sich bei dem Raum eher um eine Großkantine, in der jemand ein paar Topfblumen aufgestellt hatte, um ihr etwas von der nüchternen Atmosphäre zu nehmen. Einige Tische waren für Besatzungsmitglieder reserviert, doch es gab keine Vorschrift, die den Mannschaften das Essen an den Tischen der Fahrgäste verbot. So fand sich in der Kantine meistens eine bunte Mischung von Besatzungsmitgliedern und Passagieren ein.

Cassel ging zu einem der Tische, die den Kabinen P20 bis P25 zugeteilt waren, und setzte sich auf einen der zwei freien Stühle. Er entdeckte nur ein unbekanntes Gesicht an seinem Tisch - einen Gewürzhändler aus Lanatia, wie sich später herausstellte. Alle anderen waren ihm vertraut: ein ältliches Paar auf dem Weg zur Erde, um Verwandte zu besuchen, die es seit dreißig Jahren nicht gesehen hatte; ein junges Paar, das nur Augen für sich selbst hatte; ein Rekrut der Raumtruppe, der auf der Erde seine Entlassungspapiere in Empfang nehmen wollte; ein Xenobiologe und ein Bergbaufachmann aus Javol, der zu laut lachte und dabei seine makellosen Zähne blitzen ließ. Cassel murmelte ein paar Begrüßungsworte, dann drückte er den Schalter am Essensausgabeschacht in der Mitte des kreisrunden Tisches. Er seufzte erleichtert, als das Tablett mit seinem Menü aus dem Schacht heraufstieg. Jetzt konnte er seine Aufmerksamkeit dem Essen zuwenden und brauchte nicht mehr am belanglosen Gespräch der Tischrunde teilzunehmen.

„Herr Tem? Herr Doron Tem?" fragte eine weibliche Stimme.

Cassel schaute auf und erblickte eine mit einem Overall bekleidete Frau, die sich auf dem freien Stuhl an seiner Seite niederließ.

„Ich bin Nari Hullen", sagte sie mit einem Lächeln. Dabei strich sie eine Locke ihres kastanienroten Haares aus der Stirn. „Offenbar müssen wir uns für den Rest der Fahrt eine Kabine teilen."

Die Plastikgabel glitt aus Cassels Fingern und fiel klappernd auf das Tablett. Er starrte der Frau ins Gesicht und suchte vergeblich nach Worten.

„Ich hoffe, daß es Ihnen Ihre religiöse Überzeugung nicht verbietet, mit einem Mitglied des anderen Geschlechts in einem Raum zu wohnen." Nari Hullen betätigte den Essensausgabeknopf. „Oder, was womöglich noch schlimmer wäre, daß auf der Erde eine eifersüchtige Lebensgefährtin auf Sie wartet."

„Weder noch", erwiderte Cassel, während er sich bemühte, die Gabel möglichst unauffällig aus einer Cremespeise herauszuziehen.

„Na fein! Solange wir die Sichtschirme benutzen, wird es schon nicht zu Komplikationen kommen."

Cassel hätte die schlanke Frau nicht als schön bezeichnen mögen, aber „hübsch" wäre zu schwach gewesen. Vielleicht war „attraktiv" das richtige Adjektiv. Er schätzte ihre Größe auf wenig mehr als eineinhalb Meter, ihr Gewicht lag sicherlich unter achtundfünfzig Kilogramm. Der weite Overall erlaubte keine Schlüsse auf ihre Figur, aber in ihrem Gesicht lag etwas, das Cassels Blick für einen peinlich langen Augenblick gefangenhielt.

Sie hatte große, ausdrucksvolle Augen von fast eurasischem Schnitt. Es lag eine eigentümliche Mischung aus Stärke, Intelligenz und Verletzlichkeit in ihnen. Erst allmählich nahm Cassel auch den Rest ihrer Physiognomie wahr: die vollen Lippen, die kecke Stupsnase und die kräftigen Wangenknochen, die so gut zu den bezaubernden Augen paßten.

Nari Hullen lächelte wieder. Offenbar störte es sie nicht, daß sie von Cassel so unhöflich angestarrt wurde.

Cassel rückte nervös seinen Stuhl zurecht. Etwas an seiner Kabinengenossin bereitete ihm Unbehagen. Er riß seinen Blick von ihr los, dann schaute er sie wieder an, so als hoffte er, daß er den Grund für sein Unbehagen entdeckte, wenn er die Frau aus einer anderen Perspektive betrachtete. Aber das funktionierte nicht. Er ertappte sich dabei, wie er den Kopf schüttelte. Zum Glück hatte sie die Bewegung nicht bemerkt. Soll sie meinetwegen annehmen, daß es mich nervös macht, meine Kabine mit einer Frau zu teilen, dachte er.

„Seit Tula war ich in Kabine P18 untergebracht", erklärte sie zwischen zwei Bissen. „In Javol ist jedoch ein Ehepaar zugestiegen, und der Steward hat mich nach P25 verlegt. Das fiel ihm leichter, als ein Paar zu trennen, das seit fünfundzwanzig Jahren zusammen ist."

Bei dem Wort „Tula" begann in Cassels Kopf ein rotes Lämpchen zu flackern. Sofort war das alte Mißtrauen wieder erwacht. „Es überrascht mich, daß man mich über Ihren Einzug nicht informiert hat."

Bevor Nari Hullen etwas erwidern konnte, trat ein Besatzungsmitglied an den Tisch und beugte sich zu Cassel hinab. „Herr Tem, Leutnant Ildre hat mich gebeten, Sie davon in Kenntnis zu setzen, daß sie soeben die allabendliche Spielerrunde um sich versammelt. Es hat sich jemand danach erkundigt, ob er Ihren Platz einnehmen kann, falls Sie heute abend einmal aussetzen wollen."

„Sagen Sie Leutnant Ildre, ich werde in einer Minute bei ihr sein", erwiderte Cassel.

Der nickte und ging davon. Cassel wandte sich wieder seinem Mahl und Nari Hullen zu.

„Sie wollen uns doch nicht so bald verlassen?" fragte sie.

„Es tut mir leid", entgegnete Cassel. „Leutnant Ildres Kartenspiele sind fast der einzige Luxus, den ich mir während dieser Fahrt gestatte."

„Ich verstehe." Er konnte in ihrer Stimme keine Anzeichen von Enttäuschung entdecken. „Leutnant Ildres Spielrunde ist schon beinahe berüchtigt. Ich habe einige Passagiere darüber klagen hören, daß sie nie einen Platz am Tisch bekommen. Vielleicht können wir uns später einmal unterhalten."

„Vielleicht." Cassel schwenkte den Stuhl herum, stand auf und stapfte aus dem Speisesaal. Er konnte Nari Hullens Blicke auf seinem Rücken spüren.

Poker, ein in jüngster Zeit wiederentdecktes Kartenspiel aus grauer irdischer Vergangenheit. Während der zwei Monate an Bord des Frachters hatte Jonal Cassel festgestellt, daß er eine natürliche Begabung für das Spiel besaß. Leutnant Ildres Runde hatte inzwischen eine beträchtliche Summe zu Cassels Reisekasse beigesteuert. Er bewahrte das Geld in seinem Koffer unter der Koje auf.

An diesem Abend jedoch konnte er sich nicht auf das Spiel konzentrieren. Zwar gewann er zwei von zehn Spielen, doch nach kurzer Zeit murmelte er eine knappe Entschuldigung, verwies auf plötzlich aufgetretene Magenbeschwerden, sammelte die Chips ein, die sich vor ihm gestapelt hatten, und verließ die Runde. Das ausgezahlte Geld trug er lieber bei sich, als es dem Zahlmeister zu geben. Der Schattenmann hatte ihm dazu geraten für den Fall, daß er übereilt fliehen oder irgendwo eine gierige Hand schmieren mußte.

Er konnte seine Gedanken nicht von der neuen Reisegefährtin lösen. Es beschäftigte ihn, daß die Frau Tula erwähnt hatte. Aber das war noch nicht alles; irgend etwas irritierte ihn, doch er hätte es nicht benennen können.

Nachdem er das Spielzimmer verlassen hatte, ging Cassel zur Aussichtskanzel. Er gehorchte einer Gewohnheit, die während der dreitägigen Umlaufzeit um Javol entstanden war. Im Aussichtsraum war es dunkel. Nur gelegentlich wurden die Sitzreihen von den flammenden Blitzen des Tachyonuniversums erhellt.

Einen Moment lang überlegte Cassel, ob er sich in die Kabine zurückziehen sollte. Er verwarf den Gedanken wieder und ließ sich auf einen Sitz in der ersten Reihe fallen. Vor ihm wölbte sich das riesige Auge der Kanzel. In der Kabine könnte er Nari Hullen begegnen. In der Kanzel hatte er seine Ruhe. Er versuchte, den Gedanken an die Frau und das Mißtrauen aus seinem Kopf zu verbannen und sich auf das Lichterspiel des Raums zu konzentrieren. Doch das vielfältige Muster explodierender Farben hatte ihm nichts zu bieten. Es war wunderschön, in Worten kaum zu beschreiben, aber es war nicht der Teufelsschlund. Was außerhalb des Schiffes geschah, war unwirklich. Die wahre Bedeutung dieser Vorgänge entzog sich Cassels Denken. Er fuhr auf einem Schiff, dessen Atome in Tachyonen umgewandelt worden waren und das sich nun mit mehrfacher Lichtgeschwindigkeit bewegte. Das war eine Sache. Diesen Vorgang wirklich zu erfassen und zu verstehen, war eine andere ...

Von irgendwoher wehte ein schwaches Geräusch zu ihm herüber. Er schaute sich um. Vor dem orangefarbenen Leuchten der Eingangstür in der Rückwand zeichnete sich eine menschliche Silhouette ab. Cassel war nicht allein. Es saß jemand in der Reihe hinter ihm.

„Entschuldigen Sie, wenn ich Sie erschreckt habe." Cassel hörte das Rascheln ihrer Kleidung. „Sie haben Ihr abendliches Pokerspiel, ich genieße das kosmische Feuerwerk."

Nari Hullen stand auf und kam zu ihm. Ihre Lippen strafften sich zu einem Lächeln. Während sie durch die Reihe ging, nahm sie einen tiefen Zug aus einer filterlosen Zigarette. Sie hielt den Rauch in der Lunge.

„Möchten Sie einmal ziehen?" Sie sprach gepreßt, weil sie immer noch den Atem anhielt. „Ich weiß nicht, welche Bestimmungen an Bord gelten, aber es ist legal und außerdem verdammt gut."

Sie atmete aus und hielt Cassel die Zigarette hin. Er schüttelte den Kopf. „Vielen Dank. Es macht mich benommen."

„Schade. Der Stoff ist wirklich gut." Sie blickte versonnen auf die Glut, so als hielte sie den Schlüssel zum Universum in der Hand. Das spöttische Lächeln kehrte auf ihre Lippen zurück, und sie nahm einen neuen Zug. „Außerdem kann man so die langen Stunden unterbrechen."

Cassel überwand den Drang, mit den Fingern zu trommeln, sich den Nacken zu massieren oder auf dem Sitz herumzurutschen. Mit der Frau war eine alte Unruhe zurückgekehrt. Er suchte hastig nach einem Vorwand, um sich zurückziehen zu können. Aber was hätte das für einen Sinn? Seinen letzten Zufluchtsort auf dem Schiff, die Kabine, gab es nicht mehr. „Langweilt Sie die Reise?"

„Nein, ich langweile mich nicht, aber ich bin enttäuscht."

„Enttäuscht?" Er sah ihr dabei zu, wie sie angespannt durch das Kanzelfenster starrte.

„Es ist meine allererste Reise durch das All." Wieder nahm sie einen tiefen Zug. Sie sprach erst weiter, nachdem sie ausgeatmet hatte. „Sind Sie sicher, daß Sie nicht doch einmal probieren wollen?"

Cassel winkte ab. „Ich mache mir wirklich nichts daraus, Fräulein Hullen."

„Bitte, sagen Sie Nari zu mir! Immerhin werden wir wochenlang eine Kabine miteinander teilen." Für einen kurzen Moment löste sie ihren Blick von der Kanzel und lächelte ihm zu. Dann wandte sie sich wieder ab und starrte versonnen durch das gewölbte Fenster. „Ich weiß nicht, wie oft ich schon hierher gekommen bin, um stundenlang das Universum zu betrachten. Der Anblick fasziniert mich immer wieder aufs neue. Wußten Sie eigentlich, daß die Wissenschaftler die Existenz des

Tachyonraums jahrzehntelang bestritten haben? Schließlich gab es einige, die einräumten, daß es den Tachyonraum theoretisch geben könnte, aber niemand konnte sein Vorhandensein unwiderlegbar beweisen. Dann tauchte dieser Nils Rosmer auf, sagte, was scheren mich die Theorien, und erfand einfach seinen Antrieb. Plötzlich waren die Sterne zum Greifen nahe. Haben Sie gewußt, daß Rosmer Zahnarzt war? Alle physikalischen Kenntnisse hatte er sich selbst angeeignet. Was gegen die Möglichkeit der Fortbewegung mit Ultralichtgeschwindigkeit sprach, hat er einfach ignoriert. Einmal hat ihn ein Interviewer gefragt, warum er sich so verhalten habe. Rosmer gab ihm zur Antwort, er habe sich in seiner Jugend viel mit Science Fiction beschäftigt, immer habe er davon geträumt, einmal unter einer fremden Sonne zu stehen."

„Vielleicht ist das der Sinn aller Kunst und Literatur: die Menschen zum Träumen zu bringen ..."

„Ja, vielleicht." Sie schien seine Bemerkung kaum gehört zu haben und wollte sich nicht davon abbringen lassen, ihre weitschweifigen Gedanken weiter auszuspinnen. „Der alte Rosmer hat es nicht mehr erleben können, wie sein Traum in die Tat umgesetzt wurde. Er hatte einen Unfall. Ein Lastwagen hat ihn überfahren, eines dieser Vehikel, die von Verbrennungsmotoren angetrieben wurden."

„Ein schändlicher Tod für jemanden, der der Menschheit den Weg zu den Sternen gewiesen hat." Cassel konnte in ihrer Bemerkung über Nils Rosmers Ende keinen rechten Sinn entdecken. Sein Unbehagen wuchs. Er hätte sich gern von Nari Hullen verabschiedet. „Tja, und nun stehen Sie hier auf dem Deck eines Sternenschiffs und sind enttäuscht."

„Genau." Das matte Lächeln huschte wieder über ihre Züge. „Mein ganzes Leben lang habe ich an nichts anderes gedacht: einmal so wie jetzt durch das All reisen. Aber es ist nicht so, wie ich es mir vorgestellt hatte."

Ein paar Sekunden lang saß sie schweigend da; ihre Augen waren weiterhin fest auf die Kanzel geheftet. „Herr Tem, ich bin zweiunddreißig Jahre alt, habe ein Examen und lehre Soziologie an einer kleinen Hochschule im nordamerikanischen Kontinent, in den Midlands, so heißt das Gebiet. Das ist nicht gerade ein aufregendes Leben, kann ich Ihnen sagen. Ich habe alle Hebel in Bewegung gesetzt, bis ich endlich einen Forschungsauftrag erhielt, der mich zu den Sternen bringen sollte. Fünf Jahre hat es gedauert, dann wurde mein Antrag bewilligt."

Nari unterbrach sich, um an ihrer Zigarette zu ziehen. Die Glut flammte hell auf, brannte in einem Zug bis zum Mundstück ab und verlosch. Cassel schien es, als hielte sie die Luft zehn Minuten lang in den Lungen, bis sie endlich geräuschvoll ausatmete.

„Viel Geld hatte man mir nicht bewilligt. Aber es genügte für eine Frachterrundreise und für eine Untersuchung der Sozialstrukturen in Zivons Kolonie auf Tula. Ich werde mit meinem Bericht nicht gerade die Fundamente der Universität erschüttern oder mir einen Platz im Ruhmestempel der Wissenschaft sichern, aber immerhin, ich habe ein paar Monate lang von Stern zu Stern fliegen dürfen. Ich weiß nicht, was ich mir erhofft hatte ... Abenteuer vielleicht ... Na ja, wie dem auch sei, es ist nichts passiert. Jetzt ist es vorbei. In ein paar Wochen bin ich wieder auf der Erde."

„Eine Dichterseele auf der Suche nach Romantik", bemerkte Cassel. Er hatte Mühe, seine Worte nicht allzu sarkastisch klingen zu lassen.

Sie löste ihren Blick vom Fenster. Ihr Gesichtsausdruck war abwesend und zugleich verwirrt. Sie schien die Ironie in Cassels Bemerkung kaum wahrgenommen zu haben. „Vielleicht haben Sie recht – aber ich glaube, das würde ich mir niemals eingestehen."

Sie wandte sich wieder der Kanzel zu. Die strahlenden Farbexplosionen warfen ihren bunten Schein auf Naris traurig lächelndes Gesicht.

Einsamkeit. Cassel musterte sie im ständig wechselnden Licht des Ultralichtuniversums. Er fühlte sich von dieser Frau stark verunsichert, gleichzeitig zog sie ihn fast unwiderstehlich an. *Die Einsamkeit sucht die Einsamkeit.* Nari Hullen brauchte einen Menschen, der ihr zuhörte. Sie war gar nicht auf ein Abenteuer aus. Cassels Einsamkeit, seine Bedürfnisse, hallten in ihren Worten wider, sie spiegelten sich auf ihrem Gesicht. Sie waren wie zwei Saiten, die harmonisch zusammenschwangen. Er spürte den Drang, ihre Schulter zu streicheln und ihr ein tröstendes Wort zu sagen.

„Sind Sie Tulaner?" fragte sie unvermittelt. „Ich habe Sie auf der Fähre in Epai gesehen."

„Ja", antwortete er knapp. Er zog sich in sich zurück, seine Zuneigung zu der fremden Frau war verflogen. Tula! Das Mißtrauen war wieder da; es deckte alle anderen Gefühle zu.

„Ich dachte immer, die meisten Tulaner wären so sehr in ihren Planeten verliebt, daß sie ihn nicht einmal verließen, wenn es um ihr Leben ginge?"

Versuchte sie, eine höfliche Konversation in Gang zu halten, oder wollte sie ihn aushorchen? Cassel fand, daß er schon zuviel gesagt hatte. „Ferien", murmelte er.

Dann schwiegen sie beide. Das lautlose Feuerwerk hinter dem Kanzelglas ließ die Stille noch bedrückender erscheinen. Aus Sekunden wurden Minuten.

Mit einem Blick stand Nari Hullen von ihrem Sitz auf; sie blickte auf Cassel hinab. „Mir scheint, ich habe Ihre Aufmerksamkeit etwas zu lange in Anspruch genommen, Herr Tem."

Sie bückte sich und küßte ihn auf den Mund. Die Geste traf ihn völlig unvorbereitet, er erschrak. Doch mit Sex hatte Naris Kuß nichts zu tun gehabt. Er war eine zärtliche Danksagung dafür, daß Cassel ihr so geduldig zugehört hatte.

„Jetzt will ich Sie nicht weiter langweilen." Sie ging zur Tür des Beobachtungsraumes. Am Ausgang drehte sie sich noch einmal um. „Vielen Dank, Herr Tem."

Cassel sah ihr schweigend nach, dann ließ er sich wieder in den Polstersitz sinken und lauschte den stummen Schreien des explodierenden Lichts draußen vor der Kanzel.

Geräuschlos schlüpfte er in die Kabine. Nari hatte ihren Sichtschirm vor dem Bett aufgefahren. Cassel lächelte. Vielleicht suchte die Frau tatsächlich nach einem Abenteuer, aber eine kleine Affäre mit ihrem Kabinengenossen schien nicht ihren Vorstellungen zu entsprechen.

Es ist besser so, dachte er. Die Erinnerung an Ailsa war noch zu lebendig, die Liebe zu wirklich. Es würde noch lange dauern, bis er soviel für eine andere Frau empfinden könnte, bis er ihr soviel geben könnte... Vielleicht würde es ihm niemals wieder gelingen.

11

Nari rollte sich zu einer festen Kugel zusammen. Mit elegantem Schwung überschlug sie sich in der Luft, drehte sich und streckte Arme und Beine aus. So bremste sie ihren Flug und hielt einen Meter unter der Hallendecke an. Sie führte den Schlag aus dem Handgelenk und traf den Ball voll mit dem Daumenballen.

Cassel schnitt eine Grimasse. Nun hatte er eine Woche lang trainiert, doch für das Antigrav-Handballspiel war er noch lange nicht beweglich genug. Er brachte den großen Ball einfach nicht unter Kontrolle. Nari, die mit vielen Besatzungsmitgliedern gespielt hatte, seit der *Tommy John* Tula verlassen hatte, erteilte ihm wieder einmal eine Lektion.

Der Ball prallte von der Decke ab und steuerte auf die Stirnwand der Halle zu. Cassel versuchte, die Flugbahn der Kugel vorauszuberechnen und stieß sich vorsichtig mit den Zehen vom Boden ab. Im selben Augenblick erkannte er, daß er nicht genügend Schwung genommen hatte, um den Ball zu erwischen, bevor dieser gegen die vierte Fläche prallte. Die Kugel sauste von der Wand zurück, schnellte gegen den Boden und schoß um Haaresbreite an Cassels Fingerspitzen vorüber.

Er seufzte vernehmlich und warf sich herum, so daß er mit den Füßen voran auf der Decke landete. Von den Static-Schuhsohlen gehalten, blieb er dort oben hängen. Aus den Augenwinkeln sah er eine rasche Bewegung. Nari huschte durch die Luft, griff nach dem Ball und setzte neben dem Ausgang auf dem Boden auf. Sie grinste zu ihm hinauf und kniff ein Auge zu.

Er stieß sich ab, schlug einen Purzelbaum und schwebte neben sie, als sie gerade die Tür öffnete. „Tja, nun können Sie sich wieder ein Kreuzchen in Ihre Liste malen. Ich glaube, ich muß dankbar dafür sein, daß wir in einer Woche in die Umlaufbahn um die Erde einschwenken. Mein Ego erträgt nicht, wenn es jeden Tag so mißhandelt wird."

„Ach, so schlimm war es doch gar nicht, oder?" Nari lachte und trat auf den Gang. „Sie haben große Fortschritte gemacht. In den letzten zwei Spielen haben Sie drei Punkte gemacht. Wahrscheinlich brauchen Sie einfach mehr Übung."

„Genau! In einem Monat oder in zehn werde ich gewiß einigermaßen mithalten können", erwiderte er mit einem niedergeschlagenen Kopfschütteln. „Sind Sie hungrig?"

„Ich könnte eine Kleinigkeit vertragen", sagte sie, während sie gemeinsam durch den Gang zum nächsten Schwebschacht schlitterten.

Sie traten in den Schacht. Ein sanfter Schwerkraftsog zog sie hinab zum 1g-Passagierdeck. An Bord des Frachters gab es weder Tag noch Nacht, aber das Schiffschronometer und der Dienst richteten sich nach dem irdischen Vierundzwanzigstunden-Standardtag. Als sie den durchgehend geöffneten Speisesaal betraten, stand die Uhr auf 1 ISZ. Zu dieser späten Stunde war der Saal menschenleer. Nur an einem Tisch in der Ecke hockten drei Besatzungsmitglieder. Für die Passagiere war es zu spät, und für die Spielerrunde war es noch zu früh.

Cassel und Nari wählten einen Tisch fern von den Matrosen. Sie setzten sich und tippten ihre Bestellungen in den Automaten ein. Ein paar Sekunden später stieß der Essensschacht zwei Tabletts aus. Cassel griff nach der Folie, die sein Tablett bedeckte, doch Nari hielt seine Hand fest.

„Ich würde ·gern im Aussichtsraum essen", sagte sie. „Hätten Sie nicht Lust, mir Gesellschaft zu leisten?"

Cassel nickte. Nach wenigen Minuten betraten sie den Raum hinter der Kanzel. Sie ließen sich direkt vor dem gewölbten Fenster nieder. Die Saalbeleuchtung war wie gewöhnlich ausgeschaltet, und die Sitzreihen wurden allein vom Spiel des Tachyonlichts erhellt.

„Ich hatte gedacht, Sie kämen nicht mehr hierher", sagte er.

„In der ganzen letzten Woche war ich nicht hier", erwiderte sie. Dann zog sie die Folie vom Tablett. „Plötzlich hatte ich Lust, wieder einmal hinauszuschauen. Möchten Sie etwas Obst?"

Sie hielt ihm das Tablett hin, doch Cassel winkte ab. Statt dessen lud er sie ein, von seinem Sandwich abzubeißen. Es war mit Synthetik-Soja belegt; der Geschmack erinnerte an tulanisches Roastbeef. Nari schüttelte den Kopf. Sie schnitt eine Scheibe von einer unbekannten Frucht ab und knabberte an ihr, während sie durch das Fenster starrte.

Cassel fühlte sich plötzlich von Unruhe erfüllt. Er nahm einen Bissen von seinem Sandwich, mußte aber feststellen, daß er nicht mehr hungrig war. Er warf einen unsicheren Blick auf seine Begleiterin. Lag es an ihr oder an ihm selbst? Es ging etwas von ihr aus, das er seit ihrer ersten Begegnung nicht mehr gespürt hatte. Er wünschte, sie wären im Speisesaal geblieben.

„Ich habe diese Woche genossen, Doron." Sie ließ das Farbenspiel nicht eine Sekunde lang aus den Augen.

Cassel fand heraus, was ihn beunruhigte: ihr Gesichtsausdruck! Eine Woche lang hatte er sie nur lächeln sehen, ihre Augen·hatten gestrahlt wie von einem inneren Licht erfüllt. Jetzt hatten sich ihre Lippen wieder zu jenem trotzigen, ironisch-traurigem Lächeln verzogen. Ihre Stimme klang matt und monoton. Nur am allerersten Abend hatte er sie in dieser Stimmung erlebt.

„Mir hat es auch gefallen." Er versuchte, so aufrichtig wie möglich zu klingen. „Viel, viel besser als Leutnant Ildres Pokerrunde."

„Erinnern Sie sich noch daran, wie Sie zu mir gesagt haben, ich sei ..." Sie schüttelte heftig den Kopf, stellte das Tablett auf den Boden und sprang auf. „Es tut mir leid, Doron, ich möchte nicht rührselig erscheinen. Alles, was vor ein paar Augenblicken noch so klar war, ist jetzt völlig verworren. Ich glaube, ich mache einen Spaziergang und versuche, Ordnung in meinem Kopf zu schaffen."

„Also gut", sagte Cassel und stand ebenfalls auf.

„Nein." Nari sah ihn an, das traurige Lächeln stand noch immer auf ihrem Gesicht. „Ich glaube, es ist besser, wenn ich allein gehe."

Cassel nickte. Er wollte irgend etwas tun oder sagen, um sie zu trösten. Doch gleichzeitig erleichterte es ihn, daß sie gehen wollte. Sein Unbehagen war mit jeder Sekunde gewachsen.

Am Ausgang drehte Nari sich noch einmal um. „Doron Tem, wenn ich einen Funken Verstand besäße, dann würde ich Sie zur Kabine zerren und Sie verführen ... oder vielleicht würde ich meinen Schirm untenlassen und Ihnen gestatten, mich zu verführen. Aber ... aber ... anscheinend habe ich nicht soviel Verstand. Ach, es ist alles so sinnlos!"

Noch bevor er begriffen hatte, was sie gesagt hatte, war sie verschwunden. Cassel eilte zum Ausgang, doch dann unterdrückte er den Drang, ihr nachzulaufen. Er ließ sich in einen Sitz in der letzten Reihe fallen und starrte ausdruckslos auf das Kanzelfenster.

Er war sich nicht sicher darüber, was geschehen war, nicht sicher darüber, was er fühlte. Daher stieß er einen lauten Fluch aus. In den vergangenen Wochen hatte er Jonal Cassel vergessen und war völlig in der Identität Doron Tems aufgegangen. Und Nari war der Grund. Seit Ailsas Tod war sie seine erste menschliche Bezugsperson. Die Einsamkeit hatte sie zueinander getrieben, die Not. Sie wollten beide eine menschliche Stimme hören.

Er hätte es wissen müssen! Aber es war ja so einfach gewesen, die eindeutigen Anzeichen zu ignorieren: der zarte Druck der Fingerspitzen auf seinem Handrücken, die Nähe, die über die Bande der Freundschaft hinausging. Es war leicht gewesen, das alles nicht wahrzunehmen, während er seinen Nöten nachgab, Trost bei einem Menschen suchte und den Ereignissen ihren Lauf ließ, ohne auf Nari und ihre Einsamkeit zu achten.

Nari war sehr attraktiv, das mußte er sich eingestehen, und wäre er tatsächlich Doron Tem gewesen, oder wären die Umstände anders – aber so ...

Ailsa erfüllte seine Sinne. Sie war ihm mit einemmal näher als während der ganzen Reise auf dem *Tommy John*. Die Vergangenheit war zu stark für die Gegenwart. Irgendwann einmal würde Nari Hullen oder eine andere Frau wie sie die Leere in ihm ausfüllen können. Aber jetzt noch nicht, nicht jetzt.

Er starrte aus dem Fenster. Sein Leben war so verworren wie das verzerrte Spiel der Lichter draußen vor der Kanzel. Trotz der relativen Sicherheit, die er an Bord des Frachters gewonnen hatte, konnte er den Grund für die Reise niemals ganz aus seinem Denken verbannen: Yerik Belen und die Antworten, die er sich von diesem Mann erhoffte. Cassel hatte einfach keine Verwendung für Nari Hullen, sie würde ihm nur noch mehr Kopfzerbrechen bereiten.

Er warf einen Blick auf das Chronometer über der Kanzel – 2.30 Uhr morgens, Erdenzeit. Cassel erhob sich und schlenderte durch die

Gänge zum Passagierdeck. Vor der Kabine blieb er stehen; seine Hand schwebte ein paar Sekunden lang unschlüssig über dem Türdrücker. Dann legte er die Handfläche darauf. Wenn Nari in der Kabine war, konnte er es nicht ändern. Es würde ihm nichts nützen, ihr aus dem Weg zu gehen. Cassel betrat den engen Raum.

Naris Sichtschirm stand wie eine undurchdringliche graue Wand vor ihrer Koje. Cassel nickte beifällig. So würde sich die Lage nicht weiter komplizieren. Er schlüpfte ins Bett und schaltete den Schirm ein. So war es gut, so sollte es sein – geordnete Verhältnisse, keine unschönen Verwicklungen und Komplikationen.

Er wälzte sich auf die Seite. Der graue Schirm versperrte den Blick ins Zimmer. Es *war* besser so! Warum aber wünschte er dann, beide Schirme wären herabgelassen?

– Mir gefällt das nicht, Jonal.

Wen interessiert das schon? Alle Müdigkeit war von Cassel abgefallen. Mit einem Schlag war er hellwach. Er stöhnte. Der Schattenmann war zurückgekehrt. *Verschwinde! Laß mich in Frieden schlafen!*

– Vielleicht wirst du nie mehr erwachen, wenn ich dich tatsächlich in Frieden lasse!

Hau ab!

– Was weißt du überhaupt von ihr?

Von wem?

– Von dieser Nari Hullen natürlich, der Dame in der Nachbarkabine.

Was geht dich das an? Ich will jetzt schlafen!

– Ja verdammt, Jonal! Du brauchst wirklich keine Ruhe. Du solltest hellwach sein! Was hat dies Nuttchen in deiner Kabine vor? Wie hat sie es überhaupt geschafft, hier hineinzukommen? Ist doch seltsam, oder?

Alle anderen Kojen sind ausgebucht. Der Zahlmeister konnte sie eben nur hier unterbringen.

– Ich finde es trotzdem merkwürdig.

Seit der Schattenmann zum letztenmal mit Cassel geredet hatte, war mehr als ein Monat vergangen. Cassel hatte schon geglaubt, die Stimme hätte ihn für immer verlassen. Warum war sie zurückgekehrt? Warum mußte sie ihn jetzt wieder quälen?

– Weil du aufgehört hast zu denken, Jonal. Dies ist keine Vergnügungsreise. Du befindest dich auf diesem Schiff, weil es auf Tula Leute gibt, die dir das Gehirn aus dem Schädel pusten wollten.

Und was hat das alles mit Nari zu tun?

– Was weißt du von ihr?

Sie lehrt an einer kleinen Uni auf der Erde. Sie befindet sich auf dem Rückflug von Tula, wo sie unsere Zivilisation untersucht hat. Sie langweilt sich und ist sehr einsam.

– Und du hast dich in sie vergafft.

Cassel mißfiel der sarkastische Unterton in der Stimme. *Ich fand es angenehm, mit ihr zu plaudern.*

– Denk lieber nach, Jonal!

Das tue ich ja! Ich habe ihr nichts über mich erzählt. Sie ahnt nicht, daß ich Jonal Cassel bin.

85

– Du denkst mit dem Unterleib, Jonal! Warum benutzt du nicht für einen Augenblick einmal deinen Verstand? Sie ist eine Frau. Seit Monaten hast du keine Frau mehr gehabt. Als ob du es auf einen angenehmen Gesprächspartner abgesehen hättest.

Cassel fühlte sich von den Vorwürfen des Schattenmannes betroffen. Er erinnerte sich an die Unruhe, die ihn beim Zusammensein mit Nari in der Beobachtungskanzel befallen hatte. *Ach, was weißt du schon von solchen Dingen?*

– Auf jeden Fall weiß ich, daß du dich wie ein Narr benimmst. Denke nach! Zähle zwei und zwei zusammen! Du weißt nichts über diese Frau – abgesehen von den Dingen, die sie dir erzählt hat. Aber das willst du ja nicht einsehen, weil du hinter ihr her bist wie ein Auerhahn in der Balz.

Cassel gab keine Antwort. Er hatte nicht versucht, mit Nari intim zu werden. Bis heute abend hatte Sex in ihrer Beziehung keine Rolle gespielt. Dennoch befiel ihn ein unerklärliches Schuldgefühl.

– Jonal, dieses Spiel ist zu gefährlich. Sie hat sich auf Tula eingeschifft. Woher willst du wissen, daß sie dir nicht nach dem Leben trachtet? Vielleicht soll sie eine Sache zu Ende bringen, die auf Tula gescheitert ist?

Über diese Möglichkeit hatte Cassel nachgedacht, seit Nari in seiner Kabine aufgetaucht war. Doch inzwischen hatte er die Frau kennengelernt. Sie hatte ihm gesagt, warum sie sich an Bord des *Tommy John* befand, und er glaubte ihr.

– Natürlich glaubst du ihr! Du bist so versessen darauf, bei ihr zu landen, daß du deinen Verstand ausgeschaltet hast.

Wenn sie mich töten wollte, hätte sie dazu reichlich Gelegenheit gehabt. Du mußt dich irren!

– Die Gelegenheit hatte sie wirklich! Du hättest es ihr kaum leichter machen können. Warum hast du ihr nicht gleich eine Pistole in die Hand gedrückt und ihr gezeigt, wo sie abdrücken muß?

Sie hat nicht versucht, mich zu töten!

– Warum das so ist, hast du heute abend gehört. Begreifst du denn nicht, was sie dir sagen wollte? Die Frau hat sich verliebt. Ein Profi muß seine Gefühle aus dem Spiel halten, aber genau das hat sie nicht geschafft. Wenn sie jedoch ein Profi ist, Jonal, dann wird dieser Zustand bei ihr nicht lange anhalten. Im Moment ist sie verwirrt, aber irgendwann wird sie sich auf ihren Auftrag besinnen. So hat sie es schließlich gelernt, dazu wurde sie ausgebildet.

Cassel wies die Argumente des Schattenmannes von sich. Aber der Keim des Zweifels war gepflanzt, er begann zu wachsen.

– Das ist ein alter Trick: Wiege dein Opfer in Sicherheit, bis du nahe genug herangekommen bist. Irgendwann bietet sich die Gelegenheit zu einem tödlichen Unfall. Du wirst eine Erfahrung machen, nur wird sie dir nicht mehr viel nützen.

Angst und Mißtrauen regten sich in Cassels Innerem. Er versuchte, sie niederzukämpfen.

– Vergiß sie, Jonal! Wenn du hinter dich gebracht hast, was du dir vorgenommen hast, wirst du noch genügend Zeit für Frauen haben.

Ein stilles, zufriedenes Lächeln spielte um Cassels Mundwinkel, als er die Zahlmeisterkabine verließ. Er fühlte sich erleichtert, so als hätte er einen Sieg errungen. Der Frachter war tatsächlich bis zur letzten Koje ausgebucht. Also gab es nur einen Grund, aus dem Nari in seine Kabine gekommen sein konnte: Sie hatte gar keine andere Möglichkeit, einen Schlafplatz zu finden.

Cassel fühlte sich wohl, pudelwohl. Zum erstenmal seit er dem Schattenmann begegnet war, hatte sich dieser getäuscht. Der unsichtbare Gefährte war nicht unfehlbar!

– Damit ist überhaupt nichts bewiesen. Ich behaupte immer noch: Das Ganze ist ein äußerst merkwürdiger Zufall!

Mir scheint, du bist eifersüchtig. Cassel kicherte. An einer Gabelung bog er in den Gang zum Speisesaal ein.

– Es will mir einfach nicht in den Kopf, warum du dich partout wie ein Selbstmörder aufführen mußt. Wenn sie abdrückt, werde ich an deiner Seite sein und dir ins Ohr flüstern: „Habe ich es nicht gleich gesagt?"

Cassel betrat den Speisesaal und sah sich nach allen Seiten um. Er entdeckte Nari an dem Tisch, der den Kabinen ihres Ganges zugeteilt war. Sie schaute vom Essen auf, erblickte ihn und lächelte ihm fröhlich entgegen. Er erwiderte das Lächeln, dabei unterdrückte er ein leichtes Schuldgefühl, das sich in ihm zu regen begann. Der Besuch beim Zahlmeister war eine reine Vorsichtsmaßnahme gewesen. Dennoch hatte Cassel das bedrückende Gefühl, daß er einen Verrat an dieser Frau begangen hatte. Sein Lächeln erschien ihm plötzlich zu dick aufgetragen, es war zu freundlich, eine leicht zu durchschauende Maske, die seinen Mangel an Vertrauen verbergen sollte.

„Wie immer?" fragte Nari, als er am Tisch Platz genommen hatte. Er nickte, und ihre Finger huschten geschickt über die Tasten der Bestellannahme.

„Du siehst heute morgen so fröhlich aus." Er nahm ihr das Tablett, das sie ihm reichte, aus den Händen und zog die Folie ab. „Hast du gut geschlafen?"

„Wie ein Murmeltier", antwortete sie. „Aber darüber können wir uns später unterhalten. Jetzt mußt du erst einmal frühstücken. Danach sollst du mir das Pokerspielen beibringen."

„Poker?" Er runzelte die Stirn, so, als ob er nicht sicher war, sie richtig verstanden zu haben.

„Hmmhmm", erwiderte sie, während sie den letzten Bissen ihres Frühstücks zerkaute. „In der vergangenen Nacht habe ich mir Leutnant Ildres Spielerrunde angesehen. Es war sehr spannend. Die Frau Leutnant hat in einer einzigen Nacht tausend Standards gewonnen. Glaubst du, daß du es mir beibringen kannst?"

„Ich habe schon gesehen, wie Leutnant Ildre die doppelte Summe bei einem einzigen Spiel verloren hat", entgegnete Cassel. „Bist du auch auf diese Möglichkeit vorbereitet?"

Nari rümpfte die Nase. Der Gedanke, daß sie verlieren könnte, schien ihr durchaus neu zu sein. „Ja...ja...Es muß ja nicht gleich eine solche Menge sein. Bringst du es mir bei?"

Er hob abweisend eine Braue, ließ sie jedoch sofort wieder sinken, als er die Enttäuschung auf Naris Gesicht entdeckte. „Na gut, meinetwegen. Aber zunächst einmal will ich mein Frühstück verzehren. Dann gehen wir ins Spielzimmer, dort wird uns bis zum späten Abend niemand stören. Ich hoffe, daß ich dich in dieser Zeit für Leutnant Ildres Runde ausreichend präpariert habe. Sie ist immer begeistert, wenn sie ein neues Opfer findet."

Nari lächelte wieder so vergnügt wie zuvor. Sie schob Cassels Tablett dichter an ihn heran. „Iß endlich auf!"

Cassel stand ein paar Meter abseits vom Tisch. Er wollte nicht hinsehen, aber er konnte seine Aufmerksamkeit nicht von den sieben Spielern lösen. Zunächst hatte er neben Nari gestanden, doch als diese fünf Spiele hintereinander verlor, war er zu nervös geworden. Er wollte nicht dabei zusehen, wie sie ihre gesamte Barschaft verspielte, also hatte er einen kleinen Spaziergang gemacht. Eine Stunde später war er zurückgekehrt und hatte beobachten können, wie sie drei kleine Gewinne hintereinander einstrich. Danach hatte sie sich als vorsichtiger Spieler erwiesen. Sie verspielte kleine Einsätze – gewöhnlich stieg sie aus, sobald die anderen höhere Summen setzten – oder gewann ein paar Standards. Auch auf todsichere Blätter setzte sie jeweils nur kleine Beträge.

Doch jetzt, zum erstenmal seit Monaten, hatte Cassel das Gefühl, daß er dringend einen Schnaps zur Stärkung seiner Nerven benötigte.

In der Mitte des Tisches hatten sich Chips und Kreditscheine angesammelt, die zusammen mindestens zehntausend Standards wert sein mußten. Ein Javolianer – er war in einen wallenden Kaftan gehüllt und trug eine Feuergemme im Nasenloch – schob weitere fünfhundert Standards in den Pott. Cassel verspürte einen häßlichen Druck in der Magengrube. Nari besaß höchstens noch zweihundert Standards, die sicher im Safe des Zahlmeisters untergebracht waren. Der Mann versuchte offenbar, den Einsatz so weit hinaufzuschrauben, daß alle anderen Spieler abgeschreckt wurden.

Und tatsächlich paßten die anderen, sobald sie mit ihrem Einsatz an der Reihe waren. Alle, bis auf Nari.

Der Javolianer schaute ihr ins Gesicht. „Ihr Einsatz, Fräulein Hullen."

„Ich halte Ihre fünfhundert", erwiderte sie, „und erhöhe um tausend." Mit diesen Worten zog sie eine Kreditanweisung der Zahlmeisterei aus ihrer Handtasche.

Der Druck in Cassels Magengrube erhöhte sich. Sie besaß keine solche Summe. Doch er konnte die Zahl ganz deutlich lesen, als der Javolianer die Zahlungsanweisung vor die Augen hob, um sie genauer zu betrachten. Dann starrte der Mann Nari an, wobei er sich bemühte, ein unsicheres Augenzwinkern zu unterdrücken.

Nari saß ruhig auf ihrem Stuhl, die fünf Karten säuberlich aufgefächert in der linken Hand, und schien den Blick des Mannes nicht zu bemerken. In ihrem Gesicht zeigte sich nicht die geringste Spur eines Zweifels, keine unbezähmbare Erregung brachte ihre Lippen zum Erbeben. Cassel konnte sie nicht durchschauen, das steigerte nur die ängstliche Unruhe in seinen Eingeweiden. Wenn Nari eine Lektion des Nachmittags perfekt gelernt hatte, dann war es die über die Bedeutung des Pokerface.

„Sie sind am Zug, Herr Adet." Nari nahm einen Schluck aus ihrem Wasserglas.

„Ich weiß", murmelte der Javolianer. Er sog geräuschvoll Luft durch die Nasenlöcher ein und starrte einen Moment lang schweigend auf das Blatt in seiner Hand. Dann schob er mit einem angewiderten Kopfschütteln die Karten zusammen und warf sie auf den Tisch.

„Ich fürchte, das wird mir zu kostspielig", murmelte er.

Auch Nari schob ihre Karten zusammen, dann legte sie sie verdeckt auf die Tischplatte. Sie streckte die Arme aus und zog den Einsatz zu sich heran. „Mitreisende, ich bedanke mich für den reizenden Abend. Ich fürchte, ich muß Sie nun verlassen. Vielleicht treffen wir uns bei Gelegenheit wieder."

„Ihr Blatt", rief der Javolianer, „darf ich sehen, was Sie hatten?"

Nari schüttelte lächelnd den Kopf. „Soweit ich das Spiel kenne, muß man für dies Privileg bezahlen. Es tut mir leid, Herr Adet."

Der Mann lächelte bitter und unternahm keinen Versuch, in die Karten zu schauen. Nari stopfte ihren Gewinn in die Tasche, die sie am Gürtel des Overalls festschnallte. Dann reichte sie ihre Karten Leutnant Ildre. Die uniformierte Frau mischte das Blatt unter die anderen Spielkarten.

„Noch einmal vielen Dank für den reizenden Abend." Nari trat an Cassels Seite. „Wie wäre es mit einem Spaziergang?"

Er musterte sie ratlos und konnte immer noch nicht glauben, was er soeben beobachtet hatte. Schließlich nickte er.

„Gut", flüsterte sie ihm zu. „Wir müssen sehr langsam gehen, denn ich weiß nicht, ob ich meinen Beinen trauen kann. Ich möchte nicht, daß jemand bemerkt, wie nervös ich bin."

Cassel wünschte den Spielern eine gute Nacht, dann legte er den Arm stützend um Naris Hüften und schob sie behutsam aus dem Spielzimmer. Als sie draußen waren, blieb er stehen und sah sie fragend an.

„Einen Moment noch, bitte!" Ihre Stimme schwankte leicht. „Ich muß mich erst einmal hinsetzen und wieder zu Kräften kommen. Gehen wir irgendwohin, wo wir allein sind."

„In die Kabine?"

„Nein, das ist zu weit. Ich glaube, das schaffe ich nicht. Zur Beobachtungskanzel ist es näher."

Bei der Erwähnung der Kanzel wurde Cassel von einer unangenehmen Vorahnung ergriffen, doch er schüttelte das Unbehagen ab und geleitete sie zu den Sitzreihen. Nari vergewisserte sich zweimal, ob sie auch tatsächlich allein waren, dann ließ sie sich mit einem langen, tiefen Seufzer der Erleichterung in einen Sessel fallen. Sie schaute zu Cassel hoch, sie lächelte ihn an, mit koboldhafter Heiterkeit.

„Das ist einfach nicht zu fassen!" rief sie aus, dabei klopfte sie auf ihre prall gefüllte Tasche.

„Wenn ich es nicht selbst gesehen hätte ...", entgegnete er. Ihre

Freude hatte seine Befürchtungen vertrieben. Er lachte. „Nein, eigentlich kann ich es auch nicht fassen."

Sie schüttelte ungläubig den Kopf. „In meinem ganzen Leben habe ich noch nicht so viele Standards besessen. Das ist mehr, als ich in einem Jahr an der Universität verdienen kann. Es ist ein tolles Gefühl!"

„Ein hübsches Sümmchen." Er setzte sich neben sie. „Nicht schlecht als erster Auftritt. Man könnte es natürlich auch als Anfängerglück bezeichnen."

„Das wäre falsch. Ich hatte schließlich einen guten Lehrer." Sie zwinkerte. „Willst du gar nicht wissen, was für ein Blatt ich hatte?"

„Nein", erwiderte Cassel. „Vielleicht sitze ich dir morgen am Tisch gegenüber. Dann hätte ich einen unfairen Vorteil."

„Ich will es dir trotzdem sagen." Sie verzog die Lippen zu einem scherzhaften Schmollmund, dann lachte sie laut. „Ich hatte überhaupt nichts! Nicht einmal ein Pärchen!"

„*Was?*" Es dauerte einige Sekunden, bis er diese Mitteilung verarbeitet hatte. „Nichts?"

„Absolut nichts!" Sie strahlte vor Vergnügen.

„Das kann ich nicht glauben." Er glaubte es tatsächlich nicht. „So zu spielen, habe *ich* dich nicht gelehrt."

„Doch, das hast du." Sie schlang ihm die Arme um den Hals und küßte ihn auf die Wange. In ihren Augen spielte ein heimtückisches Flackern. „Du hast gesagt, Pokern sei ein Glücksspiel und daß man gelegentlich ein Risiko eingehen müßte. Du hast außerdem gesagt, daß man sich nie auf eine zu gewagte Sache einlassen soll, daß man immer von einer sicheren Grundlage aus vorgehen müßte."

„Ich würde es nicht ‚solide Grundlage' nennen, wenn jemand nicht einmal ein Pärchen in der Hand hat", versetzte er.

„Nein, meine Art zu spielen, war meine Grundlage", erwiderte sie. „Ich habe mich als sehr, sehr vorsichtiger Spieler aufgebaut, als jemand, der nur dann etwas riskiert, wenn er ein wirklich starkes Blatt besitzt. Wenn ich etwas gesetzt habe, dann habe ich in der Regel auch gewonnen. Das haben die anderen bemerkt. Sie hatten meine Einsatztaktik bald durchschaut, so, wie ich es wollte. Schließlich konnte ich das Risiko eingehen."

„Und wenn der Javolianer deinen Bluff durchschaut hätte?" fragte Cassel. „Wie hättest du deine Schulden bezahlen wollen? Im Zahlmeistersafe hast du nicht mehr als zweihundert Standards deponiert. Woher hattest du überhaupt den Tausender-Kreditschein?"

„Nach unserem Pokerkursus habe ich dem Zahlmeisterbüro einen Besuch gemacht", erwiderte sie. „Dabei habe ich mir den Schein gemopst."

„Unglaublich!" Cassel erkannte plötzlich, daß Nari ihren großen Schlag Schritt für Schritt geplant hatte. Er war jedoch nicht schockiert. Aus irgendeinem Grunde faszinierte ihn die diebische Gerissenheit der zarten Frau. „Was wäre geschehen, wenn du verloren hättest?"

Sie zwinkerte ihm zu. „Wer weiß, vielleicht hätte Adet für den Rest der Reise eine Kojengefährtin gehabt?"

Nari grinste und beobachtete das Tachyon-Feuerwerk vor dem Kanzelfenster. „Darum geht es doch eigentlich, nicht wahr? Das Risiko, meine ich. Es kommt nicht darauf an, ob man gewinnt oder verliert, sondern daß man etwas wagt."

Er starrte sie schweigend an, sie sah ihm ins Gesicht. „Ich hätte verlieren können, und es hätte mir nichts ausgemacht. Allerdings muß ich zugeben, es ist angenehmer, wenn man gewinnt. Doch was wirklich zählte, war nur eines: Ich war bereit, ein Wagnis einzugehen."

„Du solltest dankbar dafür sein, daß du gewonnen hast!"

„Das bin ich, das kannst du mir glauben", entgegnete sie, „aber es geht mir nicht ums Geld. Was ich wirklich gewonnen habe, kann ich nicht einschätzen. Es ist nicht greifbar, und ich weiß nicht, ob ich es bewahren kann. Im Augenblick erscheint es mir sehr konkret und real."

„Du hast das Schicksal herausgefordert", stellte er fest. Wollte sie denn nicht einsehen, wie verantwortungslos sie gehandelt hatte?

„Vielleicht habe ich mich nicht klar genug ausgedrückt. Es mag so scheinen, als hätte ich mich fahrlässig in eine gefährliche Lage begeben, aber so war es nicht. Ich wußte genu, was ich tat." Sie musterte prüfend seine Miene. „Ich drücke mich immer noch unklar aus. Das kommt daher, daß ich nicht weiß, was gerade in meinem Inneren geschieht. Doron, mein Leben lang habe ich immer auf Sicherheit gesetzt. Um mich herum habe ich Mauern errichtet, die mich vor allem, was draußen geschieht, abschirmen sollten."

Sie wandte sich wieder dem Fenster zu. Cassel beobachtete sie angespannt. Er wartete darauf, daß sich wieder das traurige Lächeln auf ihren Lippen zeigen würde. Statt dessen grinste sie breit.

„Dieser Raum hier, das ist mein Leben!" stieß sie hervor. „Abgeschottet und sicher. Von hier aus kann ich die tosenden Stürme der Außenwelt beobachten. Aber ich möchte ein Teil dieser Welt sein. Und doch habe ich zuviel Angst, um den Arm auszustrecken und danach zu greifen. Einmal bin ich einen Partnerschaftsbund mit einem netten, soliden Mann eingegangen. Als er den Bund nach drei Jahren nicht verlängern wollte, hat mich das sehr geschmerzt. Statt nach einem neuen Gefährten zu suchen, hab' ich mich hinter festen Wänden verborgen. Mein ganzes Leben lang habe ich mich nach einer Reise zu fernen Planeten gesehnt. Einmal hatte ich eine Gelegenheit, doch ich bin wieder zurückgezuckt. Ein anderes Mal war ich als Tourist unterwegs; ich habe mich genau an den vorbereiteten Reiseplan gehalten. Ich hatte zuviel Angst, um nach der Schönheit zu greifen, die mir begegnete. Ich fürchtete, daß sie mich zu stark ergreifen würde. Nein, mehr noch fürchtete ich, daß sie mich überhaupt nicht berühren würde. Nun bin ich dir begegnet ..."

Sie schaute zögernd zu ihm auf. „Du machst mir Angst, Doron Tem. Letzte Nacht hast du mir einen solchen Schrecken eingejagt, daß ich fortgelaufen bin. Ich weiß nicht, was ich fühle. Aber ich fühle wenigstens etwas, und das ist ein Anfang. Das will ich nicht verlieren."

Ihre Hand hob sich, die Fingerspitzen fuhren über seine Wangen, die Handfläche schmiegte sich an sein Kinn. Nari beugte sich vor. Ihre Lippen berührten zaghaft die seinen, so, als fürchte sie, daß er zurückzucken würde. Dann sank sie in die Lehne zurück und musterte forschend sein Gesicht. Er mußte unbedingt etwas tun, etwas sagen, bevor ... Dies war es nicht, was er von ihr wollte. Der Schattenmann irrte sich.

Naris Gesicht kam wieder näher. Ihre warmen, weichen Lippen preßten sich fest gegen Cassels Mund, sie teilten sich. Die Zunge huschte feucht über seine Lippen, drängte sich zwischen sie. Plötzlich hielten seine Arme Nari umfangen, rissen sie heran. Ihr Körper fügte sich nachgiebig an den seinen. Durch das Gewebe des Overalls konnte er Naris Körperwärme spüren. So nahe ... so nahe.

Mit abrupter Heftigkeit löste er sich von ihr, von einem bohrenden Schuldgefühl bedrängt. Nari starrte ihn an, Schmerz und Verwirrung lagen in ihrem Blick.

„Es tut mir leid." Er berührte zärtlich ihre Wange. „Für einen Augenblick ... Nari ..."

„Ich verlange nicht von dir, daß du mich liebst", entgegnete sie leise. „Ich will dich, Doron. Mit dem nächsten Erwachen mag alles vorbei sein, vielleicht auch erst, wenn wir auf der Erde landen. Das kümmert mich nicht. Ich gehe das Risiko ein."

Er wandte sich ab, da er ihren forschenden Blick nicht mehr ertragen konnte. In seiner Seele brannte Ailsas Bild – er konnte die Vollkommenheit ihrer Liebe nicht vergessen. Nari war nicht Ailsa. Sie würde sie niemals ersetzen können, nicht einmal für eine Nacht.

„Magst du mich nicht, Doron?" fragte sie.

„Ich war verheiratet", erwiderte er, unfähig, ihr ins Gesicht zu sehen. „Meine Frau ist bei einem Unfall ums Leben gekommen. Es geschah kurz bevor ich von Tula aufbrach. Sie ist immer noch bei mir, Nari. Es liegt nicht an dir. Irgendwann einmal ... Aber jetzt ist mir alles noch so nahe, daß ich es nicht verdrängen kann. Es wäre nicht fair dir gegenüber und auch nicht mir selbst gegenüber."

„Genau dieses Risiko will ich auf mich nehmen", sagte sie mit fester Stimme.

„Aber ich nicht." Er wandte sich ab. „Da ist noch etwas ..." Er brach ab, fast hätte er zuviel gesagt. „Die Zeit war einfach zu kurz."

Sie nickte stumm. Er hatte erwartet, Enttäuschung in ihren Zügen zu entdecken, doch er fand Verständnis. Sie küßte ihn sanft und stand auf. „Ich glaube, ich habe verstanden, Doron. Von heute an werde ich den Sichtschirm vor meiner Koje unten lassen. Wenn du ..."

Sie brach ab, lächelte, wandte sich um und ging davon. Cassel schloß die Augen. Er lauschte ihren Schritten nach, die sich durch den Korridor entfernten. Der Schattenmann irrte sich, dachte er immer und immer wieder.

„Zuerst Ihre Kabinenengenossin und jetzt Sie!" Leutnant Ildre warf die Karten auf den Tisch. „Mir reicht's. Das ist mehr, als ich in einer Nacht verdauen kann."

Die anderen Spieler bekundeten ihre Zustimmung. Cassel verstaute einen Stapel Standards in der Tasche und sah den anderen dabei zu, wie sie sich erhoben, um in ihre Kabinen zu gehen. Schließlich blieb er allein im Spielzimmer zurück.

Er ging zum Getränkespender an der Wand, wählte einen Fruchtsaft und nahm den Becher aus dem Fach. Während er an dem dickflüssigen Sirup nippte, ließ er den Blick aufmerksam durch das Zimmer wandern. Dies war das mit Abstand farbenprächtigste Zimmer an Bord des Frachters. Cassel hatte es immer gern betrachtet. Jetzt erschien es ihm als ein billiges Gemisch von schreienden Farben. Die einzelnen Platten der Wandvertäfelung hatten nur den Sinn, das Metallskelett des Schiffes zu verbergen. Die Überbleibsel der Spiele lagen auf den Tischen verstreut, der Boden war übersät mit zerdrückten Bechern, Asche und den Kippen der diversen stimulierenden Rauchkräuter.

Er schlürfte noch einmal von dem Saft. Die Allgegenwart des *Tommy John* bedrängte ihn. Vor dieser Masse schrumpfte Cassel zu Zwergengröße. Er war allein, von allen verlassen.

Du verschwendest deine Zeit, sagte er zu sich. Es war ein Versuch, das lähmende Selbstmitleid abzuschütteln. Das Chronometer im Spielzimmer zeigte drei Uhr morgens, Erdzeit. Also hatte das Pokerspiel drei Stunden gedauert. Cassel suchte fieberhaft nach einer Möglichkeit, die Zeit zu vertreiben. Er wirbelte den Rest des Fruchtsaftes im Becher herum und beobachtete, wie die Flüssigkeit an dem Plastik entlangschwappte.

Dann hob er den Becher und trank ihn aus. Als er das Spielzimmer nur ein paar Schritte hinter sich gelassen hatte, fielen Schuldgefühle und hilflose Verwirrung wieder über ihn her. Und doch konnte er den Gang zur Kabine nicht länger aufschieben. Nari würde niemals verstehen, was er mit Ailsa geteilt hatte.

Vor Cassels innerem Auge flackerte Naris Bild auf. Der Schmerz in ihrem Blick – es war kaum zu ertragen.

Vor der Kabinentür blieb Cassel stehen. Zögernd schwebte seine Hand über die Druckplatte. Dann legte er sie entschlossen darauf. Ein leises Zischen, und die Tür glitt zur Seite. Cassel trat ein, die Tür schloß sich wieder.

Naris Schirm war herabgelassen, aber sie schlief, wie Cassel erleichtert feststellte.

Cassel stellte sich vor seine Koje, fuhr den Schirm aus und begann, sich zu entkleiden. Dann stieg er ins Bett. Er schloß die Augen, doch sie wollten ihm nicht gehorchen und öffneten sich wieder. Er starrte in die Dunkelheit.

Ailsa-Nari, Nari-Ailsa … Um sie zu verdrängen, konzentrierte er sich auf die Erinnerung an die nächtliche Pokerrunde, auf seine Gewinne. Doch die Frauen kehrten immer wieder zurück und forderten seine Aufmerksamkeit. Konnte Nari ihn tatsächlich verstehen? Verstand er überhaupt selbst, was geschah?

Sein Leben mit Ailsa war mehr gewesen als ein einfacher Gefährtenbund. Es war die Vereinigung zweier Menschen, die ganz vom Wunsch durchdrungen waren, das Leben an der Seite des anderen zu verbringen. Eine Hochzeit der Körper und Seelen und des Geistes. Konnte irgend jemand jemals das volle Ausmaß dieser Liebe und der Leidenschaft erfassen? Für Cassel war alles lebendig geblieben – die Erinnerung an Ailsas drängenden Körper, weich und nachgiebig und doch von überraschender Kraft in dem Augenblick, wo sie sich ihm ganz und gar hingegeben hatte. Cassel spürte wieder ihren Geruch: die Süße ihres Parfüms, gemischt mit dem Duft der Leidenschaft.

Das alles war so real wie die Wirklichkeit. Da wa kein Platz für Nari. Und doch ...

Er belog sich selbst. Er fühlte etwas. Der Schattenmann hatte recht gehabt. Er wollte Nari, er begehrte sie. Das Schuldgefühl, das Unbehagen, sie rührten von einem Wunsch her, den er sich nicht eingestehen wollte.

Am Schirm war ein sachtes Klopfgeräusch zu hören, kaum wahrnehmbar. Cassel fuhr hoch. Vielleicht hatte er sich den Laut nur eingebildet. Er lauschte. Nichts. Er sank ins Kissen und versuchte einzuschlafen.

Es klopfte zum zweitenmal. „Doron?"

„Nari?" Cassel tippte auf den Schalter neben dem Bett. Der Schirm verschwand mit einem leisen Zischen. Die Kabinenlampe blendete.

Cassel blinzelte und wartete darauf, daß seine Augen sich an den Schein der Kugel unter der Decke gewöhnten. Nari stand, in eine Bettdecke gewickelt, direkt vor seiner Koje. Ihr Blick wanderte über seinen Körper. Plötzlich fiel ihm ein, daß er nackt auf dem Laken lag.

Sie hockte sich wortlos auf die Bettkante. Ihre Augen begegneten den seinen, ihr Atem ging leise und regelmäßig. Die Decke, die sie umhüllte, teilte sich, und eine Hand kam zum Vorschein. Zärtlich folgten ihre Fingerspitzen der Linie seiner Lippen. Er spürte, wie Nari zitterte. Oder war er es etwa selbst?

Nari beugte sich zu ihm herab. Ihre Lippen bedeckten seinen Mund – eine sanfte Berührung, die jedoch bald leidenschaftlicher und heftiger wurde. Als Nari den Kopf wieder hob, lag ein stilles Lächeln auf ihren Zügen. Ihre Linke hielt noch immer die Decke vor der Brust zusammen. Dann umfaßte Nari mit beiden Händen Cassels Kopf. Die Decke sank herab und fiel auf den Boden.

Einen Moment lang widerstand Cassel der Versuchung, Nari anzusehen, doch dann konnte er sich nicht länger bezwingen. Sein Blick wanderte über die geschwungenen Linien ihrer Nacktheit. Naris Brüste hoben und senkten sich nun heftig. Ihr Atem war schwerer geworden.

„Nari ..." Mit aller Kraft versuchte Cassel dem Geisterwesen in seiner Erinnerung treu zu bleiben.

„Pssst!" Sie legte ihm einen Finger auf die Lippen und schüttelte den Kopf.

Die Worte, die Cassel sich zurechtgelegt hatte, erstarben. Nari schmiegte sich an ihn, ihr Mund fand seine Lippen. Warm und glatt, Haut an Haut, so schlüpfte sie neben ihn ins Bett. Überall spürte Cassel den Kontakt mit ihrem Körper.

Ihre Münder trennten sich voneinander. Aus nächster Nähe starrten sie einander in die Augen. Sekunden wurden zu einer bedeutungsschweren Ewigkeit. Die Entscheidung. Die letzte Gelegenheit zu Selbstverleugnung und zu heilloser Flucht. Cassel spürte es genau. Nari bot ihm noch einmal die Möglichkeit, die Verlockung ihres Körpers zurückzuweisen und Zuflucht in den Erinnerungen zu suchen.

Cassels Hände wanderten von ihren Flanken zum Rücken. Mit den Fingerspitzen konnte er die Spannung fühlen, die Naris Rückgrat gestrafft hatte. Auch auf ihr lastete ein Gewicht. Ihre Augen waren eine einzige Frage. Sie spürte die Bedeutung des Augenblicks. Noch war Zeit, die gemeinsame Wärme aufzugeben und – jeder für sich – an den eigenen Herd zurückzukehren.

Cassel spürte, wie der Bruchteil Ewigkeit, der sie gefangenhielt, verging. Die Jetztzeit und die Außenwelt kehrten zurück. Er konnte in Naris Zügen lesen, daß sie das gleiche fühlte. Ihr Kopf sank auf das Kissen. Sie berührte seine Schulter, ihre Lippen wanderten über seinen Hals, bis sich ihre Münder wieder begegneten.

Beide fürchteten sie, daß Worte nur leere Versprechungen und Lügen in sich bergen würden, und so ließen sie ihre Hände sprechen. Sie streichelten, tasteten, spürten dem Körper des anderen nach. Ihre Bewegungen waren ruhig und nicht von hektischer Begierde bestimmt. Mann, Frau, Freunde ... Sie gaben sich ganz der Geborgenheit hin, die die Nähe eines anderen Menschen mit sich bringt.

Das graziöse Spiel in den erotischen Holostreifen, die ausgelassene Sinnenlust der ersten Vereinigung, die so oft in Romanen und Schauspielen gefeiert wird, beides war ihnen verschlossen. Sie waren Gefangene der Wirklichkeit. Unbeholfen stemmte Cassel sich hoch, und mit der Ungeschicklichkeit, die leicht entsteht, wenn zwei fremde Körper einander begegnen, drang er in die warmfließende Weichheit ihres Leibes ein. Sie klammerten sich aneinander fest, küßten sich heftig und mühten sich verzweifelt, die Gehäuse der Einsamkeit, in denen sie steckten, niederzureißen.

Zweifel, Anspannung, namenlose Ängste vergingen. Die ungekünstelte Vereinigung der beiden Körper war schwerelos. Sie schaukelten gemeinsam in einem schläfrigen Rhythmus. Wenn einer von ihnen auf eine verzehrende Explosion der Leidenschaft gehofft hatte, so war diese Erwartung jetzt verschwunden, an ihre Stelle trat ein ruhiges Wohlbehagen. Den Zwang zur Erfüllung, zur Lustlösung gab es nicht. Es ging ihnen nicht um Raffinement und sexuelle Kunstfertigkeit, sondern darum, den brennenden Hunger nach einer menschlichen Berührung zu stillen.

Irgendwann hörte Cassel das tosende Rauschen des Blutes in den Ohren, und dann, als dieser Augenblick vorüber war, umfing ihn plötzlich das Gefühl, lebendig zu sein. Er verlangte nicht mehr als das, was er hatte: Geborgenheit im Schutz ihrer Arme. Er schmiegte sich eng an die aufrichtige Nacktheit ihres Körpers und versuchte, die Wahrhaftigkeit dieser Sekunden so lange zu bewahren, wie er es vermochte.

„War ich es?" Ihre Worte kamen zögernd und unsicher. „Es war nicht deine Frau, oder?"

„Ja", flüsterte er und küßte sie noch einmal, denn er verstand, daß sie sich vergewissern wollte, ob er sie in seine Wirklichkeit eingeschlossen hatte. „Du warst es."

Sie seufzte zufrieden und kuschelte sich an ihn. Ihr Atem strich warm über seine nackte Brust, bald gingen die Züge flach und mit der Regelmäßigkeit des Schlafes. Er tastete mit den Lippen über ihre weichen Haare; ein letzter, zärtlicher Kuß folgte. Dann lag er still, hielt sie fest an seiner Seite und schützte sie so vor ihren Ängsten, wenigstens für diese eine Nacht.

12

„Das gefällt mir gar nicht." Nari schnitt eine Grimasse, während sie in ihrer Koje die Sicherheitsgurte anlegte, um sich auf den Übergang in den Normalraum vorzubereiten. „Ich habe mich so daran gewöhnt, daß du neben mir im Bett liegst."

Cassel zog einen Riemen über seinem Brustkorb stramm. „Ich glaube nicht, daß du jetzt viel Freude an mir hättest. Der Sprung bereitet mir jedesmal Übelkeit."

Nari spitzte die Lippen und warf ihm einen Kuß zu. Sie zwinkerte lächelnd. In ihren Augen sprühte ein koboldhaftes Feuer. „Schnapp dir einen Mann, wenn er sich nicht wehren kann, sage ich immer."

Das letzte Warnsignal schallte durch die Kabine. Cassel erwiderte Naris Lächeln nur halbherzig. Er lag flach auf dem Rücken und starrte zur Decke empor. Er nahm sich vor, keine Angst vor dem Sprung zu haben. Es half nichts. Alle Muskeln seines Körpers spannten sich und erschlafften wieder. Sein Magen schlug Purzelbäume und wartete nur darauf, daß er endlich einen Grund bekam, ernstlich aus der Rolle zu fallen. Cassel atmete tief ein und schloß die Augen, zwang sich mit aller Kraft zur Ruhe.

– Jetzt ist der Spaß vorbei, Jonal. Es waren ein paar nette Wochen, doch nun wird es Zeit, daß du dich wieder auf den eigentlichen Zweck deiner Reise besinnst.

Cassel seufzte stumm. *Werde ich dich denn niemals los?*

– Seit du meine Warnung vor dieser Frau in den Wind geschlagen hast …

Du hast dich in Nari getäuscht!

– … und da sie nun einmal einigermaßen harmlos schien, habe ich beschlossen, daß du eine Zeitlang ungestörte Erholung genießen sollst. Aber genug ist genug! In ein paar Stunden landest du auf der Erde.

Ich werde Nari in ihre Wohnung begleiten. Und sobald ich dort angekommen bin, werde ich ihren Computer benutzen, um Yerik Belen aufzuspüren. Das habe ich nicht vergessen.

– Bevor es soweit ist, bist du ein toter Mann. Tula ist ein Paradies im Vergleich zur Erde. Wenn du nicht hellwach bist, dann haben sie dich erledigt, bevor du einmal tief Luft geholt hast. Die Frau ist nichts weiter als ein lästiger Ballast. Fürs Bett mag sie gut gewesen sein, aber jetzt ist sie nur noch ein Klotz am Bein. Wenn du nicht gut achtgibst, wirst du wegen ihr getötet werden, Jonal. Sieh zu, daß du sie los wirst. Laß sie fallen, bevor es zu spät ist!

Cassel versuchte, den Schattenmann zu ignorieren. Aber die Wahrheit blieb die Wahrheit. Er hätte gern mehr für Nari gefühlt, aber das tat er nicht. Er wußte, daß sie stärker fühlte; seit der ersten Nacht hatte er ihre Gefühle wachsen sehen, und er hatte nichts dagegen unternommen. Sie hatten beide jemanden gebraucht, doch für Cassel war diese Zeit nun zu Ende.

– Die Landung kann gefährlich werden. Wenn sie deine Spur aufgenommen haben, dann werden sie bereits auf dich warten. Du mußt die Frau aus der Schußlinie halten.

Cassel sah plötzlich Ailsa lang ausgestreckt auf einem Krankenhaustisch liegen. Sie war tot, bei einem Unglücksfall ums Leben gekommen. Sie hatte nur einen einzigen Fehler gemacht: Sie hatte zu dicht neben Jonal Cassel gestanden, als der Mörder auf den Abzug drückte. Ailsas Gesicht löste sich auf, und an seine Stelle trat Naris Antlitz. Nun stand sie zu dicht neben ihm. Es konnte noch einmal geschehen, noch einmal konnte ein Unschuldiger seinetwegen getötet werden.

– Wenn du meinst, du müßtest dich in dieser Sache edelmütig verhalten, dann kannst du das von mir aus tun. Deine Motive interessieren mich nicht, solange du die Frau nur irgendwie vom Hals schaffst.

Und was wird sein, wenn ich auf der Erde angekommen bin?

– Zuerst einmal mußt du den Raumhafen verlassen. Danach bist du einigermaßen sicher, solange du auf der Hut bleibst. Dann mußt du dich halt auf deine Intuition verlassen. Du mußt mit allem rechnen. Eine zweite Chance werden sie dir nicht geben.

Denn die Erde ist nicht Tula.

– Vergiß das nicht, Jonal, nicht eine Sekunde lang darfst du das vergessen. Du mußt Yerik Belen finden.

Wo fange ich an zu suchen?

Eine Woge von Übelkeit schlug über ihm zusammen, und Cassels Gedanken verwirrten sich. Der *Tommy John* trat soeben wieder in den Normalraum ein. Feine Schweißtropfen standen auf der Stirn des Mannes. Jede Faser seines Körper drohte unter der Anspannung zu zerreißen.

So plötzlich, wie es begonnen hatte, endete es auch. Cassel lag erschöpft auf der Koje, ganz erfüllt von der Erkenntnis, daß er noch unter den Lebenden weilte. Er zitterte leicht, aber jetzt, da die schlimmsten Befürchtungen nicht eingetroffen waren, spielten die Magenbeschwerden keine Rolle mehr.

„Duron?" Naris besorgte Stimme drang in Cassels Überlegungen „Geht es dir gut?"

Cassel öffnete die Augen und drehte den Kopf zur Seite. Es gelang ihm, ein nicht gerade enthusiastisches, aber immerhin beruhigendes Lächeln zustande zu bringen. „Mein Magen versucht, sich selbst zu verdauen, und meine Muskeln zittern wie Harfensaiten, aber immerhin – ich lebe noch."

Aus dem Lautsprecher dröhnte das Entwarnungszeichen. Nari streifte die Gurte ab und sprang mit einem Satz quer durch die Kabine. Cassel beobachtete sie verblüfft. Es dauerte eine Sekunde, bis er begriff, daß mit dem Eintritt in den Normalraum wieder Schwerelosigkeit an Bord herrschte.

„Halt nur deine ungeschickten Finger still!" Nari ließ sich auf der

Bettkante nieder. „In ein paar Sekunden werde ich dich von deinen Fesseln befreit haben."

Cassel grinste einfältig und sah ihr dabei zu, wie sie die Gurte löste.

„Nun mußt du dich aber beeilen", drängte sie. „Wir haben nicht mehr viel Zeit, um die Fähre zu besteigen."

Cassel schwenkte die Beine aus dem Bett und vergewisserte sich, daß die Haftsohlen der Schuhe einen Halt gefunden hatten, dann stand er auf. Nachdem Nari zu ihrer Koje zurückgekehrt war, öffnete Jonal die Klappe unter seinem Bett und zog einen einzelnen Koffer aus dem Staufach. Er sah zu Nari hinüber, die damit beschäftigt war, ihre Habseligkeiten in zwei kleine Taschen zu verstauen.

Cassel öffnete seinen Koffer und entnahm ihm einen verpackten Anzug, den er in Epai gekauft hatte. Er riß die Umhüllung auf, streifte den Bordoverall ab und zog den Anzug an. Nun sah er aus wie ein Geschäftsmann, nicht mehr wie ein Weltraumtramp.

Aus der Reisetasche zog Cassel ein dickes Bündel Standards. Die Hälfte der Scheine stopfte er in eine Anzugtasche, den Rest verstaute er wieder im Koffer und schloß ihn sorgfältig ab. Er hatte keine Ahnung, wie lange es dauern mochte, bis er Yerik Belen gefunden hatte. Jedenfalls würden die Pokergewinne ihm bis dahin etwas mehr Sicherheit verleihen. Über Geld brauchte er sich nicht den Kopf zu zerbrechen.

Über Nari schon.

Manches würde einfacher sein, wenn es ihm gelang, ihr bereits an Bord des *Tommy John* zu entwischen. Doch im Moment wußte er nicht, wie er das anstellen sollte. Es gab nur eine Passagierfähre. Also konnte er erst handeln, wenn sie den Raumhafen erreicht hatten. Nachdem sie die Zollkontrollen passiert hätten, würden sie im allgemeinen Gedränge der Reisenden stecken. Das würde der richtige Augenblick zum Absetzen sein. Cassel würde sich einfach zurückfallen lassen, in der Menge untertauchen und in ein Taxi flüchten.

„Verdammt!" Naris Stimme hatte einen verärgerten Klang.

Cassel wandte sich vorsichtig zu ihr um. Nari hielt ein paar Kreditbons in der Hand und musterte sie mit verzweifelter Miene. „Ich habe diese Dinger ganz vergessen. Ich habe sie letzte Nacht an Leutnant Ildres Tisch gewonnen. Doron, warte hier auf mich. Ich glaube, ich schaffe es noch, die Bons beim Zahlmeister einzutauschen."

„Das kannst du auch noch nach der Landung tun", schlug er vor. „Kein Grund zur Hast."

„Nein." Sie schüttelte den Kopf. „Ich will die Bons einlösen, bevor die anderen Spieler eine Chance haben, ihr Geld zurückzuziehen. Wartest du auf mich?"

Er nickte ihr zu. „Wo sollte ich sonst schon hingehen?"

Jonal ließ seinen Blick langsam durch die Kabine wandern. Er würde den *Tommy John* und die drei Monate relativer Sicherheit, die er hier genossen hatte, vermissen. Der Schattenmann hatte ihn zu verdoppelter Vorsicht angehalten, und die Warnung ging ihm nicht aus dem Kopf. Er wollte einfach nicht glauben, daß „sie" ihm tatsächlich von Tula bis zur Erde gefolgt waren, allein, die Möglichkeit war nicht von der Hand zu weisen.

Und Yerik Belen? Die Erde war ein großer, überbevölkerter Planet. Konnte er tatsächlich darauf hoffen, unter diesen brodelnden Milliarden einen einzelnen Menschen zu finden?

Die Kabinentür öffnete sich mit einem leisen Zischen.

„Das ging aber schnell." Cassel richtete sich auf. „Ich dachte, du würdest..."

Die Worte blieben ihm im Hals stecken. Ein eiskaltes Gefühl kroch an seiner Wirbelsäule entlang. Leutnant Ildre und ein Matrose standen in der Kabine. Beide hielten Pistolen in den Händen. Die Läufe waren auf Cassel gerichtet.

„Bleiben Sie ganz ruhig, Herr Tem." Leutnant Ildres Stimme klang etwas belegt. „Ich tue dies hier nicht gern, aber ich habe eine Anweisung von der Planetenverwaltung bekommen, Sie in Verwahrung zu nehmen, bis Sie abgeholt werden."

„Eine Anweisung?" Er fühlte sich von Panik ergriffen und mußte den Drang, in wilder Flucht davonzustürzen, mühsam unterdrücken. „Frau Leutnant, was wird hier eigentlich gespielt?"

„Das weiß ich auch nicht", erwiderte sie. „Über Einzelheiten hat man mich nicht informiert. Ich führe nur meine Befehle aus. Wenn Sie jetzt bitte mit uns kommen würden..."

„Ich verstehe überhaupt nicht, was hier los ist." Cassel suchte verzweifelt nach irgendeinem Ausweg.

– Ruhig, Jonal. Leg dich nicht mit ihnen an. Unternimm nichts, was sie aus der Ruhe bringen könnte. Sie sind schon jetzt so nervös, daß sie dich aus Versehen erschießen könnten.

„Es muß sich um einen Irrtum handeln", sagte Cassel. Wenn er die beiden überreden konnte, ihn auf die Fähre gehen zu lassen, dann hatte er noch eine Chance. „Ich würde vorschlagen, daß Sie Ihre Anweisung erst noch einmal überprüfen."

„Herr Tem!" Die Pistolenmündung hüpfte in kleinen Sprüngen auf und ab, eine Bewegung, die auf Cassel nicht eben beruhigend wirkte. „Begleiten Sie uns jetzt, dann können wir sehr rasch Klarheit in die Angelegenheit bringen."

Mit einer Schwenkung der Waffe bedeutete die Uniformierte Cassel, daß er sich nun vom Bett zu erheben hätte.

– Tu, was sie verlangt und warte auf deine Chance.

Cassel stand auf, ergriff seinen Koffer und durchquerte langsam das Zimmer. Leutnant Ildre ging voran, der Matrose hinter ihm, so eskortierten sie ihn zum Fährenhangar. Die Offizierin öffnete eine Luke neben einem Wartungstisch und bedeutete Cassel hindurchzusteigen. Er fügte sich, ohne zu protestieren. Die Tür schloß sich hinter ihm, das Schloß knirschte wie ein ungeöltes Getriebe.

Der Gestank von Fett und Schmieröl hing schwer in der engen Kammer.

Cassel wandte sich der Tür zu, um sie zu überprüfen. Das Schloß erwies sich als so solide, wie es geklungen hatte. Ob es ihm gefiel oder nicht – er war ein Gefangener. Er stellte den Koffer mit einer Schmalseite auf den Boden und setzte sich darauf. Dann starrte er die Luke an.

Was soll ich jetzt tun?

- So weitermachen wie bisher: abwarten. Irgendwann werden sie sich eine Blöße geben. Die mußt du nutzen.

Ein famoser Rat, alles was recht ist!

Cassel hörte das Fußgetrappel der Passagiere, die sich auf die Fähre drängten. Er mußte an Nari denken, an ihren Schmerz, ihre Sorge, ihre Einsamkeit. Er wollte sie abschütteln, aber nicht auf diese Weise.

Er lächelte wehmütig, als er sich darauf besann, daß er einmal vorgehabt hatte, Nari in ihre Wohnung zu begleiten. In ein, zwei Stunden würde sie in ihrem netten, sicheren Appartement sitzen. Es war besser so – auch wenn sie es nie erfahren würde. Besser als ein Ende auf irgendeinem Operationstisch in einem Krankenhaus.

Hinter der Luke waren Schritte zu hören. Türen wurden geöffnet und zugeschlagen. Die Wände der kleinen Kammer erzitterten. Eine neue Fähre traf ein, wieder trappelten Füße über das Deck. Cassel stellte sich vor, wie die Mannschaften die Ware von den fernen Sternen von einem Schiff ins andere luden.

Endlich näherten sich draußen Schritte. Das Schloß knirschte, und die Luke schwang zur Seite. Leutnant Ildre steckte den Kopf durch die Öffnung und forderte Cassel auf herauszukommen.

Zwei schwarz gekleidete Männer – an einem Hüftgurt trugen sie schwere Revolver – standen vor der improvisierten Zelle.

Leutnant Ildre nickte in Richtung auf die Männer. „Diese Herren werden Sie zur Erde geleiten. Wenn es sich tatsächlich um ein Mißverständnis handelt, so werden sie Ihnen bei der Aufklärung behilflich sein."

Bevor Cassel etwas erwidern konnte, ergriffen ihn die Polizisten bei den Armen und zerrten ihn durch das geöffnete Bugtor der Fähre.

Er stürzte. Er fühlte sich wie ein Sternenkind, das zu seiner Wiege zurückkehrt. Gewaltige, bedrohlich scheinende Wolken hingen wie Gebirge am Himmel. Cassel versuchte, ein Stück bekannte Topographie wiederzuerkennen, aber da war nur ein riesiger, träger Ozean, der nichts über die Flugbahn der Fähre verriet. Turbulenzen stießen den metallenen Pterodactylus umher, der Wind heulte.

Cassel spähte eifrig durch das kleine Bullauge. Die Fähre stürzte einer alles verhüllenden Dunkelheit entgegen und folgte dabei der Wölbung der Himmelskugel. In der samtenen Schwärze funkelten einzelne Diamanten – die Lichter der Metroplexe, deren Netzwerk die gesamte Erde überzog.

Hammerschläge hallten auf der Schiffshaut. Cassel wurde nach vorn gerissen; die Haltegurte schnitten schmerzhaft in seinen Brustkorb, seine Hüften und seinen Unterleib. Die Bremsraketen hatten gezündet. Der Sturz der Fähre wurde langsamer.

Die Landung verlief glatter, als Cassel erwartet hatte. Für einen kurzen Augenblick hatte er das Gefühl hoher Geschwindigkeit, danach gab es einen Stoß, dann das Kreischen der Landebereifung auf Beton. Er warf einen Blick auf die beiden Beamten, die ihn bewachten. Während des gesamten Fluges hatte keiner von ihnen ein Wort gesprochen, und auch Cassel hatte nichts gesagt.

Die Fähre blieb stehen. Als sich die Wachen von ihren Gurten befreiten, warf auch Cassel die Sicherheitsgurte ab. Mit der gleichen Geschwätzigkeit, die sie schon auf dem *Tommy John* ausgezeichnet hatte, ergriffen sie seine Arme und führten ihn aus dem Flugzeug.

Draußen stiegen sie auf einen der Fließwege, die wie ein Netz den weitläufigen Raumhafen durchzogen. Cassel suchte nach einem vertrauten Wegzeichen, aber er fand keines. Vor ihnen erhob sich ein gewaltiger Gebäudekomplex, allem Anschein nach die Abfertigungshalle des Raumhafens. Eine Leuchtschrift über einer Tür auf der linken Seite des Gebäudes verwies auf die Polizeiwache des Hafens.

– Unternimm etwas. Wenn sie dich erst einmal dort hineingeführt haben, wirst du keine Chance mehr bekommen.

Das hatte auch Cassel erkannt, doch bevor er sich einen Plan zurechtlegen konnte, stießen ihn seine schweigenden Bewacher plötzlich auf ein Band, das sich vom Hauptgebäude entfernte und einen fernen, ebenfalls hochaufragenden Bau ansteuerte. AGRAREXPORTAMT stand in Leuchtbuchstaben über dem Haupteingang.

Was ist das denn?

– Ich weiß es nicht.

Ist ja großartig!

Cassel hatte Zweifel, ob er die Chance erkennen und ergreifen würde, wenn sie sich irgendwann böte. Als ob sie seine Gedanken gelesen hätten, verstärkten die Bewacher den Griff um seine Oberarme.

Schließlich betraten sie das Gebäude, das so überdeutlich als Amt für Agrarexport gekennzeichnet war. Aus Lichtbalken unter der Decke fiel ein blendender Schein auf Boden und Wände der Eingangshalle, wo er von hochglanzpolierten Marmorflächen reflektiert wurde. Cassel fühlte sich von der Architektur des Gebäudes irritiert. Alles wirkte gediegen und teuer, fast wie in einem Regierungssitz.

Seine schweigsamen Begleiter eskortierten ihn durch einen Korridor, an dessen Ende sich eine Reihe von Schwebschächten befanden. Die Männer dirigierten ihn zu einem der Schächte. Hier wurde Cassel plötzlich klar, daß es nicht eigentlich Architektur und Einrichtung des Gebäudes waren, die ihn so sehr verwirrten, sondern eine andere Sache: Das Amt für Agrarexport war völlig menschenleer.

Fünfzehn Stockwerke weiter oben stießen ihn die Bewacher aus dem Schacht. Im Eiltempo führten sie ihn durch einen weiteren hell erleuchteten und menschenleeren Gang. Vor einer Tür ohne Schild blieben sie stehen.

– Mit den beiden wirst du fertig.

Cassel erschien die Gelegenheit nicht eben günstig. Er beschloß, noch ein wenig abzuwarten.

– Du bist ein Idiot!

Einer der Männer öffnete die Tür. Die gesamte Einrichtung des Raumes bestand aus einem metallenen Schreibtisch und zwei Stühlen. Vor dem einzigen Fenster hatten drei Männer gestanden, jetzt wandten sie sich Cassel zu. Der Mann in der Mitte lächelte, als sein Blick auf die Eintretenden fiel.

„Vielen Dank, meine Herren", sagte er zu den Beamten. Danach nickte er seinen beiden Begleitern zu, die die Plätze links und rechts neben Cassel einnahmen. „Wir übernehmen jetzt den Fall."

Die Beamten verließen das Zimmer, ohne ein Wort zu verlieren. Der Mann am Fenster zeigte auf Cassel. „Durchsucht ihn!"

Seine Begleiter stießen Cassel unsanft gegen eine Wand, spreizten seine Arme und Beine und klopften ihn von oben bis unten ab. Cassel konnte nicht feststellen, ob die Männer bewaffnet waren, aber jeder von ihnen wirkte kräftiger als die beiden Beamten zusammengenommen.

„Er ist sauber", meldete einer der Männer. „Nur diese Bündel hier und eine Armbanduhr."

„Geben Sie ihm das Geld zurück und untersuchen Sie die Uhr auf Explosivstoffe!" kommandierte der Mann am Fenster. Wenig später fuhr er fort: „Und nun gehen Sie hinaus. Ich möchte mich allein mit Herrn Tem unterhalten."

Die beiden wie Geschäftsleute gekleideten Gorillas ließen Cassel los, gingen aus dem Zimmer und zogen die Tür hinter sich zu. Der Mann am Fenster deutete auf den Stuhl, der vor dem Schreibtisch stand.

– Jetzt! Du kannst ihn erledigen und sofort losstürmen. Es wird eine Zeitlang dauern, bis die Burschen vor der Tür überhaupt begriffen haben, was geschehen ist. Wenn du den Schwebschacht erreichst, können sie dich nicht mehr aufhalten.

Möglicherweise hatte sich Cassel instinktiv gestrafft, vielleicht hatte der Mann auch einfach seine Gedanken erraten – jedenfalls war er Cassel mindestens zwei Schritte voraus: „Das wäre kindisch, Herr Tem. Ich habe meine Männer in jeder Etage des Gebäudes postiert. Sie sind alle bewaffnet. Es hat lange gedauert, bis wir Sie zu fassen bekamen, und wir haben nicht vor, Sie so einfach wieder entwischen zu lassen. Also, nehmen Sie Platz."

Cassel gehorchte der Aufforderung. Der Mann setzte sich hinter den Schreibtisch und lächelte still und zufrieden. „Eine Zeitlang haben wir befürchtet, Sie wollten uns auf eine falsche Spur locken. Wenn Sie den *Tommy John* bei einem Zwischenstop verlassen hätten, wären für uns einige Komplikationen entstanden. Und Scherereien haben Sie uns ohnehin genug bereitet."

– Jonal, du kannst doch nicht einfach dasitzen und dir das Gewäsch anhören! Du mußt hier raus!

„Warum werde ich festgehalten? Was geschieht hier eigentlich?"

Der Mann zog die rechte Augenbraue hoch und starrte Cassel eine Weile bedeutungsvoll an. Dann lächelte er, griff zum Schreibtisch und tippte eine Nummer ins Visiophon ein. Cassel hörte das Knistern, mit dem der Bildschirm aufflackerte, aber so sehr er sich auch den Hals verrenkte, aus seiner Position war das Gesicht auf dem Empfänger nicht zu sehen.

„Mazour", meldete sich der Mann am Schreibtisch. „Geben Sie mir Direktor Santis. Dringlichkeitsstufe eins."

„Herr Mazour, oder wie Sie auch heißen mögen, ich verlange von Ihnen, daß Sie mir endlich sagen, warum ich gegen meinen Willen hier festgehalten werde!" Cassels Stimme hatte an Festigkeit gewonnen.

Mazour lachte. „Nun hören Sie aber mit den albernen Spielchen auf, Herr Tem! Oder sollte ich sagen: Herr Cassel?"

„Wie bitte?"

„Meinetwegen stellen Sie sich dumm. Aber das wird Ihnen nichts nützen. Merken Sie sich das: Es wird Ihnen nicht helfen. Wenn es nach mir ginge, würde ich Sie eliminieren, dann würde endlich wieder Ruhe herrschen. Aber das Amt hat andere Pläne, und ich muß mich an meine Befehle halten. Dafür können Sie dankbar sein!"

Mazour machte eine Pause. Bevor er zu einer neuen Tirade ansetzen konnte, läutete das Visiophon. Er lehnte sich im Stuhl zurück und sammelte sich, bevor er den Anruf entgegennahm

– Jonal, du läßt dich auf ein gefährliches Spiel ein. Du darfst ihm nicht vertrauen. Sieh zu, daß du hier rauskommst!

Mazour drückte auf die Empfängertaste. Der Schirm flackerte auf. „Ja, Frau Direktor. Ja, es ist alles glattgegangen."

– Jonal, es wird höchste Zeit! Jetzt ist er beschäftigt, du kannst ihn überrumpeln.

„Seien Sie versichert, Frau Direktor ...", sagte Mazour. „Es ist Jonal Cassel, daran besteht gar kein Zweifel. Ragah Tvar hatte recht."

Ragah? Was hatte Ragah mit der Sache zu tun?

– Du mußt fliehen!

Ragah? In Cassels Innerem regte sich etwas, ein dumpfer Schmerz. Ein Gedanke war in ihm aufgestiegen, den er nicht zu Ende denken mochte.

– Jonal, wenn du jetzt nicht handelst, kann es für immer zu spät sein!

Cassel mühte sich, die drängende Stimme zu ignorieren. Er wollte hören, was Mazour sagte, er mußte herausbekommen, welche Rolle dieser Mann und das „Amt" in dem wirren Knäuel seines Lebens spielten.

Mazour war inzwischen still geworden. Seine ganze Aufmerksamkeit gehörte der leise summenden Stimme. Er wurde auffällig blaß. Was die Direktorin ihm sagte, schien ihm zu schaffen zu machen.

„Ja, ich kann ihn beschützen lassen. Ich habe genügend Leute", antwortete Mazour schließlich. „Wir werden sechs Wagen benutzen, drei davon als Köder. In einer Stunde steht er in Ihrem Büro."

Er schaltete das Visiophon aus und starrte Cassel ein paar Sekunden lang schweigend an. Dann ging er zur Tür und stieß sie auf. Die beiden Gorlllas standen davor, jeder hielt einen Revolver in der Faust.

„Hab' gerade mit der Santis gesprochen", sagte Mazour. „Es hat sich herumgesprochen, daß unser Mann gelandet ist. Die Vereinigte Weltbefreiungsfront hat Wind davon bekommen. Die Direktorin rechnet mit einem Befreiungsversuch."

„Schon wieder diese Hundesöhne!" schnauzte ein Gorilla verächtlich.

„Tja", erwiderte Mazour. „Wir haben einen Agenten bei ihnen eingeschleust. Es scheint, daß sie sich Cassel schnappen wollen, um das Amt bloßzustellen. Die Santis verlangt, daß wir Cassel so schnell wie möglich zu ihr schaffen. Sie will, daß ihm der Prozeß gemacht wird. Bevor die WBF zuschlagen kann, soll er den Planeten schon wieder verlassen haben."

Cassel hatte alles mitangehört, aber er konnte sich keinen Reim darauf machen. Was für einen Wert mochte er für diese Weltbefreiungsfront haben, was war das überhaupt für eine Organisation?

Mazour und der verbliebene Gorilla, Ord, kamen wieder ins Zimmer. Beide trugen jetzt Revolver in den Händen, und beide Läufe waren auf Cassels Oberkörper gerichtet. Nach Mazours Aufforderung stand Cassel ohne Widerspruch von seinem Stuhl auf.

„Das ist Ihr Koffer, also tragen Sie ihn auch!" Mazour stieß das Reisegepäck zu Cassel hinüber. „Wenn wir Glück haben, können wir vielleicht Ihr erbärmliches Leben retten."

Cassel folgte fügsam den Winken der Revolverläufe, verließ das Zimmer und ging durch den Korridor zum Schwebschacht. Gemeinsam mit seinen Begleitern schwebte er die fünfzehn Geschosse bis zum Parterre hinab. Ein E-Mobil erwartete sie summend im schwach erleuchteten Parkdeck. Die Kuppel schwang auf, und Ord stieg ein. Er gab Cassel ein Zeichen, ihm zu folgen. Cassel kletterte in das Fahrzeug.

– Das läßt sich nicht übel an. Du brauchst nur diesen Strolch zu erledigen, dann hast du eine Waffe und einen fahrbaren Untersatz.

Cassel sollte keine Gelegenheit mehr bekommen, über den Vorschlag des Schattenmannes nachzudenken, denn in diesem Augenblick strömte eine kleine Armee von Männern in grauen Anzügen aus den Schwebschächten. Fünf weitere E-Mobile fuhren heran.

„Clapton, Bes und Adams, ihr seid die Lockvögel!" Mazour stand bei einem offenen Fahrzeug und brüllte Befehle. „Ihr fahrt voran. Nehmt den direkten Weg und seid auf der Hut. Die WBF wartet schon auf euch."

Neun Männer stiegen – jeweils zu dritt – in drei der wartenden Wagen ein. Cassel beobachtete, wie die Köderfahrzeuge aus der Schlange ausscherten und die Ausfahrtrampe ansteuerten. Bald waren sie hinter einer Ecke verschwunden. Das Summen ihrer Motoren erstarb.

„Hil!" rief Mazour. „Fünf Leute fahren im ersten Wagen. Kra, Sie bilden mit den anderen die Nachhut!"

Die Männer eilten auf ihre Plätze. Mazour warf einen letzten, prüfenden Blick in die Runde, dann schlüpfte er auf den Sitz neben Cassel.

Vor ihnen setzte sich das erste Fahrzeug in Bewegung.

13

Als Hils Wagen einen Vorsprung von fünf Fahrzeuglängen hatte, startete auch das Mobil, in dem sich Cassel befand. Weitere fünf Längen dahinter folgte der Rest der Eskorte. Als ob sie durch ein unsichtbares Seil miteinander verbunden wären, glitten die Fahrzeuge durch das Souterrain und die Rampe hinauf.

– Es sind nur zwei Mann, Jonal. Mit denen wirst du fertig.

Warum versuchst du es nicht mal? Ord hielt immer noch die Waffe in der Faust, aber die Mündung zeigte wenigstens nicht mehr auf Cassels

Brust. Jonal entspannte sich ein wenig. So nämlich wollte er seine Suche nicht beenden: mit einem Loch in der Brust, hineingebrannt von Männern, die vorgaben, seine Retter zu sein.

„Dort rüber!" Ord zeigte auf den gegenüberliegenden Sitz. „Ich möchte Sie im Auge behalten."

– Schnapp dir den Revolver. Du kannst Mazour eins auf den Pelz brennen, bevor der begriffen hat, was passiert ist.

Cassel ließ sich auf den Sitz fallen, den Ord ihm zugewiesen hatte, und blickte nun wieder in die Revolvermündung seines Bewachers.

Mazour saß neben Ord, die Waffe lag in Reichweite auf seinen Knien. Seine Aufmerksamkeit jedoch gehörte der Nacht hinter dem Kuppelglas. Das E-Mobil glitt von der Rampe auf den Zubringer zur Ausfallstraße des Raumhafens. Mazour beobachtete konzentriert die Umgebung. Seine Hände ruhten auf der Manualsteuerung. Ein Knopfdruck würde genügen, und das Fahrzeug wäre auf Handsteuerung umgestellt.

In den zehn Jahren auf Tula hatte Cassel vergessen, daß die Terraner darauf bestanden, daß ihre Fahrzeuge mit einer Handsteuerung ausgestattet waren.

– Jonal, du kannst nicht einfach so dasitzen. Du mußt etwas unternehmen!

Die Stimme des Schattenmannes klang wie ein durchdringender Schrei in seinen Ohren. Cassels Puls begann zu pochen. Sein Blick fiel auf die Waffe auf Mazours Knien. Wenn er schnell genug ...

„Vergessen Sie's!" murmelte Mazour lässig. Cassel blickte auf und stellte fest, daß der Blick seines Gegenübers auf ihm ruhte. „Sie kämen nicht mehr zum Abdrücken. Warum machen Sie es sich nicht bequem und genießen die Fahrt? Dann wird Ihnen wenigstens nichts zustoßen."

– Belen, Jonal. Vergiß Belen nicht!

Cassel gab sich Mühe, die bedrängende Stimme zu ignorieren.

Wie soll ich Belen finden? Ich weiß doch nicht einmal, wo ich bin.

Drei Monate lang war er durch Lichtjahrhunderte gereist, durch die halbe Galaxis, um nach einem Mann zu suchen, den sein krankes Hirn womöglich selbst erschaffen hatte. Es gab keinen Beweis dafür, daß Yerik Belen tatsächlich existierte. Und wenn es diesen Belen gab, wie konnte er darauf hoffen, ihn unter Milliarden Menschen zu finden?

– Kansas City, Jonal, du bist in Kansas City. Belen gibt es wirklich. Ich hatte gehofft, du hättest deine unsinnigen Zweifel endlich abgeschüttelt.

Cassel traute den Worten nicht. Er wandte sich an Mazour und Ord. „Wo sind wir?"

Ohne die Beobachtung der Umgebung zu vernachlässigen, erwiderte Mazour: „Kansas-City-Plex. Ich dachte, Sie würden Ihre Heimatstadt wiedererkennen. Nun, wahrscheinlich hat sie sich verändert, seit Sie sie zum letztenmal gesehen haben."

Cassel starrte den Mann ungläubig an. „Ich wurde im Ost-Texas-Metroplex geboren."

Ord kicherte, und Mazour grinste hämisch. Keiner von beiden sagte etwas.

„Was ist hier eigentlich los?" Cassel begann vor Wut und Verzweiflung zu kochen. Er fühlte sich wie ein Blinder, der durch einen Irrgarten aus Rasierklingen geführt wird.

„Ihr Hundesöhne! Geht es denn nicht in eure einfältigen Schädel hinein, daß ich nicht weiß, was hier gespielt wird?" Sie hatten nicht das Recht, ihn so zu behandeln. „Was habt ihr mit mir vor?"

„Jetzt hören Sie genau zu, Herr Cassel!" zischte Mazour. „Niemand hat Sie gebeten, hierher zu kommen. Ich habe den Befehl, Sie zu Frau Direktor Santis zu bringen. Sie hat mich nicht angewiesen, mit Ihnen höfliche Konversation zu treiben."

„Sie kidnappen doch niemanden ohne Grund, oder?" beharrte Cassel. „Wer ist diese Frau Santis? Was will sie von mir?"

Auf dem Armaturenbrett leuchtete ein gelbes Lämpchen auf. Mazour drückte auf einen Knopf.

Aus einem Lautsprecher knarrte eine Männerstimme: „Wir haben einen Schatten. Ein einzelner Wagen. Er ist etwa hundert Meter hinter uns und folgt uns während der letzten fünf Kilometer."

„Was ist mit den Insassen?"

„Eine Person, so scheint es jedenfalls", antwortete die Stimme. „Sollen wir uns zurückfallen lassen und uns den Wagen genauer ansehen?"

„Nein", erwiderte Mazour. „Bleiben Sie auf Ihrer Position, aber halten Sie die Augen offen."

„Verstanden!" Das Sprechgerät wurde abgeschaltet.

Cassel schaute nach hinten und versuchte das eben gemeldete Fahrzeug zu erkennen. Doch das letzte Mobil der Eskorte versperrte ihm den Blick.

„Darauf würde ich keine Hoffnung setzen", knurrte Mazour. „Wenn Sie lebend aus der Sache herauskommen wollen, sollten Sie in unserer Nähe bleiben. Ich verstehe einfach nicht, wieso Sie so dämlich sein konnten, hierher zurückzukehren."

„Wohin hätte ich denn sonst gehen sollen?" fragte Cassel ärgerlich. „Auf Tula hat man versucht, mich umzubringen. Die Erde ist meine Heimatwelt."

„Die Weltbefreiungsfront hat gar nicht vor, Ihnen zu helfen, Herr Cassel", erklärte Mazour. „Die will Sie als Kanonenfutter benutzen."

„Und was ist mit Ihnen und Ihrem Amt?" Cassel sah Mazour fragend an.

„Das Amt hat sich abgerackert, um alles geheimzuhalten." Mazours Blicke wanderten wieder hinaus in die Dunkelheit. „Was meinen Sie, welche Kopfschmerzen uns die Direktion von Zivon bereitet hat?"

In Cassels Verstand klickte es. „Also hat Zivon tatsächlich die Hand im Spiel. Sie haben meine Frau ermorden lassen, und auch mich wollten sie töten."

Mazour wandte sich wieder seiner Beobachtung zu, er würdigte Cassel keines Blickes.

„Natürlich steckt Zivon dahinter", murmelte Cassel, den Blick auf den Boden gerichtet. „Wer sonst, wenn nicht Zivon, würde auf Tula von meinem Tod profitieren?"

106

Die Sprechanlage schaltete sich wieder ein. „Herr Mazour, von hinten nähert sich uns ein Fahrzeug mit hoher Geschwindigkeit!"

„Ist es das bereits gemeldete?" fragte Mazour.

„Nein, in diesem sitzen mindestens sechs Fahrgäste."

„Verdammt!" Mazour legte einen anderen Schalter um; jetzt war er mit dem vorderen Fahrzeug verbunden. „Sieht so aus, als ob uns die WBF auf die Schliche gekommen ist. Jetzt gilt's!"

Mit einem Ruck wurde das Mobil schneller. Cassel, der mit dem Rücken zur Fahrtrichtung saß, flog nach vorn aus dem Sitz. Ord stieß ihn zurück. Im Heckfenster war jetzt ein einzelner Scheinwerfer zu sehen. Er näherte sich schnell dem letzten Fahrzeug der kleinen Kolonne.

„Vor uns, rechts!" bellte Ord. „Zwei Mobile kommen durch die Einfahrt!"

Mazours Kopf fuhr herum. Seine Finger huschten über die Manualsteuerung, der Autopilot war ausgeschaltet. „Die wollen uns abschneiden!"

Das Mobil bremste. Cassel klammerte sich an den Armlehnen fest, als das Fahrzeug plötzlich auf die innere Fahrspur einschwenkte. Metall knirschte, Plastik zersprang mit einem Knall. Cassel flog herum. Er sah, wie sich das vordere Eskortenfahrzeug in eins der Mobile bohrte, das durch die Einfahrt herangesaust war. Aus den ineinander verkeilten Wracks stiegen Rauch und Flammen auf. Die rechte und die mittlere Fahrspur waren blockiert. Das zweite fremde Mobil kam heran.

„Wir werden beschossen!" meldete eine Stimme aus dem letzten Wagen der Eskorte.

Mazour schaltete die Motoren auf volle Kraft. Wieder machte das Mobil einen Satz nach vorn. Für einen Moment blieb das fremde Fahrzeug zurück.

„Sie sind uns noch immer auf den Fersen!" meldete Ord. „Da, links hinter uns!"

Beide Fahrzeuge liefen jetzt mit Höchstgeschwindigkeit, der Abstand zwischen ihnen verringerte sich kaum.

„Kra?" fragte Mazour ins Sprechgerät.

„Sie sind noch nicht an den Wracks vorbeigekommen", erwiderte Ord. „Anscheinend sind sie abgeschnitten. Jetzt müssen wir allein zurechtkommen."

Cassel saß starr in seinem Sitz. Er beobachtete, wie sich das fremde Fahrzeug langsam näher heranschob. Inzwischen konnte er bereits die Köpfe der Insassen sehen.

Das Fahrzeug hinter ihnen schwenkte nach links.

„Sie nehmen die innere Spur!" meldete Ord.

Mazour steuerte sein Mobil ebenfalls nach links. Sofort setzten sich die Verfolger auf die mittlere Spur. Sie kamen immer dichter heran und schoben sich allmählich neben Mazours Mobil.

Ungläubig starrte Cassel durch das Kuppelglas. Die Kanzel des anderen Wagens wurde hochgeschoben und vom Wind fortgerissen. Ein junger Mann mit glattrasiertem Schädel grinste Cassel an. Er trug ein Gewehr in den Armen. Langsam hob sich der Lauf.

Mazours Handballen klatschte auf das Steuerpult. Das Mobil bremste kreischend. Aus der Mündung des Gewehrs explodierte ein Lichtblitz, doch die Energieladung zischte harmlos am Bug von Mazours Fahrzeug vorüber. Ords Revolver flog hoch. Sein Finger riß den Abzug durch.

Ein aktinischer Feuerball! Der Energiestoß zerschnitt die Nacht, fraß sich durch die Kuppel und traf auf den geschorenen Schädel des Angreifers. Der kahlköpfige Junge fiel rückwärts, sein Gesicht trug den Ausdruck maßloser Überraschung.

Zwei Lichtstrahlen kamen vom anderen Wagen heran.

Ord feuerte wieder und wieder. Die Strahlen schmolzen weitere Löcher in die Kuppel und bohrten sich in das fremde Fahrzeug. Das Mobil tat einen Sprung nach vorn, dann torkelte es steuerlos auf die rechte äußere Spur. Es gab keine Explosion. Der WBF-Wagen legte sich schwer auf die Seite, rutschte schlitternd über den Randstreifen und prallte schließlich gegen eine Begrenzungsmauer.

„Verdammt!" Mazours Finger hämmerten wütend auf das Steuerpult ein. „Wir haben einen Treffer abbekommen!"

Im selben Augenblick wurde das Mobil langsamer. Cassel hörte deutlich das Knistern schmorender Kabel.

„Hinter uns kommt Kra", meldete Ord. „Und er hat einen Begleiter."

„Kra!" brüllte Mazour ins Sprechgerät. „Stoppen Sie und geben Sie uns Deckung! Wir haben einen Treffer und sitzen hier fest!"

Teilnahmslos beobachtete Cassel, wie der von Kra gesteuerte Wagen näher kam. Dahinter konnte er den Scheinwerfer des Verfolgers erkennen. Kra lenkte seinen Wagen auf die Mittelspur und brachte ihn neben Mazours Fahrzeug zum Stehen. Die Kuppel flog hoch, und Kras Männer stürzten ins Freie.

Hände griffen nach Cassels Armen und zerrten und stießen ihn aus dem Mobil. Seine Füße traten fehl, und er stürzte bäuchlings auf den grasbewachsenen Mittelstreifen. Er hob den Kopf aus dem Gras und sah, wie der Verfolgerwagen auf dem rechten Fahrstreifen an ihnen vorübersauste und in zwanzig Metern Entfernung stoppte. Mazour und seine Leute verteilten sich rechts und links neben Cassel und eröffneten das Feuer. Energiestrahlen fraßen sich in die Karosserie, während die Insassen hinausdrängten und hinter dem Mobil in Deckung gingen. Dann begannen sie mit ihren Strahlern das Feuer zu erwidern.

Durch das Zischen der Strahler hörte Cassel den summenden Klang eines einzelnen Kuppelmobils. Aus der Ferne näherte sich ein Wagen. Im Innern konnte man die Silhouette eines Insassen erkennen.

Das Mobil wechselte auf die innere Spur, um die beiden Wracks zu umgehen. Dann huschte es an Cassel vorbei und schwenkte in die mittlere Spur ein, damit es nicht mit Mazours liegengebliebenem Wagen zusammenstieß. Der Schatten im Innern des Kuppelmobils hatte sich auf den Fahrzeugboden fallen lassen, bevor der Wagen die Strahlen des Kreuzfeuers passierte. Cassel hatte die Augen geschlossen, weil er das sinnlose Massaker nicht mitansehen wollte, doch als er sie wieder öffnete, setzte der fremde Wagen bereits seinen Weg in der Ferne fort.

„Ord, Kra!" brüllte Mazour. „Ihr müßt ihn von hier fortschaffen. Tot oder lebendig."

Cassels Bewacher rissen ihn an den Armen hoch und rannten los. Gleichzeitig war das vielfache Zischen der Energiestrahler zu hören, die für den Feuerschutz sorgten.

„Los!" brüllte Ord. „Schneller!" Sie rannten in tief gebückter Haltung, die Köpfe dicht über dem Boden wie ein mehrteiliges Rieseninsekt. Licht- und Hitzestrahlen durchschnitten die Luft in ihrer Umgebung. Rasenstücke flogen wie Konfetti umher.

Zwei Schreie, dicht hintereinander, klangen hinter ihnen her. Cassel widerstand der Versuchung, sich umzuschauen. Ob es Mazours Leute oder die WBF-Männer waren, die dort starben, spielte jetzt keine Rolle mehr. Er konnte ohnehin nichts für sie tun.

Dann drang ein weiterer Schrei in seine Ohren, so laut, daß er dachte, seine Trommelfelle müßten zerreißen. Kra wurde plötzlich in die Luft gerissen. Seine Arme und Beine wirbelten wie die Gliedmaßen einer grotesk verrenkten Marionette durch die Finsternis. Der Kopf pendelte haltlos auf den Schultern. Im Rücken hatte er ein Loch, doch aus der schwarz verkohlten Wunde drang kein Blut. Der Mann war tot.

„Runter!" brüllte Ord.

Grobe Hände stießen Cassel weiter. Er kroch dicht an den Boden gepreßt wie eine Eidechse durchs Gras. Seine Fußspitzen gruben tiefe Furchen in die weiche Erde. Dann lag die Betonfläche der Fahrbahn vor ihm.

„Und jetzt laufen Sie um Ihr Leben", knurrte Ord. „Aber treten Sie um Gottes willen nicht in einen Schlitz. Nachdem wir so weit gekommen sind, möchte ich nicht, daß Sie sich durch einen Stromschlag selbst umbringen."

Cassel blickte über die Bahn. Die Betonfläche schien sich kilometerweit zu erstrecken. Die Angst faßte nach seinem Herzen. Er atmete flach und stoßweise. Niemals würde er die andere Seite dieses von Menschenhand geschaffenen Ödlands erreichen. Die Energiestrahlen würden schneller sein.

„Los!" brüllte Ord. „Rennen Sie!"

Die Stimme des Mannes versetzte Cassel einen Stoß. Er packte die Reisetasche und stürmte los. Mit langen Sätzen hetzte er über den Beton. Seine Aufmerksamkeit galt den tödlichen Energieleitungen, die in Schlitzen in der Fahrbahndecke versenkt waren. Ein Fehltritt bedeutete den sicheren Tod. Plötzlich hatte Cassel die andere Seite erreicht. Er strauchelte und rollte den Damm hinunter, blieb in einem flachen Entwässerungsgraben liegen. Er hatte es geschafft.

Ord lag neben ihm, den Revolver noch immer in der tellergroßen Hand. Er hielt eifrig nach allen Seiten Ausschau und versuchte, ihre Position zu bestimmen. Dann richtete er sich in eine geduckte Haltung auf.

„Dort hinüber! Das ist ein Einkaufsviertel. Wir werden dort einen Wagen finden."

Ord streckte Cassel die Hand entgegen, um ihm aufzuhelfen.

– Jetzt!

Cassel war schneller als sein unsichtbarer Gefährte.

Er umklammerte Ords Hand und riß den Mann zu sich hinab. Gleichzeitig schwang er den Koffer in einem weiten Bogen durch die Luft. Der Koffer traf Ord mit aller Wucht, die Cassel hinter den Schlag gelegt hatte, an der Seite des Kopfes. Ohne einen Schreckensschrei oder einen leisen Seufzer stürzte er wie eine gefällte Eiche zu Boden und blieb spreizbeinig auf dem Kiesbett liegen.

Cassel stieg über den Bewußtlosen und hob die Waffe auf. Dann rannte er am Fahrbahndamm entlang auf die fernen Warenhäuser zu.

Von hinten war das näher kommende Summen eines Kuppelmobils zu hören. Cassel sah sich hastig um. Das Fahrzeug bremste. Ein einzelner Scheinwerfer richtete sich auf Cassel.

Cassel ließ sich auf den Boden fallen und suchte Schutz im Graben. Er hob die Waffe und richtete sie auf das Mobil. Der Abzugsfinger suchte den Druckpunkt und zog durch. Und noch einmal.

Es geschah nichts.

Cassel hob die nutzlose Waffe, um sie nach seinen Verfolgern zu werfen, da öffnete sich die Kuppel, und ein Kopf erschien.

„Du?" Er war sich nicht sicher, ob er seinen Augen trauen konnte. Nari grinste ihn an. „Steig ein! Schnell! Beeil dich!"

Cassel kletterte den Damm hinauf und warf sich in das Mobil. Seine Füße ragten noch ins Freie, als Nari schon den Motor anwarf.

14

Cassel hatte Schwierigkeiten, sich in der Enge der Kabine zurechtzufinden. Schließlich zwängte er sich auf den Sitz neben Nari. In der Ferne zerschnitten gelbgrüne Energiestrahlen die Luft. Wenn Cassel ein wenig Glück hatte, würden die WBF-Leute und Mazours Männer sich gegenseitig umbringen. Aber irgendwie mochte er nicht glauben, daß das Schicksal es so gut mit ihm meinen werde.

Ein warmes Lippenpaar preßte sich feucht auf Cassels Wange. Ein geräuschvolles Schmatzen war zu hören. Er drehte den Kopf. Nari warf ihm ein breites, selbstbewußtes Grinsen zu. Er blinzelte und faßte nach ihrer Schulter, um sich zu vergewissern, daß Nari wirklich da war und nicht eine aus seiner Angst geborene Halluzination. Ihr Lächeln wurde noch breiter.

„Das begreife ich nicht... Wo kommst du denn her?" Seine Fingerspitzen genossen die Wärme ihrer Haut. Sie wanderten über ihren Arm, erfaßten ihren Nacken.

Sein Verstand war noch immer nicht völlig bereit, ihre Gegenwart als einen Teil der Wirklichkeit zu akzeptieren. Als Cassel noch einmal hinter sich schaute, waren die Energiestrahlen der Kämpfenden mit den Lichtern der Stadt verschmolzen. Zitternd sank er in die Polster zurück.

„Bist du in Ordnung?" Mit besorgter Miene schaute Nari kurz zu ihm hinüber.

„Ja." Es machte ihm Schwierigkeiten, dies einzelne Wort über seine trockenen Lippen zu bringen. Er atmete gleichmäßig, um seine Ruhe wiederzugewinnen, und sah Nari an. „Wie bist du hierher gekommen?"

„Leutnant Ildre hat mir von der Polizei erzählt." Sie betätigte einige Knöpfe auf dem Steuerpult. „Als die Fähre gelandet war, habe ich mich bei der Polizei erkundigt. Sie wußten nichts von dir und deiner Verhaftung. Es gelang mir schließlich, mich bis zum Chefzimmer vorzuarbeiten", fuhr Nari fort. „Auch der Boß behauptete, noch nie von dir gehört zu haben. Also sagte ich mir: Irgend etwas stimmt hier nicht. Ich beschloß, eine Zeitlang den Hafen zu beobachten, um herauszufinden, ob man dich tatsächlich verhaftet hatte. Dann habe ich dich gesehen. Als sie dich ins Agrarexportamt brachten statt ins Polizeihauptquartier, habe ich mir einen Wagen beschafft und draußen gewartet. Ich habe beobachtet, wie du mit diesen Männern ein Mobil bestiegen hast, und bin euch gefolgt."

„Du hättest getötet werden können!" Mit plötzlich aufwallendem Zorn dachte Cassel daran, in welche Gefahr sie sich gebracht hatte. „Wie konntest du dich nur in diese Sache einmischen, Nari? Um Haaresbreite hätten sie dich erschossen!"

Sie schaute ihn an. In ihrer Miene spiegelten sich Verwirrung und Schmerz.

„Doron, was hat sich dort hinten abgespielt?"

„Ich weiß es nicht."

Sie sah ihn ungläubig an.

„Ehrlich, ich weiß es nicht", wiederholte er. „Nachdem sie mich vom *Tommy John* geholt haben, ist alles so schnell gegangen."

Der zweifelnde Ausdruck auf ihrem Gesicht blieb, aber sie drang nicht weiter in ihn.

– Das wäre ein Fehler, Jonal. Sie weiß jetzt schon zuviel. Sie können durch sie auf deine Spur kommen. Sie können sie zum Reden zwingen.

Der Mann im Schatten hatte recht. Cassel verstieß den Gedanken, Nari von Mazour und dem Angriff der WBF zu berichten. Nicht einmal einen zensierten Bericht durfte er ihr geben. Bei der Vorstellung, daß Nari einer der beiden Gruppen in die Hände fallen könnte, lief Cassel ein eiskalter Schauer über den Rücken. Je eher sie sich wieder trennten, desto besser war es für sie. Noch wußte sie gar nichts.

„Wohin fahren wir jetzt?" fragte er.

„In meine Wohnung."

„Auf keinen Fall! Setz mich irgendwo ab! Ich kann mir selbst einen Wagen mieten. Wenn wir zusammenbleiben, bringe ich dich nur in Gefahr."

„Tatsächlich?"

„Die Polizei – oder wer auch immer diese Männer waren – wird nach dir suchen, um mich zu erwischen. Ich möchte nicht, daß du in die Angelegenheit verwickelt wirst."

„Ich bin bereits darin verwickelt!" Sie deutete mit einem Kopfnicken auf eines der zahlreichen Einschußlöcher in der Kuppel, die an vielen Stellen von den Energiestrahlen perforiert worden war. „Es wird ihnen nicht schwerfallen herauszufinden, wer dich gerettet hat. Als ich den Wagen mietete, habe ich meine Kennkarte benutzt."

„Verdammt, verdammt, verdammt!" Cassel brüllte vor Zorn und Verzweiflung. Sie machte es ihm absichtlich schwer. Daß sie in Lebensgefahr schwebte, ignorierte sie offenbar.

„Nari, es ist besser, wenn wir es auf meine Art machen", sagte er mit leiser Stimme. „Setz mich an irgendeinem Halteplatz ab. Wenn ich dies alles hinter mir habe, dann werde ich . . ."

Er sprach den Satz nicht zu Ende. Er hatte sie bisher nicht belogen und wollte nun nicht damit beginnen.

„Wenn du es wirklich so willst." Sie biß sich auf die Unterlippe und starrte weiter geradeaus.

Ihre Finger glitten über das Steuerpult. Das E-Mobil wurde langsamer und bog in eine Ausfahrt ein. Einen Kilometer weiter brachte sie das Fahrzeug an einem Halteplatz zum Stehen. Vor ihnen stand ein leeres Mobil. Cassel öffnete die Kuppel, ergriff seinen Koffer und kletterte hinaus. Nari hielt ihn am Arm zurück. Er wandte sich ihr zu.

„Doron, so darfst du nicht gehen", flehte sie. „Du brauchst jemanden, der dir hilft. Wen kennst du denn schon in Kansas-C.-Plex?"

– Gore Enfor.

„Gore Enfor." Mechanisch wiederholte Cassel den Namen, den der Schattenmann ihm eingegeben hatte.

Nari blieb mißtrauisch. „Wer ist denn dieser Gore Enfor?"

Cassel wartete darauf, daß ihn der Schattenmann mit der notwendigen Information versorgte. Doch es kam kein Hinweis. Er versuchte seinen ratlosen Gesichtsausdruck vor Nari zu verbergen.

„Siehst du es jetzt ein? Du brauchst jemanden", stellte sie fest. „Und außer mir kennst du hier keinen Menschen. Bitte, Doron, laß mich dir helfen!"

„Nein!" Cassel riß sich los. „Du wärest mir im Weg. Am Ende würden wir beide getötet."

„Dann geh", sagte sie, nachdem er einen Schritt zurückgetreten war. „Aber du kannst mich nicht daran hindern, dir zu folgen."

Er fuhr herum. Ihre feinen Gesichtszüge waren von eiserner Entschlossenheit gezeichnet. Da holte Cassel tief Luft und goß eine Flut von Beschimpfungen und Verwünschungen über sie aus. Er gebrauchte jeden Kraftausdruck, der ihm in den Sinn kam, um auf diese Weise ein Quentchen Verstand in ihren Schädel zu hämmern. Nari saß abwartend hinter dem Steuerpult, ihr Gesichtsausdruck blieb unverändert.

„Ich werde dir dennoch folgen", erklärte sie, nachdem ihm die Luft ausgegangen war.

Cassel gab auf. Er winkte sie zu sich heran. Nari ergriff ihre zwei Reisetaschen, stieg aus dem Wagen und kletterte zu Cassel in das andere Mobil. Ohne sie eines Blickes zu würdigen, tippte Cassel die Koordinaten von Tulsaplex in das Steuerpult ein. Der Wagen setzte sich in Bewegung und bog in die nächste Einfahrt ein.

„Du weißt es doch, Doron Tem", sagte Nari, schmiegte sich an ihn und küßte ihn auf die Wange, „ich liebe dich."

Cassel starrte verbissen nach vorn, unfähig, diese drei Worte zu wiederholen. Hinter ihnen verschmolzen die Lichter des Kansas C.-Plex zu einem fahlen Glimmern.

Nach vier Kurzflügen, zehn Busfahrten und einer Unzahl von E-Mobil-Touren, nach kilometerlangen Fußmärschen und zwei schlaflosen Tagen und Nächten kehrten Nari und Cassel zum K. C.-Plex zurück. Sie hatten so viele falsche Spuren gelegt, daß Mazour und die Leute von der WBF mindestens eine Woche brauchen würden, um ihre Fährte wieder aufnehmen zu können. Unter dem Namen Raine stiegen sie in einem örtlichen Hotel ab. Dort blieben sie gerade so lange, bis Nari herausgefunden hatte, daß eine ihrer Freundinnen die Stadt für einen vierzehntägigen Urlaub verlassen hatte. Sie beschlossen, das Appartement dieser Frau zu beziehen.

„Ich weiß nicht, ob das eine gute Idee ist", bemerkte Cassel, nachdem sie die vier Räume der Wohnung sorgfältig untersucht hatten. „Sie können uns durch deine Freundin auf die Spur kommen."

„Du machst dir zu viele Sorgen." Naris Gesicht war blaß und eingefallen. In ihrer Stimme schwang eine unverkennbare Gereiztheit mit. „Meine Freunde und Bekannten an der Universität kennen Kara nicht, und sie ist ihnen auch noch nie begegnet. Wie sollte uns also hier jemand finden können?"

„Trotzdem, ich glaube, es wäre besser ..."

„Ich will nicht mit dir streiten." Nari war mit ihrer Geduld am Ende. Ihre Stimme zitterte. „Seit zwei Tagen habe ich niemals länger als zehn Minuten schlafen können. Wenn die Polizei hierherkommt, dann wird sie mich im Bett liegend finden."

Cassel beobachtete grimmig, wie Nari ins Schlafzimmer hinüberging und auf das Bett sank. „Ich habe dich nicht gebeten, mit mir zu kommen. Du mußtest ja unbedingt deine Nase in meine Angelegenheiten stecken."

Er folgte ihr ins Schlafzimmer. Sie antwortete nicht und öffnete nicht einmal die Augen, als er ans Bett trat. Trotz seines Ärgers ertappte Cassel sich dabei, wie er lächelte: Nari war fest eingeschlafen.

– Jetzt kannst du sie loswerden.

Cassel war zu erschöpft für ein Streitgespräch. Er beachtete den Schattenmann nicht. Er legte sich neben Nari auf das Bett und schmiegte sich eng an ihren warmen Körper. Seine bleiernen Lider schlossen sich wie von selbst. Der Mann im Schatten brüllte vor Empörung, doch Cassel hörte ihn nicht mehr, er versank in einen erholsamen Schlaf.

Es dauerte Stunden, bis er die schweren Decken zurückgeschoben hatte, sie lasteten wie ein Gewicht auf seinem Leib. Irgend etwas kitzelte ihn irgendwo. Mit wahrhaft herkulischer Anstrengung zwang Cassel seine Lider, sich zu öffnen, nachdem drei Versuche gescheitert waren. Dann blickte er ausdruckslos umher; er wußte weder, wie lange er geschlafen hatte, noch wo er sich befand. Nur eines war gewiß: daß Nari spielerisch an seinem Ohrläppchen knabberte.

„Aufgewacht?" flüsterte sie.

„Mhmmm ...", erwiderte er vielsagend.

„Wenn du schläfst, siehst du aus wie ein kleiner Junge." Sie war noch immer mit seinem Ohr beschäftigt. „Hast du das gewußt?"

„Ich fühle mich aber wie ein Mann, der soeben seinen hundertsten Geburtstag gefeiert hat." Er fuhr sich mit der Hand ins Gesicht, um den Schlaf fortzuwischen. Bartstoppeln stachen wie kurze Nadeln in seine Fingerspitzen. „Mein Gesicht fühlt sich an wie ein Brombeergestrüpp."

Er wälzte sich auf die Seite und schaute in das Gesicht eines Kobolds mit kastanienbraunen Haaren. Nari fuhr probeweise mit dem Finger über sein Kinn und runzelte die Stirn. Dann drückte sie ihm einen Kuß auf die Lippen. Plötzlich drängte sie sich an ihn, mit einem Hunger und einer Leidenschaft, wie sie sie an Bord des *Tommy John* nie besessen hatte.

„Ich liebe dich", murmelte sie sanft, als er in sie drang.

Cassel rückte von dem kleinen Tisch ab, dessen Platte von den Resten eines üppigen Frühstücks übersät waren. Nari musterte ihn über den Rand ihrer Kaffeetasse. Es war an diesem Morgen die dritte, die sie trank. Am Körper trug sie ein durchscheinendes Gewand, das sie in einem Schrank gefunden hatte. Das hauchfeine Gewebe verbarg ihre Nacktheit kaum.

Cassel lächelte. Er erinnerte sich an ihre erste Begegnung auf dem Frachter. Oftmals erwies sich ein erster Eindruck als falsch. Nari war mehr als attraktiv – sie war schön. An diesem Morgen, so strahlend und lebendig, war sie die schönste Frau, die er je gesehen hatte.

Einen Moment lang tauchte Ailsas Bild vor seinem inneren Auge auf, dann verging es wieder. Cassel lächelte mild. Er verspürte keine Furcht, kein Schuldgefühl. Die Zeit und Nari hatten das Gespenst aus seinem Kopf vertrieben. Was vergangen war, war vergangen, es gehörte in das Reich der Erinnerungen.

„Fühlst du dich jetzt wohler?" Nari stellte die Kaffeetasse auf dem Tisch ab.

„Besser als ich sollte." Cassel nickte eifrig. „Ich könnte fast vergessen, daß es zwei Banden von Wahnsinnigen gibt, die auf der Suche nach mir sind."

Naris Miene wurde ernster, aber sie sagte nichts. Sie schob den Tisch zurück, stand auf und räumte ihre Frühstücksreste fort.

„Nun?" fragte Nari, als er mit dem Teller in der Hand neben sie ans Buffet trat. „Was machen wir nun?"

„Mir wäre es lieber, du würdest nicht ‚wir' sagen", erwiderte er. „Ich darf es nicht zulassen, daß du noch tiefer in die Sache hineingezogen wirst."

„Das haben wir doch alles schon einmal besprochen." Ihre Stimme war von unerschütterlicher Entschlossenheit. „Wir verschwenden nur unsere Zeit, wenn wir jetzt noch einmal von vorn anfangen. Es hat sich nichts geändert."

„Vielleicht überlegst du es dir noch einmal, wenn ich dir die volle Wahrheit über mich gesagt habe." Das hatte sie verdient, sagte er zu sich. Sie hatte ein Recht, alles zu erfahren.

– Tu's nicht, Jonal. Das kannst du dir nicht leisten. Du mußt sie endlich loswerden und dich auf die Suche nach Yerik Belen machen.

„Zum Beispiel, daß du nicht Doron Tem bist?" Sie schaute ihn mit eisiger Gelassenheit an.

Cassel zuckte zusammen, als ob ihn ein Schlag getroffen hätte. In seinem Kopf heulte der Schattenmann etwas Unverständliches.

„Doron Tem oder Jonal Cassel", fuhr Nari fort, „der Name spielt keine Rolle. Ich rede von dem Mann, den ich liebe."

„Du weißt ...?" murmelte Cassel.

„Seit ich dich an Bord des *Tommy John* gehen sah", antwortete sie mit einem Kopfnicken. „Ich habe dir erzählt, daß ich auf Tula gewesen bin. Auch ein Kurzurlauber hätte dich auf dem Holoschirm gesehen. Ich hatte mir vorgenommen, dich zu interviewen, doch dann wurde deine Frau ..."

Sie brach ab und blickte zu Boden.

Er packte ihre Hand und drückte sie. „Warum hast du mir nichts davon gesagt?"

„Ach, verdammt! Warum hast *du* mir nichts gesagt?" Ihre Augen füllten sich mit Tränen. „Kannst du das nicht verstehen? Ich wußte, daß ich in einen Wettstreit mit deinen Erinnerungen treten mußte. Ich habe dich nicht gebeten, dich in mich zu verlieben. Während unserer ersten Nacht habe ich die ganze Zeit gefürchtet, daß sie es ist, die du liebtest, daß ich nur ..."

Er nahm sie in die Arme und drückte sie an sich. Sie sprach zusammenhanglose Worte, stammelte unverständliche Sätze. Als sie geendet hatte, hielt sie sich zitternd an ihm fest.

„Ich habe Ailsa geliebt." Er hob mit einem Finger ihr Kinn empor und küßte es. „Sie war in mir immer noch lebendig, als wir uns begegneten. Du hast mir geholfen, darüber hinwegzukommen. Wenn ich mit dir zusammen war, habe ich immer dich gemeint und niemals Ailsa."

Sie sah ihn aus feuchten Augen an. „Bist du dir dessen sicher?"

Er nickte stumm und küßte sie noch einmal.

„Ich liebe dich, Jonal Cassel. Ich liebe dich."

Worte und Gefühle, die er sich bis dahin nicht eingestehen wollte, brachen sich jetzt einen Weg durch seine sorgsam errichteten Schutzwälle. Sie zersprengten die Wände der Zurückhaltung und drängten an die Oberfläche. Gegen seinen Willen hörte er sich die Worte sagen: „Ich liebe dich."

– Das war dumm, Jonal, sehr dumm!

„Das weiß ich." Nari zog seine Hand an ihre Lippen. „Darum habe ich auch durchgehalten. Ich habe darauf gewartet, daß du es dir selber eingestehst."

Er lächelte. „Vielleicht begreifst du jetzt, warum ich dich aus dieser Sache heraushalten will?"

„Ich weiß ja nicht einmal genau, in welcher Sache ich eigentlich stecke", erwiderte sie.

Cassel geleitete sie ins Wohnzimmer. Er setzte sich neben sie auf das Sofa und erzählte ihr alles. Mit Ailsas Ermordung begann er seinen Bericht. Während er sprach, beobachtete er Naris Gesicht. Es befand sich in dauernder Veränderung. Schrecken, Verwirrung, Ungläubigkeit, Erstaunen und Zweifel prägten ihre Miene bei jeder neuen Wendung, die die Geschichte nahm. Ohne ihn ein einziges Mal zu unterbrechen, hörte Nari ihn bis zum Ende an.

„... und an dieser Stelle kommst du ins Bild", schloß Cassel seine Schilderung.

Nari erhob sich ohne ein Wort, ging in die Küche und kehrte mit zwei gefüllten dampfenden Kaffeetassen zurück. Sie setzte sich wieder neben Cassel nieder, nippte nachdenklich an ihrer Tasse und schwieg.

Nach einer geraumen Weile wandte sie sich an Jonal: „Dieser Schattenmann, gibt es ihn immer noch?"

„Gerade eben hat er zu mir gesagt, daß ich ein Narr bin, weil ich dir alles erzählt habe", erklärte er mit einem verlegenen Grinsen.

„Eine Sache an diesem Schattenmann ist mir besonders aufgefallen", erklärte Nari. „Er scheint dein einziger Verbündeter zu sein. Ich glaube, wir sollten versuchen, diesen Yerik Belen zu finden."

„*Ich* werde Yerik Belen suchen", berichtigte er sie.

„Erinnerst du dich noch an das, was du mir über das Risiko gesagt hast? Ich kann frei entscheiden, ob ich das Risiko eingehen will. Du hast gar keine Wahl. Und *ich* sage: Ich will das Risiko eingehen."

Sie warf ihm ein süßes Lächeln zu, doch ihre Miene war von der Entschlossenheit geprägt, die er in den letzten Tagen kennengelernt hatte. Er beschloß, zunächst einmal nachzugeben, und zuckte die Achseln.

„Gut", sagte sie. „So, und nun, nachdem wir das geklärt hätten, was tun wir jetzt?"

„Ein Computer", erwiderte er. „Ich muß unbedingt Zugang zu einem Datenspeicher bekommen. Wie soll ich sonst Nachforschungen über Belen und Zivon anstellen? Welcher Computer hier in der Stadt kommt für mich in Frage?"

„Das hängt davon ab." Sie dachte einen Augenblick lang nach. „Der Uni-Computer, würde ich sagen. Alle Fakultätsmitglieder können ihn benutzen. Ich kann dir den Zugang verschaffen."

„Kommt überhaupt nicht in Frage!" wehrte er ab. „Wahrscheinlich hat Mazour seine Leute überall auf dem Campus verteilt, und sie warten nur darauf, daß einer von uns dort auftaucht."

„Tja, das nächste, was mir einfällt, wäre das städtische System", sagte sie, nachdem sie eine Minute nachgedacht hatte. „Kara hat einen eigenen Anschluß."

Nari deutete auf ein geschlossenes Fach in der Schrankwand. Cassel sprang sofort auf, doch dann blieb er stehen. Auf Tula hatte er es seinen Verfolgern zu leicht gemacht, als er seinen privaten Computeranschluß benutzte. In diese Gefahr wollte er sich nicht noch einmal begeben.

„Wie ist es mit öffentlichen Anschlüssen?"

„Die meisten Hotels verfügen über einen Anschluß, den die Gäste benutzen können", antwortete Nari. „Dann wären da noch die Regierungsgebäude, die Bibliothek ..."

„Die Bibliothek!" unterbrach sie Cassel. Es war riskant, wenn sie sich in die Öffentlichkeit wagten, aber die Hotels wurden vermutlich ebenfalls bereits von Mazours Leuten überwacht. „Ich glaube, in der Bibliothek wären wir relativ sicher."

„Auf dem Rollsteig dauert es ungefähr eine halbe Stunde", sagte Nari. „Von mir aus können wir aufbrechen, sobald ich mich angezogen habe."

Sie ging ins Schlafzimmer und winkte ihn durch die offene Tür zu sich heran. Cassel stand auf, folgte ihr und sah ihr dabei zu, wie sie einige Kleidungsstücke ihrer Freundin auf dem Bett ausbreitete.

„Nari, kann ich denn gar nichts tun oder sagen, damit du es dir noch einmal überlegst?"

„Nein", sagte sie. Damit streifte sie ihr Nachthemd ab und zog eines von Karas Kleidern über den Kopf.

Cassel mußte sich eingestehen, daß er einen gewissen Stolz dabei empfand, diese Frau an seiner Seite zu wissen.

Cassel wartete draußen vor der Zelle, während Nari ihren umfangreichen Notizen ein paar weitere Zeilen zufügte. Der Bildschirm erlosch, wurde dunkel und grau. Nari wandte sich der Tür zu, entdeckte Cassel und lächelte. Dann stieß sie die Zellentür auf und stieg hinaus.

„Nun?" fragte sie. „Wie ist es gelaufen?"

„Draußen." Cassel ergriff sie beim Arm und zog sie zum Ausgang der Stadtbibliothek. „Wir waren zu lange hier drin. Wenn jemand die Computeranfragen aufzeichnet, dann hatte er genügend Zeit, uns zu lokalisieren."

Ihre Schritte hallten durch den geräumigen Saal, an dessen Wänden die Reihen der öffentlichen Anschlußzellen standen. Nachdem sie die Treppe des Gebäudes hinter sich gelassen hatten, musterte Cassel so unauffällig wie möglich (er wollte Nari nicht beunruhigen) die vorübergehenden Passanten. Trotz seiner nie erlöschenden Paranoia fand er kein Anzeichen dafür, daß sie verfolgt wurden.

„Hast du Glück gehabt?" Nari schmiegte sich beim Gehen an ihn.

„Nein, das kann man nicht behaupten", antwortete er. „Nichts über Yerik Belen, Mazour oder Jonal Cassel. Die Informationen über Zivon waren mäßig."

„Mir ging es genauso. Das Amt für Agrarexport wurde geschaffen, als die Einheitsregierung mit der Kolonisation der Planeten begann. Als sich das Gewicht des Handels verlagerte und die Erde mehr von den Kolonien importierte, als sie ausführte, hätte man das Amt eigentlich verkleinern oder abschaffen können. Aber das geschah nicht. Seine Befugnisse wurden im Gegenteil immer weiter ausgedehnt. Eigentlich ist seine Bezeichnung irreführend, denn inzwischen wickelt es den gesamten Im- und Export der Erde ab."

„Zivon arbeitet offenbar eng mit dem Amt zusammen", sagte Cassel nachdenklich. Er ging davon aus, daß Zivon sich die gewaltige Organisationsstruktur des Amtes zunutze machen konnte. Wie hätten diese Leute sonst so gut über alle Aktivitäten eines einzelnen Individuums Bescheid wissen können? „Was aber will Zivon ausgerechnet von mir? Ich hatte niemals mit Tulas Export zu tun."

„Vielleicht exportiert Zivon irgend etwas – etwas Wichtiges. Und nun befürchtet man, daß man von diesen Waren abgeschnitten ist, wenn Tula unabhängig wird. Vielleicht hat man dich als Bedrohung empfunden, weil du der Führer der Autonomiepartei warst."

„Das kann ich mir nicht vorstellen. Holz ist Tulas Hauptexportgut, dazu kommen einige Nahrungsmittel."

„Jedenfalls sollten wir die Möglichkeit näher untersuchen, ehe wir uns etwas anderem zuwenden."

„Ich bin den Antworten keinen Schritt näher gekommen. Ebensogut hätte ich auf Tula bleiben können." Cassel gab sich keine Mühe, seine Enttäuschung zu verbergen. „Es kann um Tulas Export gehen, es kann sich aber auch um einen schlichten Fall von Bestechung handeln – vielleicht zahlt Zivon Schmiergelder an ein paar Leute im Exportamt. Alles mögliche kann dahinterstecken. Wenn wir uns Gewißheit verschaffen wollen, müssen wir die Datenbänke Zivons und des Exportamtes durchsuchen. Nehmen wir einmal an, es gelänge uns, uns Zugang zu diesen Informationen zu verschaffen. Dann würde es Jahre dauern, bis wir auf das Gesuchte stießen. Wenn es sich nur um kleinere Unregelmäßigkeiten handelt, würden wir sie vermutlich niemals aufspüren."

„Also müssen wir bei dir anfangen", erwiderte Nari, „oder bei Yerik Belen, falls wir ihn finden."

„Immer vorausgesetzt, daß ich nicht wahnsinnig bin", sagte Cassel, während sie auf ein anderes Band umstiegen, das sie in die Nähe von Karas Wohnung befördern sollte.

„Ich habe die Liste der Mordopfer überprüft, die dir der Schattenmann gab", berichtete Nari. „Jeder Todesfall war in den Computern registriert."

„Aber über irgendwelche Verbindungen zwischen dem Schattenmann, meinen Träumen und Zivon oder gar dem Amt für Agrarexport sagt das nichts aus", erwiderte Cassel. Er sagte Nari nicht, daß er ebenfalls die Anschläge noch einmal abgerufen hatte. „Hast du irgend etwas über die Vereinigte Weltbefreiungsfront herausbekommen? Vielleicht finden wir dort einen Ansatzpunkt?"

„Das ist eine kleine, radikale Gruppe, die sich vor zehn Jahren von der Widerstandsbewegung gegen die Welteinheitsregierung abgespalten hat." Nari zählte die politischen Vorgänge und Ereignisse auf, mit denen sich die Befreiungsfront in den letzten Jahren auseinandergesetzt hatte. Die Liste reichte von der Gesetzgebung für medizinische Klonverfahren bis zur terranischen Siedlungspolitik im All.

„Die Front verkündet zwar lautstark, daß es ihr um die Freiheit des einzelnen ginge, und sie gibt sich progressiv, aber in Wahrheit handelt es sich um eine stockreaktionäre Gruppierung, die die Einheitsregierung abschaffen und zu den alten Nationalstaaten zurückkehren will", erläuterte Nari. „Um ihre Ziele durchzusetzen, hat die VWBF oder auch WBF schon mehrfach zu gewalttätigen Mitteln gegriffen. Dreimal hat die Polizei bereits verkündet, daß es ihr gelungen sei, die Organisation zu zerschlagen. Jedesmal hat sich die Bewegung kurz nach einer solchen Ankündigung neu formiert."

„Aber warum sind sie hinter mir her?" Cassel sah Nari fragend an. „Ich verstehe nicht, was die Front mit dieser Sache zu tun hat."

„Mazour hat gesagt, daß sie dich benutzen wollen, um das Amt bloßzustellen", erinnerte ihn Nari.

„Welches Amt mag er gemeint haben? Das für Agrarexport?" erwiderte Cassel heftig. Er war es leid, ständig auf neue Fragen zu stoßen

118

und nie eine Antwort zu finden. „Oder hat Mazour vielleicht von einer anderen Behörde gesprochen?"

„Woher soll ich das wissen? Aber ich tippe auf das Exportamt. Warum, kann ich allerdings auch nicht sagen." Nari dachte ein paar Sekunden lang nach. „Da war noch etwas: Das Amt wird von einer Frau Pao Santis geleitet."

„Santis! Mazour hat am Visiophon mit einer Frau Santis geredet!" Ein ungreifbarer, flüchtiger Gedanke huschte durch Cassels Kopf, eine lang verschüttete Erinnerung, die er nicht zu fassen bekam. „Hast du etwas über sie herausgefunden?"

„Nicht viel", begann Nari. „Sie ist sechzig Standardjahre alt ..."

Cassel speicherte alle Informationen, die Nari lieferte, in seinem Kopf: Die Santis hatte ihr Leben lang als Beamtin in verschiedenen Regierungsstellen gearbeitet. Vor zwanzig Jahren war sie in das Amt für Agrarexport eingetreten, sie hatte sich an seine Spitze emporgedient und leitete es nun seit zehn Jahren.

„... sie muß über alles Bescheid wissen", schloß Nari ihren Bericht. „Wieso sind wir nicht früher darauf gekommen? Wenn wir sie aufspüren, wird sie uns auf alle Fragen eine Antwort geben können."

„Welche Chance haben wir, näher als einen Kilometer an diese Frau heranzukommen?"

„Hast du einen besseren Vorschlag?"

„Gore Enfor", erwiderte Cassel. „Der Schattenmann hat mir diesen Namen eingegeben, als du mich fragtest, ob ich irgend jemanden im Kansas-C.-Plex kenne. Ich habe ihn mit dem Computer überprüft. Es gibt einen Gore Enfor, er ist Besitzer eines Traumpalastes."

„Und nun willst du nach ihm suchen?" Sie starrte ihn ungläubig an.

„Das erscheint mir weniger gefährlich, als um einen Termin bei Frau Santis zu bitten."

„Was könnte ein Traumpalastbesitzer mit dir zu tun haben? Kennst du ihn etwa?"

„Nein. Aber der Schattenmann hat seinen Namen genannt. Dieser Enfor könnte uns zu Yerik Belen führen."

Nari war nicht überzeugt, aber sie stimmte schließlich zu, denn sie sah ein, daß die Suche nach Gore Enfor weniger gefährlich sein würde. „Wir werden ihm also einen Besuch machen?"

„Ja, und danach verlassen wir die Stadt. Aus dem Appartement sollten wir lieber jetzt gleich ausziehen. Wir haben uns schon zu lange an einem Ort aufgehalten."

„Ist das wirklich nötig?" Nari zog einen Schmollmund. „Ich fand Karas Wohnung recht gemütlich."

„Wir holen unsere Sachen, dann gehen wir zu Enfor", erwiderte Cassel, der das Thema nicht länger erörtern wollte. „Was wir danach tun, hängt davon ab, was Enfor uns zu bieten hat."

„Wollen wir nicht vorher noch etwas zu essen einkaufen? Wir haben seit dem Frühstück nichts mehr zu uns genommen, und jetzt ist es schon fast sechs Uhr abends." Sie deutete auf ein Restaurant, an dem sie eben vorübergingen.

Cassel ergriff ihren Arm und geleitete sie in das Lokal. „Essen wir gleich hier", schlug er vor. In der Gaststube saßen nur zwei Personen. Cassel suchte einen Tisch am Fenster aus und steckte einige Standards in den Bedienungsautomaten. Einige Minuten später schoben sich zwei Tabletts mit Kaffee und Sandwiches aus dem Essensausgabefach.

Nari hob die Tasse und spülte den letzten Bissen ihres Sandwiches hinunter. „Wenn wir Belen finden, was wird dann?"

„Vielleicht kann er uns auch auf diese Frage eine Antwort geben", entgegnete Cassel. Er wußte, daß Nari etwas anderes von ihm hören wollte, aber das hatte er nicht zu bieten. Er hatte noch nie darüber nachgedacht, was nach Yerik Belen kommen könnte.

„Wenn wir dies alles einmal hinter uns haben, wirst du dann nach Tula zurückkehren?" Nari nahm einen neuen Anlauf.

„Das weiß ich noch nicht." Tula schien mehr als Lichtjahre fern zu sein. Vor drei Monaten noch hatte der Planet für ihn das ganze Leben bedeutet. Jetzt gestand er sich ein, daß ihm nichts daran lag, jemals wieder den Boden jener Welt zu betreten.

„Wirst du auf der Erde bleiben?"

„Das liegt im Moment alles so fern, Nari." Ärger schwang in seiner Stimme mit, so sehr er sich auch bemühte, ihn zu verbergen. Er liebte die Frau, die ihm dort am Tisch gegenübersaß. Doch genauso real wie seine Liebe war, so klar wußte er auch, daß es in seinem Leben jetzt keinen Platz für diese Liebe gab. „Ich muß Yerik Belen finden, das heißt, wenn Mazour und die WBF mich so weit kommen lassen. Was danach geschehen wird, weiß ich nicht."

Der Schattenmann hatte wieder einmal recht behalten: Cassels wachsende Liebe zu Nari, die Angst um ihr Leben, trugen nur dazu bei, eine ohnehin verwickelte Situation weiter zu verwirren. Ob es ihm gefiel oder nicht – er mußte sich von ihr trennen. Nur seine Selbstsucht hatte das bisher verhindert.

„Rush-hour", sagte Nari und deutete mit dem Kopf auf den dichten Strom der vorüberziehenden Passanten. „Es ist schon spät. Wir sollten jetzt besser zum Appartement zurückgehen."

Die Rush-hour, dachte Cassel, während sie im Strom der menschlichen Leiber trieben. Chaos und Massenpsychose – hatte Cassel das alles vergessen? Er besann sich jetzt an die Gedanken, die ihm beim Betrachten des Schichtwechsels auf Tula durch den Kopf gegangen waren. Er spürte, wie der Wahnsinn des Erdenlebens ihn von allen Seiten bedrängte, ihn zu ersticken drohte. Voller Angst dachte er an Flucht – nur heraus aus diesem Mahlstrom, der ihn mit sich reißen wollte.

„He, hier müssen wir absteigen!" Nari zupfte ihn am Jackenärmel.

Sie verließen den Rollsteig. Vor ihnen erhoben sich drei gigantische Rundtürme aus Beton und Stahl. Im hintersten Gebäude befand sich Karas Wohnung. Als sie das Appartement am Vormittag verlassen hatten, waren die Straßen vor den Wohntürmen menschenleer gewesen, nun waren sie übersät von heimkehrenden Arbeitern und Angestellten. Cassel musterte die Passanten mit einem prüfenden Blick.

Sie waren noch fünf Meter vom Haus entfernt, als Cassel ihn entdeckte: Mazour stand in der Eingangshalle vor einer gläsernen Schiebetür. Cassel packte Naris Arm und riß sie zurück.

„Mazour!" Er zerrte sie hinter sich her, in Richtung auf den Rollsteig. „Schnell, bevor er uns bemerkt!"

„Aber unser ganzes Geld liegt oben in der Wohnung!" protestierte sie.

Cassel ging mit langen Schritten, dann begann er zu laufen, ohne Nari loszulassen. Mit der freien Hand klopfte er auf die Manteltasche. Wie gut, daß er daran gedacht hatte, seine halbe Barschaft mitzunehmen.

„Cassel! Stehenbleiben!" brüllte eine Stimme hinter ihnen. „Sie entkommen uns nicht!"

Cassel riskierte einen schnellen Blick über die Schulter. Mazour stand jetzt vor der Eingangstür, eine Pistole mit nadelspitzem Lauf in der rechten Hand. In der linken hielt er ein kleines Sprechgerät, das er soeben an die Lippen hob.

Cassel beschleunigte sein Tempo. Das Herz pochte ihm in den Schläfen, sein Atem flog. Aus den Augenwinkeln sah er, daß Naris Gesicht von Furcht und Schrecken gezeichnet war.

„Schneller!" drängte er. Seine Finger krallten sich fester um ihren Arm.

Von links trat ihnen ein Mann in Geschäftsmannskleidung entgegen. Er griff in die Manteltasche und riß eine Pistole heraus. Von rechts stürzten zwei weitere Männer heran, die ihre Waffen bereits in den Händen hielten.

„Renn, Nari!" brüllte Cassel. „So schnell du kannst. Wir müssen es bis zum Rollsteig schaffen!"

Sie stieß einen leisen Schreckenslaut aus, als er sie mit sich riß, und versuchte verzweifelt, mit ihm Schritt zu halten.

– Runter!

Cassel wagte nicht, dem Schattenmann zu widersprechen. Er schlang den Arm um Naris Hüften und ließ sich aufs Pflaster fallen. Knie und Ellenbogen brannten wie Feuer, als er über den Boden rutschte. Über sich sah er die Helligkeit des Energiestrahls, bevor er das charakteristische Knistern hörte.

Eine Frau schrie auf.

In einem Reflex hob Cassel den Kopf. Er sah eine Blondine, die plötzlich in der Bewegung erstarrte. Dann stürzte sie wie eine Marionette, deren Fäden jemand durchtrennt hatte, auf die Straße.

Nari wimmerte leise. Cassel spürte einen heftigen Würgreiz in der Kehle.

„Nicht schießen, ihr Trottel!" Mazours Stimme drang durch den anschwellenden Lärm. „Ich will sie lebendig haben!"

– Los, hoch! Und dann rennt, so schnell ihr könnt!

In Cassels Ohren dröhnten hastige Schritte. Er verschwendete keine Zeit damit, sich umzuschauen. Nari mit sich reißend, sprang er auf und rannte auf den Rollsteig zu.

Vor ihnen verließ eine Gruppe von Menschen das Band und verteilte sich. Nur ein Mann blieb zurück und verstellte den Fliehenden den Weg. Seine Lippen verzogen sich zu einem breiten, höhnischen Grinsen. Ord! Cassel fluchte. Da stand der Mann, dem er während des WBF-Angriffs entkommen war.

„Schnell, Nari, schnell!" Cassel ließ ihren Arm los. „Zum Rollsteig!"

– Jonal, stell dich nicht so dumm an! Der wartet doch nur auf dich. Weich ihm aus, überlaß ihm die Frau!

Cassel hörte nicht hin. Er hielt genau auf den einzelnen Mann zu, der seinen Weg blockierte. Ords Grinsen wurde noch breiter. Mit einer einladenden Geste spreizte er die Arme.

Cassels Beine stampften in einem rasenden Tempo. Im allerletzten Augenblick senkte er den Kopf und streckte die rechte Schulter vor. Er stöhnte laut, als er gegen die Wand aus menschlichem Muskelfleisch prallte. Ord stieß einen Laut aus, in dem sich Schmerz und Verwunderung mischten. Cassels Schulter hatte genau den Solarplexus des Riesen getroffen.

Als Knäuel aus wirbelnden Armen und Beinen gingen sie zu Boden. Cassel rollte herum und kam wieder auf die Füße. Nari war bei ihm, sie riß ihn hoch. Sie zerrte an seinen Armen und schrie.

Cassels Schädel dröhnte noch von der Wucht des Zusammenpralls. Halb besinnungslos stolperte er hinter Nari her.

„Der Rollsteig!" schrie er immer wieder. „Wir haben es geschafft!"

Cassel sprang auf das gleitende Band und hatte Schwierigkeiten, sich auf den Beinen zu halten. Bevor er das Gleichgewicht wiedergefunden hatte, stieß Nari ihn vorwärts. Sie erreichten die chaotische mittlere Bahn, stießen alle menschlichen Hindernisse rücksichtslos aus dem Weg und rannten und rannten ...

15

Die Nacht hatte sich über den Kansas-C.-Plex gesenkt. Vor ihnen überstrahlten die bunten Lichter des Jahrmarkts die Sterne. Hinter ihnen funkelte das Meer der Straßenlampen. Eine kühle Herbstbrise strich über das Land und verkündete die drohende Ankunft des Winters.

Cassel und Nari saßen auf einer Bank mitten im Getriebe des Vergnügungsparks. Seit drei Stunden waren sie jetzt auf der Flucht. Auch nachdem sie Mazours Männer nicht mehr sehen konnten, hatten sie es nicht gewagt, auch nur für eine kurze Weile stehenzubleiben. Wie Elektronen im Strom hatten sie sich von der schützenden Menschenmenge mitreißen lassen.

Das Netzwerk der Rollsteige hatte sie schließlich zum Vergnügungspark gebracht. Umgeben vom Heer der nächtlichen Herumtreiber und den bunten Lämpchen der Buden und Stände genossen sie einen Moment relativer Sicherheit.

„Das ist alles wirklich geschehen, nicht wahr?" murmelte Nari.

Cassel nickte, dabei suchte er weiter nach Mazour.

„Was in der Nacht am Raumhafen und auf der Autobahn geschehen ist ... Das ist alles so schnell gegangen, daß ich gar keine Zeit zum Nachdenken hatte ... Ich bin nicht dazu gekommen, mich zu fürchten." Sie sprach zusammenhanglos und abgehackt. „Es erscheint mir wie ein

Abenteuer. Ich wußte, daß ich in Gefahr war. Aber worin diese Gefahr bestand, ist mir nie recht klar geworden. Jonal ... jetzt habe ich Angst."

Er legte den Arm um ihre Schultern und zog sie eng an seine Seite. Er hatte ihr nicht viel Trost zu bieten, aber ihre Wärme, ihre Nähe halfen, die Furcht in seinem Innern zu lindern.

„Was tun wir jetzt?" Als sie ihn anschaute, entdeckte er die Unsicherheit, die in ihren Augen lag.

„Gore Enfor", erwiderte Cassel knapp.

„Wenn aber dieser Gore Enfor nicht der Gore Enfor des Schattenmanns ist?"

„Das werden wir sehen, wenn es soweit ist."

„Jonal, wir sind so völlig schutzlos. Wenn wir doch eine Waffe hätten und uns zur Wehr setzen könnten! Wenn wir ..."

Er legte einen Finger auf ihre Lippen. Dabei sprach er ein stilles Dankgebet. Er war froh darüber, daß er keine Pistole besaß. Es war ihm klar, daß er sie beim Angriff der WBF-Leute und auch an diesem Abend benutzt hätte. Es waren schon zu viele Menschen gestorben. Er wollte keine weiteren Toten zu dieser Liste hinzufügen.

Er faßte Nari um die Hüften und half ihr beim Aufstehen. Einen Moment lang sahen sie einander in die Augen, dann bahnten sie sich einen Weg durch die Menge.

Traumpalast – der Name beschwört Bilder von einem Ort schäbiger Pracht in der schmutzigen Umgebung der Elendsquartiere herauf. Man denkt unwillkürlich an einen schummrigen Raum, in dem erbärmlich aussehende Kunden hocken, leise in sich hinein murmelnd und ängstlich den Blicken der anderen ausweichend.

Auf den *Goldenen Traum* träfe diese Beschreibung ganz und gar nicht zu.

Er befand sich in einem Stadtviertel, das Nari als das wohlhabendste des ganzen Kansas-C.-Plexes bezeichnete. Die Örtlichkeit selbst roch förmlich nach Geld, nach frischen, knisternden Standardnoten. Die Eingangstür war aus Mahagoni, geschmückt mit Reliefschnitzereien, die allerlei Blumenmotive darstellten. Wenn man sie öffnen wollte, mußte man mit der Hand an einem glänzenden Messingknopf drehen. Eine geradezu klassische Vorrichtung, vor einigen Jahrhunderten war sie weit verbreitet gewesen. Im Innern des „Palastes" hing der schwache Duft eben erblühter Blumen in der Luft, echter Blumen. Es war keineswegs das übliche künstliche Aroma aus einem Duftspender.

Cassel und Nari traten, nachdem sie die kurze Treppe hinter sich gelassen hatten, auf einen Teppich, der so dick war, daß sie bis zu den Fußknöcheln in ihn einsanken. Die Eingangshalle war bis zur Decke mit Palisanderplatten getäfelt. Vor der Täfelung hingen mehrere Wandteppiche und Gemälde, sämtlich Kunstobjekte, die einer längeren Betrachtung wert gewesen wären. Sessel, Sofas und eine Menge unterschiedlicher Topfpflanzen waren über die gesamte Halle verteilt. Eine ganze Armee hätte auf diesen Möbelstücken Platz nehmen können, und dennoch verloren sie sich in diesem riesenhaften Raum.

„Kann ich Ihnen behilflich sein?" Aus weiter Ferne schwebte eine flüsternde Stimme zu ihnen heran.

Cassel sah sich suchend nach allen Seiten um und entdeckte schließlich einen Mann in silbergrauem Anzug, der hinter einem massiven hölzernen Schreibtisch an der fernen Stirnwand der Halle saß. Der Mann hatte sich erhoben und winkte sie nun zu sich heran. Neben dem Schreibtisch, von schweren Vorhängen halb verdeckt, war ein Durchgang zu den hinteren Räumen zu erkennen.

Die Atmosphäre des Wohlstands blieb auf Cassel nicht ohne Wirkung. Er ergriff Nari bei der Hand und steuerte den Empfangstisch an.

„Gestatten Sie, daß ich mich vorstelle, Istory." Der Mann sprach mit leiser, wohlklingender Stimme und lächelte freundlich. „Sie sind zu einer Séance gekommen, Herr …?"

– Throm Hammille.

„Throm Hammille." Ohne nachzudenken, wiederholte Cassel den Namen, den der Schattenmann genannt hatte. Nari sah ihn überrascht an, sagte jedoch nichts.

„Herr Hammille." Istory murmelte leise den Namen, während er in einem Kalender auf dem Schreibtisch blätterte. „Es tut mir leid, Herr Hammille, ich kann keinen Termin für Sie entdecken."

„Ich habe auch keinen Termin", entgegnete Cassel. „Ich würde gern …"

„Ich bedaure es sehr." Istory unterbrach ihn, bevor er seinen Satz beenden konnte. „Aber im Goldenen Traum ist es üblich, daß man sich mindestens drei Tage vor der Séance einen Termin geben läßt. Ich hoffe Sie verstehen, daß wir diese Frist benötigen, um zur vollen Zufriedenheit unserer Kundschaft arbeiten zu können. Wenn Sie sich für eine Séance interessieren, kann ich eine Unterredung mit einem Berater arrangieren. Ich werde Herrn Portales hierher rufen. Er ist gerade frei."

Es fiel Cassel nicht leicht, den Redefluß zu unterbrechen: „Ich bin nicht wegen einer Séance gekommen. Ich will mit Gore Enfor sprechen. Wenn Sie ihn bitte rufen lassen könnten …"

„Herr Enfor befindet sich zur Zeit in einer geschäftlichen Besprechung." Istorys Tonfall hatte etwas von seiner ausgesuchten Höflichkeit verloren. Sein Gesicht nahm einen ungeduldigen Ausdruck an. „Er hat mich angewiesen, ihn auf keinen Fall zu stören. Ich kann jedoch versuchen, für morgen einen Termin für Sie zu bekommen, wenn Ihnen das weiterhilft."

„Nein, das hilft mir nicht", erklärte Cassel mit fester Stimme. „Ich muß heute abend noch mit ihm sprechen. Bestellen Sie ihm bitte, daß Throm Hammille auf ihn wartet."

„Es tut mir leid, Herr Hammille, aber …"

„Sagen Sie es ihm. Oder ich werde ihn suchen und es ihm selber sagen. Dann werden Sie sich einen neuen Job suchen müssen!" Cassel hatte Mühe, seinen aufkeimenden Zorn zu unterdrücken. „Ich bin nämlich der Mann, mit dem er für heute abend verabredet ist!"

„Einen Augenblick, bitte."

Istory verschwand hinter den schweren Vorhängen.

„Throm Hammille?" Nari hob mißtrauisch eine Augenbraue.

„Der Schattenmann", erwiderte Cassel mit einem Achselzucken. Sein Blick wanderte über die Empfangshalle. „Bist du schon einmal in einem Traumpalast gewesen?"

„Ja und nein", antwortete sie. „An der Universität haben wir eine ähnliche Einrichtung – die notwendigen Geräte, aber nicht diese pompöse Ausstattung. Das Prinzip ist das gleiche: chemo-elektrische Hirnreizung, ein Verfahren, das dem Psycho-Aufbau verwandt ist. Allerdings werden hier nur Illusionen erzeugt, Träume, wenn du es so nennen willst. Die Universität wendet das Verfahren als Lernhilfe an. Es ist eine gute Methode, wenn man ständig auf dem neuesten Stand der Forschungen in einem bestimmten Bereich bleiben will. Das Thema wird in kurzen Ausarbeitungen zusammengefaßt und direkt in das Gehirn des Lernenden eingespeist. Die Lektüre eines ganzen Jahres kann man so in einer einzigen Nacht aufnehmen."

„Ich kann mir nicht vorstellen, daß die Kunden des Goldenen Traums hier etwas lernen wollen", entgegnete Cassel. „Für Wissensvermittlung würde niemand so viel Geld bezahlen wollen."

„Traumpaläste können auch eine psychiatrische Funktion übernehmen", fuhr sie fort. „Die Kunden können ihre Aggressionen, Ängste und Phantasien in einer gesteuerten Illusion ausleben. Für die breite Masse der Bevölkerung kommt diese Möglichkeit jedoch nicht in Frage. Die Kosten wären viel zu hoch."

„Kannst du dir vorstellen, daß der Goldene Traum eine psychotherapeutische Funktion hat?" fragte Cassel.

„Die Qualität der einzelnen Traumpaläste ist sehr unterschiedlich", erklärte Nari. „Sie stehen in Vergnügungsparks und in Krankenhäusern. Vermutlich gibt es im Goldenen Traum Kunden, die von einem Psychiater betreut werden. Aber ich schätze, die meisten Menschen kommen hierher, weil sie die gleichen Vergnügen suchen, die andere in den Palästen der Vergnügungsparks finden. Hier zahlen sie horrende Summen, damit die Anonymität und Diskretion gewahrt bleiben. Wahrscheinlich sind unter den Kunden auch zahlreiche Traumsüchtige, die jede Beziehung zur Wirklichkeit verloren haben."

Die Vorhänge teilten sich. Istory hielt sie auseinander und lächelte Cassel zu. „Ich möchte mich bei Ihnen für die Verzögerung entschuldigen, Herr Hammille. Wenn Sie mir bitte folgen möchten … Herr Enfor erwartet Sie bereits."

Cassel ergriff Nari bei der Hand und ging mit ihr durch einen holzgetäfelten, mit einem schweren Teppich ausgelegten Korridor. Sie kamen an mehreren Türen auf beiden Seiten des Ganges vorüber, doch Istory steuerte den Eingang an der Stirnwand des Korridors an. Er öffnete die Tür, und Cassel und Nari betraten ein Büro, dessen Einrichtung sich mit der der Halle messen konnte. Echte gedruckte und gebundene Bücher – nicht etwa Bandkassetten – waren in verglasten Wandregalen aufgereiht. Ein süßlicher und zugleich würziger Duft von teurem Tabak drang in Cassels Nasenlöcher.

„Vielen Dank, Herr Istory, wir benötigen Sie nicht mehr." Eine tiefe Stimme zog Cassels Aufmerksamkeit zu dem schweren Polstersessel vor dem kleinen Kaminfeuer.

Er hatte den Mann, der von der Rückenlehne des Sessels halb verdeckt war, noch nie im Leben gesehen. Der Fremde hatte die Hände ineinander gelegt und wartete nun darauf, daß Istory das Zimmer wieder verließ. Als sich die Tür geschlossen hatte, wandte er sich Cassel zu und musterte ihn gelassen vom Kopf bis zu den Fußspitzen. Cassel verspürte einen nervösen Hustenreiz in der Kehle. Der Mann gab keine Anzeichen des Wiedererkennens. Aber wieso sollte er das auch tun? Cassel jedenfalls kannte ihn nicht.

„Throm Hammille!" Enfors Mundwinkel zogen sich zu einem breiten Grinsen auseinander. Er sprang auf und packte Cassel bei den Schultern. „Wie viele Jahre ist das jetzt her? Ich dachte, du würdest dich in diesem Teil des Universums nicht wieder blicken lassen."

Cassel erwiderte das Lächeln. Ihm war äußerst unbehaglich zumute. Offenbar kannte ihn dieser Gore Enfor. Er kramte hastig in seinen Erinnerungen, aber er konnte nichts finden. Er rief nach dem Schattenmann, doch er erhielt keine Antwort. Woher kannte Enfor ihn? Er hatte ihn noch nie im Leben gesehen. Endlich murmelte Cassel. „Ich bin zurückgekommen, um ein paar Geschäfte zu tätigen."

„Etwas, wobei für mich ein Teil abfallen könnte?" Enfor sah ihn aus wissenden Augen an. „Nach unserer letzten kleinen Unternehmung habe ich mir zehn Traumpaläste in fünf Städten leisten können. Alle sind sie so prächtig wie dieser hier. Bei mir verkehren nur die Spitzen der Gesellschaft."

„Ich glaube nicht, daß du dabei mitspielen möchtest", sagte Cassel ins Blaue hinein. Dieser Mann hielt ihn offensichtlich für Throm Hammille, nun, sollte er! Das spielte keine Rolle, solange er ihn nur zu Yerik Belen führte. „Ich habe Ärger!"

„Die Polizei?" fragte Enfor. „Weshalb wirst du gesucht? Nein, sag es mir nicht! Es ist besser, wenn ich es nicht weiß. Sind sie dir dicht auf den Fersen?"

„Sehr dicht!" Cassel beobachtete, wie sich auf der Stirn seines Gegenübers eine besorgte Falte bildete. „Sie sind uns nicht hierher gefolgt. Darauf habe ich geachtet."

„Darüber habe ich mir keine Sorgen gemacht. Schließlich weiß ich, daß du ein ausgeschlafener Junge bist." Cassel wollte etwas sagen, doch Enfor brachte ihn mit einer Handbewegung zum Schweigen. „Die Sache ist nur, daß meine Verbindungen nicht mehr das sind, was sie einmal waren. Ich bin jetzt ein gesetzestreuer Bürger, und auf die schnelle kann ich nicht viel tun. Wie wäre es mit dem Mond? Würde dir das helfen?"

Cassel war sich nicht sicher, was Enfor eigentlich sagen wollte, aber er nickte. „Wieviel?"

Enfor lachte. „Gar nichts, mein Freund! Nach allem, was du für mich getan hast, könnte ich meine Schuld nicht einmal mit hundert Freiflügen zum Mond begleichen. Ich vergesse es nicht, wenn mir jemand das Leben gerettet hat. Was habt ihr heute nacht vor?"

„Wir müssen einen Platz zum Übernachten finden." Cassels Verwirrung wuchs. Er hatte noch nie irgend jemandem das Leben gerettet. Was hatte man auf Tula mit seinem Gehirn angestellt? Wieso kannte dieser Mann ihn?

„Kein Problem", sagte Enfor jetzt, „das heißt, wenn ihr mit einer Traumkabine einverstanden seid."

Cassel schaute zu Nari hinüber, die zustimmend nickte. Er hatte Zweifel, wollte aber das Angebot des Mannes nicht ausschlagen.

„Fein", sagte Enfor. „Wie steht es mit Nahrungsmitteln? Geld?"

„Beides bereitet uns keine Probleme", versicherte Cassel.

„Gut. Ich will euch nicht drängen, aber ich denke, es wäre besser, wenn wir euch nun für die Nacht unterbringen. Ich muß verschiedene Anrufe tätigen und gewisse Vorbereitungen treffen. Das Traumgemach ist am anderen Ende des Korridors."

Ohne noch ein Wort zu verlieren, geleitete Enfor sie durch den Gang und öffnete eine unauffällige Tür. Das sogenannte Traumgemach erinnerte an die Ausstellungshalle eines Museums für zeitgenössische Bildhauerei. Fünfundzwanzig eiförmige Kapseln aus Silberglas schwebten knapp einen Meter über dem Boden, sie wurden von durchsichtigen Säulen gestützt. Auf dem Boden waren Kabel und unterschiedliche Plastikschläuche ausgelegt, an die die Eikapseln angeschlossen waren.

Enfor ging zu einem Schaltbrett an der Wand und legte zwei Hebel um. Zwei Eier teilten sich genau in der Mitte, und man konnte einen gepolsterten Schalensitz in ihrem Inneren sehen. Enfor schaute Nari an und wies mit der Hand auf eine der Kapseln.

„Habt ihr für das Thema eurer Träume einen besonderen Wunsch?" fragte er.

Weder Nari noch Cassel antworteten auf seine Frage.

„Dann würde ich die Erotik vorschlagen." Enfor kicherte glucksend. „Ich habe über meine Sex-Programme noch nie Klagen gehört."

Er führte Nari zu einer Eikapsel und Cassel zu einer anderen. Die beiden stiegen ein und machten es sich in dem weichen Polster bequem.

„Eine angenehme Nacht", wünschte Enfor, während er ihre Haltung in der Kapsel überprüfte. „Und macht euch keine Sorgen. Wenn ihr morgen erwacht, werde ich alles zu eurer Zufriedenheit vorbereitet haben."

Cassel sah Enfor dabei zu, wie dieser wieder zum Schaltbrett ging. Seine Finger legten ein paar kleine Hebel um.

Das silberfarbene Ei schloß sich um Cassel. Statt der erwarteten Dunkelheit umgab ihn ein sanftes, grünes, pulsierendes Leuchten. In der Luft hing süßer Blumenduft. Cassel lächelte. Er wartete darauf, daß er nun allmählich ruhig werden würde, um anschließend voller Zufriedenheit in einen tiefen Schlaf zu versinken. Er blinzelte, dann riß er weit die Augen auf.

Mit einemmal lag er nicht mehr in Enfors Traumkapsel, sondern saß inmitten eines Haufens von weichen Kissen auf einem prachtvollen Diwan. Zwei Frauen hatten sich rechts und links neben ihm niedergelassen. Beide waren schöner als alle Frauen, die er bisher gesehen hatte. Sie waren sehr blond und sehr nackt. Cassels Lächeln verwandelte sich in ein erwartungsvolles Grinsen.

16

- Jonal, du bist unverbesserlich, einfach lasterhaft!

Die beiden willigen Frauen wurden durchsichtig, bald waren sie vom Diwan verschwunden. Cassel verwünschte den Mann, der in einiger Entfernung an einer Wand lehnte, die Hände in den Hosentaschen vergraben.

Du hast die schlechte Angewohnheit, immer dann aufzutauchen, wenn ich dich am wenigsten brauchen kann!

- Sie waren doch nur ein Trugbild. Ein chemoelektrischer Reiz. Hast du das vergessen?

Für mich waren sie real genug! Am ganzen Körper verspürte er noch die sanften Liebkosungen ihrer Fingerspitzen und die warme, feuchte Weichheit ihrer Lippen. Der Mann am anderen Ende des Zimmers kicherte höhnisch.

- Was hältst du vom Mond?

Ich habe noch nicht darüber nachgedacht.

- Aber ich! Und ich habe entschieden, daß er der geeignetste Platz für uns ist.

Ich bin nicht zur Erde gereist, um sie wieder zu verlassen, ohne Belen gefunden zu haben.

- Das weiß ich, aber hier ist der Boden zu heiß geworden. Wenn die Polizei nicht hinter dir her wäre, hättest du bei deiner Suche gewiß mehr Erfolg.

Und die WBF!

- Halte dich an Enfors Vorschlag. Laß dich von ihm zum Mond schaffen, und dort buchst du dann eine Reise irgendwohin.

Ich will aber nicht irgendwohin!

- Du solltest auch gar nicht abreisen. Du wirst dir jemanden schnappen und an deiner Stelle auf die Reise schicken. Gib ihm etwas ein, damit er erst wieder aufwacht, wenn er sich schon im Tachyonraum befindet. Dann kehrst du heimlich zur Erde zurück.

Noch mehr falsche Fährten!

- Natürlich. Du mußt viele von ihnen legen. Je mehr, desto besser. Wenn du damit aufhörst, wirst du bald wieder in der Klemme stecken.

Was wird mit Nari?

- Du hast doch schon eine Entscheidung getroffen. Nun bleib auch dabei!

Jetzt erst fiel Cassel auf, daß der Schattenmann während ihres Gesprächs im Licht gestanden hatte.

- Jetzt wird es aber Zeit, daß du zu deinen Zwillingen zurückkehrst, Jonal. Ich wünsche dir eine angenehme Nacht.

Der Mann begann sich aufzulösen. Cassel beugte sich vor, um das Gesicht besser zu erkennen. Doch bevor er die verschwimmenden

Züge ins Auge fassen konnte, war der Schattenmann verschwunden. Die beiden Frauen waren wieder da. Sekunden später hatte er den Mann im Schatten vollständig vergessen.

Ein sanfter grüner Schein wusch den orientalischen Palast fort. In dem grünen Leuchten konnte Cassel unmittelbar vor seinen Augen Gore Enfors lächelndes Gesicht erkennen. Plötzlich wußte er wieder, wo er war. Er richtete sich auf einen Ellenbogen auf, doch der Arm versagte ihm den Dienst. Cassel sank wieder in die weichen Polster.

„Immer mit der Ruhe, Junge", brummte Enfor. „Es dauert einige Minuten, bis der Körper sich umgestellt hat. Ich mußte das Programm unterbrechen, bevor der Zyklus geschlossen war. Bleib liegen und erhole dich. Ich werde inzwischen die Frau wecken."

„Nein!" Cassels Zunge hatte sich in ein pelziges Lebewesen verwandelt. Es gelang ihm nur mit Mühe, sie unter Kontrolle zu bringen. „Laß sie weiterträumen."

Enfor sah ihn überrascht an. Dann lächelte er verständnisvoll. „Sollen wir sie dir vom Hals schaffen?"

„Nein!" Cassel versuchte, seiner Stimme einen nachdrücklichen Klang zu verleihen, doch seine Stimmbänder waren zu unbiegsamen Stahlstreifen geworden. „Laßt sie schlafen", krächzte er endlich, „ich will, daß sie aus dieser Sache herausgehalten wird. Wenn ich weg bin, könnt ihr sie aufwecken. Die Polizei hat nichts gegen sie in der Hand."

„Geht klar", versicherte Enfor eifrig. „Wie fühlst du dich?"

„Als ob ich vier Nächte durchgezecht hätte."

„Dies wird dir helfen."

Cassel spürte einen schmerzhaften Stich im Unterarm. Er zuckte zusammen. Der Schmerz verging rasch, und er stellte fest, daß die Nebelschleier vor seinen Augen sich zu lichten begannen.

„Ein leichtes Stimulans. Nicht stärker als drei Tassen Kaffee." Enfor war ihm beim Aussteigen aus der Traumkapsel behilflich. „Es tut mir leid, daß ich so zur Eile drängen muß, aber wir müssen in einer Stunde am Raumhafen sein, um unseren Kontaktmann zu treffen. Heute abend kannst du bereits auf dem Mond einen Drink nehmen."

Cassel nickte. Er fühlte sich etwas unsicher auf den Beinen. Vorsichtig machte er den ersten Schritt, dann den zweiten. Er konnte gehen. „Ich denke, ich werde es schon schaffen."

„Gut," Enfor geleitete ihn am Arm aus dem Traumgemach.

An der Tür blieb Cassel stehen und sah sich noch einmal nach dem Ei um, in dem die von Illusionen eingehüllte Nari ruhte. *Es ist besser so.* Fast hätte er Enfor gebeten, Nari aufzuwecken, doch dann unterdrückte er den Wunsch. *Es ist besser so.*

Enfor hatte geduldig auf ihn gewartet. „Wir müssen uns jetzt wirklich beeilen. Es kommt auf jede Minute an. Wenn wir meinen Kontaktmann verpassen, kann ich dich erst in sechsunddreißig Stunden wieder auf ein Schiff bringen."

Gemeinsam gingen sie durch den Korridor und gelangten durch eine der zahlreichen Türen auf die Rückseite des Traumpalastes, wo bereits ein Kuppelwagen auf sie wartete. Sie stiegen ein, und Enfor betätigte die Tastatur des Steuerautomaten. Das Summen der Motoren setzte ein, dann ruckte das E-Mobil an und bog von der Straße in eine Autobahnauffahrt ein.

„Du wirst mit einem Frachter rüberfahren", teilte Enfor Cassel mit, wobei er in eine Jackentasche griff, um eine kleine schwarze Brieftasche herauszuziehen. „Hier sind deine Papiere und eine Kennkarte. Für die Frau habe ich auch einen Satz anfertigen lassen. Wenn sie aufwacht, werde ich ihn ihr geben. Wahrscheinlich ist es am besten, wenn sie sich in der nächsten Zeit noch eine Weile versteckt hält."

Cassel untersuchte den Inhalt der Brieftasche. Dafür, daß Enfor sich gestern über seine schlechten Verbindungen beklagt hatte, hatte er eine bemerkenswerte Arbeit geleistet. Cassel stellte fest, daß sein Name jetzt Boa Palmquist lautete, geboren auf Tevar Fünf, sechsunddreißig Jahre alt, unverheiratet. Außerdem enthielt die Brieftasche einen Nachweis über Palmquists Beschäftigungsverhältnisse während der letzten fünf Jahre.

„Du bist ein Besatzungsmitglied, Schauermann der fünften Klasse", erläuterte Enfor. „Das heißt, du mußt ein paar Kisten verrücken. Der Lademeister ist über alles im Bilde. Er heißt Bansen. Er wird sich um dich kümmern."

Cassel nickte, während er noch einmal die Papiere durchblätterte.

„Wenn das Schiff auf der Station Etel einläuft, wird man dich sofort aufs Krankenzimmer schaffen – Verdacht auf Blinddarmentzündung", fuhr Enfor fort. „Dort wird ein gewisser Gregory Askell mit dir Kontakt aufnehmen. Er wird dir eine neue Identität verschaffen und für dich eine Reise an jeden beliebigen Ort arrangieren."

„Du hast wirklich gute Arbeit geleistet." Cassel schob die Brieftasche in seine Jacke. „Ich danke dir."

„So gut nun auch wieder nicht", wehrte Enfor ab. „Die Papiere würden einer gründlichen Überprüfung nicht standhalten. Wir wollen hoffen, daß sie sich niemand genau ansieht, weil du als Notfall auf dem Mond eintreffen wirst."

„Gibt es sonst Probleme?"

„Eines, aber es ist nicht sehr schwerwiegend. Auf dem Raumhafen ist gerade ein Streik der Schauerleute angesetzt. Ich fürchte, man wird dich als Streikbrecher betrachten."

Cassel lachte. „Ich werde dieses häßliche Geschäft ja nicht lange betreiben."

Vor ihnen tauchte schon die Abfertigungshalle des Raumhafens auf. Das Mobil fuhr an den Eingangstüren vorüber und steuerte den Frachtbereich an.

„Eine Sache noch", sagte Enfor, „keine Waffen."

„Ich bin sauber", versicherte Cassel.

„Darauf haben die Burschen großen Wert gelegt, aber mir gefällt das nicht", knurrte Enfor. „Hier habe ich etwas für dich, das du leicht verbergen kannst." Enfor zog eine kleine Pistole aus seinem Mantel. „Sie bringt nicht viel, aber sie ist sehr handlich, und wenn . . ."

Cassel schüttelte den Kopf. Einmal hatte er eine Waffe in der Hand gehalten, und es waren zwei Männer durch diese Waffe gestorben. Das war genug.

„Vielleicht hast du recht, was diesen Teil der Reise angeht." Enfor ließ die Pistole wieder verschwinden. „Wenn du erst auf dem Mond bist, kann dir Askell alles besorgen, was du brauchst."

Ein E-Mobil huschte an ihnen vorbei und schwenkte unmittelbar vor ihnen in die Fahrspur ein.

„So ein Trottel!" fluchte Enfor. „Steuert im dichtesten Verkehr mit einer Hand!"

Ein zweites Mobil setzte sich neben sie.

„Der Hundesohn vor uns bremst!" Enfors Handballen flog zur Bremstaste.

Zu spät. Ihr E-Mobil krachte in das vorausfahrende Fahrzeug. Cassel flog nach vorn aus dem Sitz. Auch der Wagen neben ihnen machte eine Vollbremsung. Cassel stemmte sich vom Boden hoch. Die Geschehnisse kamen ihm auf eine merkwürdige Weise vertraut vor. – *déjà vu*. Die Tür des Nachbarwagens flog auf. Ein Mann schob einen Gewehrlauf aus der Öffnung und legte auf Cassel an.

„Verdammt!" Enfor warf sich auf den Boden. „Das ist nicht die Polizei!"

Cassel hatte keine Zeit für Erklärungen. Auch er ließ sich fallen. Der Mann mit dem Gewehr drückte ab. Weiße Hitze knisterte durch die Wagenkanzel. Der Strahl strich dicht über die Köpfe der Männer dahin.

Enfors Pistole erwiderte das Feuer. Der Angreifer warf sich aus der Schußlinie, dann schob er den Gewehrlauf wieder durch die Türöffnung. Erneut war das Knistern eines Energiestrahls zu hören.

„Die Tür!" stieß Enfor hervor, während er Schuß um Schuß aus dem Lauf jagte. „Wir müssen hier raus!"

Cassel rollte sich herum. Seine Hand fand die Verriegelung. Die Kanzel hob sich, und die Tür glitt zur Seite. Cassel schob sich auf dem Bauch ins Freie.

Enfor richtete sich auf und wollte ihm folgen. Aus dem Angreiferwagen flammte ein Energiestrahl auf. Enfor wurde durch die Luft gewirbelt, als hätte ihn eine Untergrundbahn gestreift. Die Pistole flog aus seiner Hand und trudelte davon. Der Traumpalastbesitzer prallte schwer auf den Boden. In seiner Brust klaffte ein rußschwarzer Krater.

Cassel brauchte sich den Mann nicht mehr anzusehen. Er wußte, daß Gore Enfor tot war. Die Pistole lag ein paar Schritte entfernt auf der Fahrbahn. Cassel sprang auf und wollte zu ihr hinüberspringen.

„Ein Schritt, und du kannst deinem Freund Gesellschaft leisten!" brüllte eine Stimme in der Nähe. Direkt vor Cassels Füßen riß ein Energiestrahl die Fahrbahndecke auf. „Ich meine es so, wie ich es sage: Ein Schritt, und du bist ein toter Mann!"

Cassel erstarrte. Langsam wandte er sich der Stimme zu. Eine schwarzhaarige junge Frau stand neben dem Mobil, das sich soeben vor Enfors Wagen gesetzt hatte. Sie hielt eine Pistole in der Hand.

„Lenot möchte mit dir sprechen", sagte sie.

17

Hinter der Frau tauchten zwei Männer auf. Sie deutete mit dem Kopf auf Cassel. Die Burschen sprangen auf ihn zu, packten seine Arme und drehten sie auf den Rücken.

„Beeilt euch!" kommandierte die schwarzhaarige Frau. „Wir haben nicht den ganzen Tag Zeit. Die Polizei kann jeden Augenblick auftauchen ... Oder vielleicht gar Mazour!"

Ihre beiden Gefährten rissen Cassel vorwärts und stießen ihn in das offene E-Mobil. Aus dem Innern kamen ihm Hände entgegen, die nach ihm griffen. Wieder andere Hände zerrten Cassels Arme nach hinten. Ein metallisches Klicken, Stahl schnitt in seine Haut. Er versuchte, die Hände auseinanderzuziehen. Es ging nicht. Man hatte ihm Handschellen angelegt. Er wurde unsanft auf einen Sitz gestoßen.

Vier Leute hatten ihn überfallen, die Frau und drei Männer. Alle waren jung. Was haben so junge Leute mit dieser Sache zu tun, dachte Cassel. Sie sehen aus wie Studenten.

„Sieh zu, daß wir von hier fortkommen!" Die junge Frau hatte sich an den Burschen am Steuerpult gewandt. „Wenn wir ihn so leicht aufgespürt haben, dann kann auch Mazour nicht weit sein."

„Wer seid ihr?" fragte Cassel. „Gehört ihr zur Weltbefreiungsfront?"

Das Mädchen nickte, dann befahl es: „Verbindet ihm die Augen!"

Einer der Männer hielt Cassel an der Schulter fest und zog ihn zu sich heran. Ein Stück schwarzes Tuch legte sich über seine Augen, dann richtete man ihn im Sitz wieder auf. Das Mobil schoß davon. Die Beschleunigung preßte Cassel in die Polster.

„Er sieht nicht übel aus", hörte Cassel das Mädchen sagen. „Nachdem, was Lenot über ihn erzählt hat, habe ich einen vom Laster zerfressenen alten Mann erwartet."

Jemand kicherte, dann antwortete eine Männerstimme: „Du darfst dich nicht von seinem Aussehen täuschen lassen. Hast du sein Psychoprofil gesehen? Ich sage dir, das ist ein gerissener Kerl!"

Ich? Wovon redete dieser Bursche?

– Ruhig bleiben, Jonal. Verlaß dich auf deinen Instinkt.

Cassel beachtete die Worte des Schattenmanns nicht. Er hatte sie schon zu oft gehört.

„Ich weiß nicht." Die Stimme der jungen Frau klang unsicher. „Wenn wir nur keinen Fehler gemacht haben. Er war unbewaffnet." Cassel spürte, wie weiche Fingerspitzen über seine Wange tasteten.

„Laß die Finger von ihm, Estelle!" knurrte einer der Männer „Er ist derjenige, den wir schnappen sollten."

„Ich werde einem so hübschen Mann doch nichts zuleide tun", erwiderte Estelle in beleidigtem Tonfall. Sie rückte näher an Cassel heran und flüsterte: „Du hast all die häßlichen Dinge, von denen Lenot uns erzählt hat, nicht wirklich angestellt, oder?"

„Was für Dinge?" fragte Cassel zurück.

Er hörte Kleiderrascheln. Etwas stieß gegen seine Schulter. Das Mädchen bewegte sich, dann plumpste etwas Schweres auf den Sitz neben Cassel.

„Nun reg dich nicht auf, Paul!" zeterte das Mädchen. „Ich habe ihm nicht weh getan."

„Estelle, du bist nur aus einem Grund hier." Cassel hatte die Stimme schon einmal gehört. „Also halt jetzt die Augen offen und kümmere dich um die Umgebung!"

Das Mädchen widersprach nicht, aber Cassel vernahm einen geflüsterten Fluch. Jemand regte sich im Sitz neben ihm.

Das Mobil schwang nach rechts und wurde noch schneller. *Eine Rechtskurve oder ein Spurwechsel?* Cassel versuchte, sich den Kurs einzuprägen. Eigentlich hatte er das gar keinen Sinn, denn er kannte sich im Kansas-C.-Plex ohnehin nicht aus. Das Mobil ruckte nach links. Der schwache Lichtschein, der bislang durch das Tuch gedrungen war, war plötzlich erloschen. Waren sie in einen Tunnel eingefahren? Verdeckten hohe Gebäude die Sonne? Cassel fühlte sich wie ein Narr. Gerade hatte er die Ermordung eines Mannes miterlebt, eines Mannes, der sich offenbar für seinen Freund hielt. Er befand sich in den Händen von vier Entführern. Jugendliche Revolutionäre, die ihn ohne mit der Wimper zu zucken umbringen würden. Und er saß da, gab sich Gedankenspielchen hin und versuchte, sich ihre Reiseroute vorzustellen.

„Estelle, Vic!" brummte eine tiefere Stimme. „Macht euch bereit! Wir sind am Ziel."

Wieder griffen Hände nach Cassels Armen. Das Fahrzeug wurde langsamer, hielt an. Von links war das Zeichen der aufgleitenden Tür zu hören. Cassel wurde geschoben und gestoßen. Er stieß mit dem Kopf am Türrahmen an, wäre fast gestürzt, doch kräftige Hände fingen ihn auf. Kaum war er auf den Beinen, als sich seine Begleiter im Eiltempo in Bewegung setzten und ihn mit sich rissen. Der Klang ihrer Schritte war hohl und hallend, so, als ob sie sich in einem geräumigen leerstehenden Gebäude befänden. Cassel hörte, wie hinter ihm das E-Mobil mit summenden Motoren davonfuhr.

Er bemühte sich verzweifelt, aus dem idiotischen Gebaren seiner Bewacher schlau zu werden. Er zählte seine Schritte und drehte den Kopf in den Nacken, versuchte so, unter der Augenbinde hervorzuspähen, während die WBF-Leute ihn nach rechts und links stießen, jeweils ein paar Schritte liefen, ihn herumdrehten und in eine neue Richtung hasteten.

Endlich wurden ihre Bewegungen langsamer. Cassel atmete in heftigen Stößen, aber er hörte, daß auch seine Bewacher Schwierigkeiten beim Atemholen hatten. Mit einem Ruck blieben die jungen Leute stehen. Vor Cassel war ein Zischen zu hören. Metall rutschte über Metall. Sie nahmen ihm das Augentuch ab. Eine Hand traf ihn zwischen den Schulterblättern und stieß ihn nach vorn.

Cassel stolperte vorwärts, sein rechter Fuß blieb an einem Hindernis hängen, und er verlor das Gleichgewicht. Kopfüber stürzte er in etwas Weiches, das wie ein Haufen säuerlicher Lumpen roch.

„Versuch gar nicht erst, um Hilfe zu rufen", riet ihm eine Männerstimme. „Der Raum ist schalldicht."

Das metallene Gleiten ließ sich wieder vernehmen. Vermutlich eine Schiebetür. Er rollte sich auf den Rücken und drehte den Kopf hin und her. Nicht der geringste Lichtschein drang herein.

„Wo bin ich?" brüllte er.

Seine Worte hallten von den Wänden wider, doch es kam keine Antwort.

Eine Minute, eine Stunde, ein Tag, ein Jahr? Cassel hatte alles Zeitgefühl verloren. Es gab nur diese Finsternis und ein Kratzen (von Ratten?) auf den Wänden.

Dann knirschte etwas. Metall rutschte über Metall, ein ohrenbetäubender Lärm in der Nacht. In der Schwärze öffnete sich ein blendend helles Rechteck. Eine Männergestalt zeichnete sich in der Türöffnung ab, ein zweiter Mann kam ins Bild. Cassel kniff die Lider zusammen, das Licht bereitete ihm Schmerzen.

„Hol ihn raus!" kommandierte einer der Eindringlinge. Eine Stimme, die Cassel noch nicht gehört hatte. „Er sieht nicht eben eindrucksvoll aus, wie er da auf den Futtersäcken liegt."

Futtersäcke? Faules Getreide! Jetzt erkannte Cassel den säuerlichen Gestank. Man hatte ihn in einen Futterspeicher oder ein Getreidesilo gesperrt. Die Entführer waren zwar schnell gefahren, aber Cassel war sich sicher, daß sie nicht weit vom Raumhafen entfernt waren. Vielleicht gehörte das Gebäude sogar zum Hafengelände.

„Er will gar nicht eindrucksvoll aussehen", erwiderte der zweite Mann, während die beiden näher kamen. „Die Anonymität ist das Berufsgeheimnis dieses menschlichen Abschaums. Er legt großen Wert darauf, nicht erkannt zu werden."

Berufsgeheimnis? Menschlicher Abschaum? Ich? Wovon redeten diese Leute?

Der vordere Mann packte Cassel am Hemdkragen und riß ihn auf die Füße. Cassels Augen tränten so stark, daß er die Gesichtszüge seines Gegenübers nicht erkennen konnte. Der Mann stieß ihn durch die Tür.

„Jetzt ist er gut zu identifizieren", höhnte der andere. „Er stinkt wie eine Müllkippe."

Er versetzte Cassel einen Stoß, trat hinter ihn und rammte ihm einen harten Gegenstand in die Rippen. „Beweg dich!"

Cassel ließ sich vom Druck der Pistolenmündung den Weg weisen. Die beiden Männer waren ebenso jung wie die Angreifer am Raumhafen. Sie waren in Schwarz gekleidet, von den blankgewienerten Stiefeln bis hinauf zu den seidenen Halstüchern.

Sie führten ihn durch mehrere leere Räume, die allesamt so aussahen, als ob sie einmal als Vorratslager gedient hätten. Schließlich erreichten sie einen Korridor, der an mehreren ehemaligen Büros vorüberführte. Vor einer grauen Stahltür blieben sie stehen. Ein Mann öffnete die Tür, und der andere schob Cassel in das dahinterliegende Zimmer.

„Da, auf den Stuhl!" Ein junger Mann mit schulterlangem blondem

Haar wartete ab, bis Cassel sich gesetzt hatte, dann wandte er sich an eine Frau, die an der Wand lehnte. „Nimm ihm die Handschellen ab! Hier drin kann er nichts anstellen."

„Hallo, Süßer!" Das Mädchen lächelte, während sie mit einem kleinen Schlüssel in der Hand auf Cassel zuging. Als er Estelle zum letztenmal gesehen hatte, hatte sie eine Pistole in der Hand gehabt.

Der Schlüssel drehte sich, und die Handfesseln fielen ab. Cassel erwiderte das Lächeln und rieb sich die schmerzenden Handgelenke, um den Blutkreislauf wieder in Gang zu bringen. An der Decke flammte ein Licht auf, es war wie ein Scheinwerfer genau auf den Stuhl gerichtet, auf dem Cassel saß. Außerhalb des Lichtkegels konnte er vier Personen ausmachen. Jede von ihnen hatte eine Pistole in der Hand oder schußbereit in einem Halfter stecken.

„Endlich trifft man sich einmal." Aus dem Dunkel der Zimmerecke war eine Stimme zu hören. Ein Junge, der direkt vor Cassel stand, trat zur Seite und blickte dem Näherkommenden entgegen. „Ein paarmal hatte ich schon gefürchtet, wir hätten Sie aus den Augen verloren. Aber am Ende hat sich unsere Umsicht doch ausgezahlt."

Ein Mann mit kurzgeschorenem kohlschwarzem Haar beugte sich so tief zu Cassel herab, daß sich sein Gesicht zentimeterdicht vor dem des Gefangenen befand. Auch er war jung, vielleicht ein oder zwei Jahre älter als die anderen, hatte aber die Fünfundzwanzig noch nicht erreicht. Als er lächelte, wehte ein süßlicher Duft heran, als ob er soeben einen Mundspray benutzt hätte.

„Faham Lenot", stellte er sich vor. Darauf deutete er mit einer Armbewegung auf die Anwesenden. „Und dies ist das Kernstück einer Organisation, die sich Weltbefreiungsfront nennt. Aber das haben Sie sich gewiß schon gedacht, Herr Belen?"

Belen?

„Cassel, Jonal Cassel", erwiderte er. Er war sich nicht sicher, ob er Lenot richtig verstanden hatte. „Ich suche nach einem Mann namens Yerik Belen."

Belen?

Jemand kicherte höhnisch. Cassel schaute sich nach der Person um, aber die Gesichter der Umstehenden waren in dem blendenden Licht nicht zu erkennen.

„Ja ja, wir wissen Bescheid über Jonal Cassel." Lenot richtete sich wieder auf. Er sprach mit ungeduldiger Hast. „Für Ihre schauspielerischen Darbietungen haben wir leider keine Zeit. Wir wissen alles ... alles!"

„Schauspielerei!" Cassel konnte seine Empörung kaum verbergen. Lenot war ein anderer Mensch, aber er redete genauso wie Mazour. „Schauspielerei! Meine Frau ist ermordet worden, mich hat man fast zum Krüppel geschossen, danach hat man noch mehrfach versucht, mich umzubringen. Ich bin ohne Grund verhaftet worden! Ich wurde über den halben Planeten gejagt! Ich wurde beschossen und gekidnappt, und das alles nur, weil ich Yerik Belen finden wollte ..."

Er brach ab. Es würde ihm schlecht bekommen, wenn er seinem Zorn freien Lauf ließ. So konnte er diese Fanatiker nur provozieren. Er ließ sich tiefer in den Stuhl sinken und starrte Lenot finster an.

Das hämische Lächeln war aus dem Gesicht des schwarzhaarigen Mannes verschwunden. Er betrachtete Cassel eine Zeitlang schweigend, musterte jeden Winkel seines Gesichts. Plötzlich wandte er sich abrupt um und trat ein paar Schritte zurück. Cassel hörte eilige Schritte und aufgeregtes Flüstern. Er versuchte, ein paar Worte aufzufangen, aber seine Bemühungen waren vergeblich.

„Herr Cassel, ich glaube, hier hat jemand einen Fehler gemacht." Lenot war zurückgekommen. „Dennoch müssen Sie uns ein paar Fragen beantworten ... Dann – äh – werden wir Ihnen helfen, Yerik Belen zu finden."

Alle Schärfe war aus der Stimme des jungen Mannes gewichen. Er gab sich Mühe, gelassen zu sprechen, trotzdem konnte Cassel in seinen Worten eine Spur von Verunsicherung entdecken. Jonal nickte zum Zeichen, daß er bereit war, mit Lenot zu kooperieren. Er hatte ohnehin keine andere Wahl. Seine Bewacher hielten noch immer Pistolen in den Händen.

Eine endlose Reihe von Fragen prasselte auf Cassel herab. Lenot fragte nach Tula, nach seiner Regierungsform, nach der Zusammensetzung des Höchsten Rates. Er wollte alles wissen, was Cassel je über Zivon erfahren hatte, vieles über Tulas politische Szenerie. Cassel dachte unentwegt daran, daß er nun bald Gewißheit über Yerik Belen haben würde, und beantwortete jede Frage, die ihm gestellt wurde, auch die nach seinen privatesten Erlebnissen.

Als Lenot sich endlich zufriedengab, fühlte Cassel sich wie ein ausgepreßter Schwamm. Der Schwarzhaarige traf sich erneut mit seinen Gefährten zu einer Flüsterkonferenz. Wieder versuchte Cassel aus dem Füßescharren und dem aufgeregten Gemurmel irgendeine Information herauszuschälen, wieder gelang es ihm nicht. Endlich trat Lenot aus der Gruppe. Er sah eher erleichtert als triumphierend aus.

„Herr Cassel", begann er mit zögernder Stimme, „Sie sind ein Opfer des wohl schrecklichsten Anschlags auf die Menschenrechte, den es in der Geschichte gegeben hat. Es handelt sich um ein Verbrechen, das die Einheitsregierung nun seit fünfzig Jahren betreibt, und Sie sind nur eines von ungezählten Opfern. Durch ihr schandbares Vorgehen versucht die Einheitsregierung, das gegenwärtige wirtschaftliche und soziale Klassensystem zu bekräftigen und auszuweiten. Sie, Herr Cassel, geben uns die Mittel an die Hand, die Fundamente der Einheitsregierung zu sprengen und die Weltbevölkerung von der Tyrannei zu befreien."

Was er sagte, empfand Cassel als bedeutungslose Phrasen. Er hörte nicht zu. Lenot konnte ihn zu Belen führen, das war es, worauf es ankam. „Yerik Belen! Sie haben versprochen, mir zu helfen, ihn zu finden."

Lenot schaute mit unsicherem Blick auf ihn herab. „Sehen Sie sich selbst an, Herr Cassel! Sehen Sie sich an! Jonal Cassel und Yerik Belen sind dieselbe Person. *Sie* sind Yerik Belen!"

– Jonal ...

„Nein!" Er wollte sich nicht durch einen albernen Trick hereinlegen lassen. „Ich will zu Yerik Belen!"

- ...suche Yerik Belen!

„Belen, Sie sind ein Narr!" Zwischen Lenots Brauen stand eine Zornesfalte. „Wir haben uns vorgenommen, Sie zu befreien, Sie und Millionen andere, die wie Sie von der Einheitsregierung manipuliert wurden. Jonal Cassel – Yerik Belen, das ist der Schlüssel! Durch Sie können wir den schrecklichen Plan der Einheitsregierung enthüllen: den Versuch, einen jeden Bürger dieser Welt seiner Freiheit zu berauben!"

- Suche Yerik Belen, Jonal. Du mußt ihn finden!

„Ihr verdammter Schlüssel interessiert mich nicht!" Cassel konnte sich nicht mehr beherrschen. „Jemand hat meine Frau umgebracht. Jemand hat mein ganzes Leben zerstört! Ich will die Verantwortlichen finden. Sie sollen für alles bezahlen, was sie getan haben!"

- Suche Yerik Belen!

„Psycho-Aufbau", erklärte Lenot. „Das bedeutet, die Persönlichkeit eines Menschen wird ausgelöscht, und eine andere wird in ihn eingepflanzt, eine, die den Bedürfnissen der Einheitsregierung besser entspricht."

Persönlichkeitsveränderungen, kleinere Erinnerungstilgungen, dafür konnte der Psycho-Aufbau sorgen. Aber die Erschaffung einer neuen Persönlichkeit? Das war einer von Lenots plumpen Tricks, leere Phrasendrescherei!

„Herr Belen, hören Sie mir gut zu, und versuchen Sie zu verstehen", fuhr Lenot fort. „Nach allem, was wir wissen, hat die Sicherheitsabteilung der Einheitsregierung vor fünfzig Jahren ein Experiment gestartet, das sie das Tula-Projekt nannte. Ihr Ziel war es, eine Kolonie für die Rehabilitation widerspenstiger Krimineller zu schaffen, einen Verbrecherplaneten."

Cassel wollte nicht zuhören. Er war nicht Lenots Werkzeug, um die Einheitsregierung zu stürzen. Er war nur ein einsamer Mann, der nach Yerik Belen suchte.

„Hin und wieder wurden Gerüchte über die Vorgänge auf Tula laut", setzte Lenot seinen Bericht fort, „aber die Regierung hatte das Projekt so gut abgeschottet, daß sich niemand Gewißheit verschaffen konnte. Man hat das Unternehmen durch eine Vielzahl von Ämtern und Behörden getarnt. Einige Regierungsstellen erfüllten ihre Pflichten, ohne zu wissen, was sie tatsächlich betrieben. Bis zu der Ermordung Ihrer Frau konnten wir die zentrale Leitung des Projektes nicht enttarnen. Doch als Jonal Cassel entkam, waren Mazour und seine Leute gezwungen, aus ihren Löchern zu kommen ..."

Cassel hörte die Worte, doch sie prallten von ihm ab. Was Lenot behauptete, war zu ungeheuerlich und schlechterdings unmöglich. Keine Regierung konnte eine Unternehmung von diesen Ausmaßen über einen so langen Zeitraum geheimhalten. Er war Jonal Cassel, ein Erdenbürger, der nach Tula ausgewandert war.

Und doch ... der Schattenmann, die Träume ...

- Yerik Belen, Jonal, du mußt Yerik Belen finden!

„... haben wir Agenten in verschiedene Behörden einschleusen können. Diesen ist es gelungen, Mazour aufzuspüren, der sich durch seine wiederholten Anfragen nach einem Passagier des *Tommy John* namens

Doron Tem alias Jonal Cassel verraten hatte." Lenots Redefluß nahm kein Ende. „Von Mazour entdeckten wir eine Verbindung zum Amt für Agrarexport, zur Direktorin Pao Santis und zu Yerik Belen."

Cassel schüttelte den Kopf. „Wofür halten Sie mich? Sie können doch nicht damit rechnen, daß ich Ihnen dies alles abkaufe?"

„Sie müssen mir nicht glauben." Das überlegene Lächeln war auf Lenots Gesicht zurückgekehrt. „Es ist einfach, die Wahrheit zu ignorieren. Das ändert jedoch nichts an der Tatsache, daß Sie Yerik Belen sind. Yerik Belen, dem man mindestens fünfzig Morde zur Last legt. Auf dreißig Planeten hat er als Berufskiller gearbeitet ..."

Wahnsinn! Lenots Worte wurden zu einem Wirbelsturm, der erbarmungslos durch Cassels Schädel dröhnte. Eine Urgewalt, die gegen alle Zellen seines Gehirns hämmerte. Die Gedanken wurden zu dünnen Fasern, die sich unter dem Anprall dehnten und streckten. Seine Lippen öffneten sich zu einem Schrei, doch er brachte nur ein stummes „Nein ... nein ... nein" heraus.

„... vor zehn Jahren wurde Belen gefaßt, des Mordes an Hartael Stinon überführt und zum Tode verurteilt. Dann hat man alle persönlichen Erinnerungen dieses Yerik Belen ausgelöscht und die Person Jonal Cassel geschaffen, einen sklavischen Anhänger der Regierung ..."

Die Fasern wurden dünner, sie konnten nicht weiter nachgeben. Cassel wurde von einer ungeheuren Last niedergedrückt. Er schaukelte auf dem Stuhl vor und zurück, dem Ansturm hilflos preisgegeben.

„... nur die zum Tode Verurteilten wurden für das Tula-Projekt ausgewählt, ihre Leben waren ohnehin verwirkt." Lenots Stimme war gnadenlos. „Ohne daß man ihnen die Wahl gelassen hätte, wurden sie einer vollständigen Persönlichkeitsauslöschung unterworfen, dann wurden sie nach Tula verfrachtet, als hirnlose Roboter, als willenlose Zombies ..."

Die Fasern verwandelten sich in nadelfeine Kristalle. *Yerik Belen? Yerik Belen?*

„... wenn die Einheitsregierung solche Persönlichkeitsverwandlungen an Kriminellen vornimmt, was sollte sie dann daran hindern, politische Oppositionelle der gleichen Behandlung zu unterwerfen? Wir haben keine Beweise, daß sie es nicht bereits getan haben ..."

Belen! In Cassels Gehirn loderte ein verzehrendes Feuer. *Ich bin Jonal Cassel.* Etwas entglitt ihm, etwas, das er nicht definieren und nicht festhalten konnte. *Ich bin Doron Tem.* Das Etwas wand sich und schlüpfte durch die Maschen des Netzes aus vernünftigem Denken, mit dem er es zu fassen suchte. *Ich bin Throm Hammille.*

– Jonal, finde Yerik Belen. Er weiß alle Antworten.

„... die Freiheit des einzelnen, Belen. Mit Ihrer Hilfe wird die WBF alle ..."

Cassel starrte an Lenot vorbei. Außerhalb des Lichtkegels hatte er den Schattenmann entdeckt. Die dunkle Gestalt kam langsam näher.

– Yerik Belen kennt alle Antworten. Habe ich dich jemals belogen, Jonal? Du brauchst nur Yerik Belen zu finden. Das ist alles, was du tun mußt.

Die Fasern aus Kristall vibrierten heftig. Haarfeine Risse sprangen in

138

ihnen auf. *Ich bin Gyasi.* Unter Cassels Füßen erzitterte der Boden. Die Zimmertür explodierte. Cassel stürzte vom Stuhl, rollte hilflos über den Boden. Um ihn herum krachten weitere Explosionen. Er hörte die brüllende Stimme Mazours. *Ich bin Jonal Cassel.* Schreckensschreie gellten in seinen Ohren, Rufe, die seine eigenen Klagelaute übertönten. *Ich bin der Schattenmann.*

– Finde Yerik Belen.

Der Schattenmann trat ins Licht und grinste zu Cassel hinab. Cassel hob den Kopf.

Wir sind ein und derselbe, Jonal. Ich kann nicht sagen, daß mir das immer sehr angenehm gewesen wäre.

Cassel warf den Kopf zur Seite. Lenots Gesicht war unmittelbar vor seinen Augen. Der Mann schrie etwas Unverständliches. Ein hellgrünes Leuchten strich über das Gesicht des Jungen und löschte es aus. Dann war da kein Gesicht mehr, nur noch eine schwarzverkrustete Masse. *Nein!* Cassel erkannte die eigene, lachende Stimme. *Nein!*

Hände packten seine Schultern wie Stahlklammern. Sie rissen ihn hoch, stellten ihn auf die Füße.

„Na, los, Cassel! Bewegen Sie sich!" Mazour schrie ihm ins Gesicht. „Wir müssen von hier verschwinden!"

Cassel krümmte sich zusammen. Er konnte nicht aufhören zu lachen, dabei stand er mitten in der Hölle. Dämonen, die sich als Mazours Gorillas verkleidet hatten, waren im Raum ausgeschwärmt. Jeder hielt eine Pistole in der Hand. Unablässig war das Knistern der Energiestrahlen zu hören. Lenots Gefolgsleute flogen wie Puppen durch die Luft, ihre Körper wurden von den Lichtlanzen hin und her geworfen.

– Ich bin Yerik Belen.

So ist es, Jonal. Der Schattenmann stand direkt neben ihm und legte ihm eine Hand auf die Schulter. Er redete mit Cassels Stimme. *Du bist Yerik Belen. Ich bin Yerik Belen. Wir sind Yerik Belen.*

Jetzt konnte Cassel das Gesicht erkennen. Es war sein eigenes, und es lachte wie das eines Wahnsinnigen.

Haarfeine Risse weiteten sich, neue Sprünge platzten auf.

Im Magen brannte ein Feuer.

Kristallsplitter regneten durch die Luft.

Ein Vulkan brach aus. Glühende Lava ergoß sich in Cassels Unterleib. *Ich bin Yerik Belen.*

Cassels Finger krallten sich in seinen Leib und stießen auf harten Stein. Wo sein Magen gewesen war, klaffte jetzt ein schwarzes Loch. Aus der dunklen Wunde rann kein Blut. *Energiestrahler sind saubere Waffen.* Die Knie wurden weich, und Cassel sank zu Boden. *Der Tod sollte nicht so sauber sein.* Nachdem man die glühende Lava über ihn ausgegossen hatte, spürte er keine Schmerzen mehr.

„Schafft ihn hier raus!" hörte er Mazour schreien. „Er lebt noch!"

„Ailsa", murmelte Cassel. Aber Ailsa war tot. Er nahm alle Kraft zusammen und öffnete die Augen. Naris Gesicht schwebte im Raum, irgendwo zwischen den Köpfen der Männer, die ihn aufhoben. „Nari, ich hätte das nicht tun sollen. Warum mußte ich nur so sein?"

Verdammt! Wie unfair das alles war! Jetzt sah er es ein. Es gab so viele andere Möglichkeiten, Dinge, die er hätte tun können, Wege, die nicht zu seinem Tod geführt hätten.

„Aber dann wären wir beide uns nie begegnet", sagte Naris Bild. Er spürte ihre weichen, todeskalten Fingerspitzen auf der Stirn.

„Nein", erwiderte er mit einem reumütigen Lächeln, „und das wäre der falscheste Weg von allen gewesen."

Er schloß die Augen, und die Dunkelheit erfaßte ihn und zog ihn in ihr Herz hinein.

18

Er schwebte. Aus der Nähe war ein beständiges, beruhigendes Pochen zu hören. Jede Zelle seines Körpers badete in stiller Zufriedenheit.

Bist du da?

Er lauschte. Es kam keine Antwort, da war nur das gleichmäßige Klopfen. Bin ich allein? Der Gedanke verursachte ein schwer zu unterdrückendes Zittern.

Kannst du mich hören?

Er spürte, wie sich seine Lippen zu einem zögernden Lächeln spannten. Er zitterte, aber nicht aus Furcht, sondern aus Glück. Er fühlte sich selbst, seine Person in ihrer Einheitlichkeit, ihrer Ganzheit.

Ich bin.

Er lebte, er existierte. Und er war allein und wußte, daß es so richtig war.

Ich bin.

Die Einsamkeit hatte ihren Schrecken verloren.

Er schwebte abwärts. Das Bewußtsein kehrte zurück. Er bewegte die Arme, Handgelenke, Hände, bog die Finger. Sie gehorchten den geringsten Nervenimpulsen. Er streckte sich und genoß dabei das wohlige Gefühl, das seine Beine von den Hüften bis zu den Zehenspitzen durchströmte.

Doch er sank immer tiefer. Die wohltuende Wärme verging. Starres Metall drückte gegen seinen Rücken. Der gleichmäßige Rhythmus trat in den Hintergrund. Er wurde ersetzt von ......einer Stimme?

Er lauschte, versuchte, den Sprecher zu lokalisieren. Ein undefinierbares Summen drang durch die dichten Nebelschwaden, die ihn umgaben. Das *war* eine Stimme, nein, es waren mehrere Stimmen!

Ich bin, rief er ihnen zu. *Ich bin!*

„Cassel, Cassel", antwortete eine der Stimmen. „Cassel, Cassel!"

„Er kommt zu sich, aber er scheint sich noch dagegen zu wehren."

Nein, ich komme!

„Das kann ich verstehen."

„Versuchen Sie es mit ‚Belen'! Vielleicht reagiert er darauf."

„Belen! Yerik Belen!" drängten die Stimmen jetzt.

Bewußtsein, Erwachen. Jonal Cassel öffnete die Augen und schrie. Es war der erste Schrei eines neugeborenen Kindes, das seine Lungen mit Luft füllt.

Nari war dabei, als man Cassel vom Regenerationsbeschleuniger ins Krankenzimmer schob. Die Ärzte baten sie noch einmal, den Rekonvaleszenten nicht zu überanstrengen, dann verließen sie den Raum. Sie setzte sich neben Cassels Bett, ergriff seine Hand und küßte sie, dabei lächelte sie mit tränenfeuchten Augen.

„Zweimal in fünf Monaten." Cassel erwiderte das Lächeln, er strich mit den Fingern über ihre Lippen. „Dennoch werde ich mich nie daran gewöhnen, daß jemand Stücke aus meinem Körper herausschießt."

Plötzlich warf sie sich über ihn, ihre Arme umklammerten ihn mit verzweifelter Kraft, ihre Lippen bedeckten seinen Mund. Ebenso abrupt zuckte sie wieder zurück. Furcht stand in ihren Augen. „Ich habe mich vergessen! Habe ich dir weh getan?"

Cassel schüttelte den Kopf. „Ich kann mir keine bessere Medizin vorstellen."

Er breitete die Arme aus, und sie kehrte zu ihm zurück. Ihre Berührungen bereiteten ihm einen stillen Genuß. Wie wohltuend war ihre körperliche Nähe! *Ich bin.* Er küßte sie lange und heftig. Gemeinsam bildeten sie ein Ganzes, das größer als die Summe seiner Teile war. *Ich bin.*

„Ich habe gedacht, sie hätten dich umgebracht", flüsterte sie. „Seit sie dich gestern in den Regenerationsbeschleuniger gesteckt haben, habe ich kein Auge mehr zugetan."

„Nur einen Tag lang war ich drin?" Jetzt fiel es ihm leicht, in scherzendem Ton darüber zu reden. „Als ich das letzte Mal in so einem Ding war, mußte ich einen Monat darin bleiben."

Nari richtete sich auf die Ellenbogen auf. Ihr Gesicht – dicht über dem seinen – schien von Liebe zu strahlen. Er fand es unermeßlich schön.

„He?" Plötzlich war ihm der Goldene Traum wieder eingefallen. „Wie kommst du eigentlich hierher?"

„Ich habe dir doch schon gesagt, daß ich nicht so leicht abzuschütteln bin." Wieder standen die koboldhaften Lichter in ihren Augen. „Nachdem Enfor und du gegangen wart, kam dieser Istory vorbei und hat mich aufgeweckt. Anscheinend hatte ihm sein Chef nicht gesagt, daß ich nicht gestört werden sollte."

Cassel konnte sich gut auf Enfor besinnen. Vor langer Zeit – seitdem schienen zwei oder drei Menschenleben vergangen – waren sie Partner in einem groß angelegten Schmuggelgeschäft gewesen. Vor Cassels innerem Auge tauchte das Bild Enfors auf, er sah den Mann auf der Straße vor dem Raumhafen liegen. Keine Freundschaft sollte so enden.

„Als sich mein Zorn gelegt hatte, bin ich in meine Wohnung gefahren", berichtete Nari. „Im Holo habe ich einen Bericht über den Überfall am Raumhafen und Enfors Ermordung gesehen. Da habe ich Pao Santis angerufen."

„Dann hat Mazour zwei und zwei zusammengezählt", fuhr Cassel an

Naris Stelle fort, „und herausgefunden, daß ich mich in den Händen der WBF befand."

„Hmhm", machte Nari und schmiegte sich eng an seine Brust. „Was Mazour mir nicht gesagt hat, war, daß du bei dem Rettungsversuch um Haaresbreite getötet werden würdest."

„Für diese Tatsache möchte ich Ihnen mein aufrichtiges Bedauern aussprechen", sagte eine Frauenstimme in der Nähe. „Aber mit einem Unglücksfall muß man immer rechnen."

Nari drehte sich um. In der Tür stand eine kleine, stämmige Frau mit kurzgeschnittenem dünnem Haar. Hinter ihr betraten Mazour und zwei seiner unvermeidlichen Gorillas das Krankenzimmer. Einer der beiden war Ord. Er grinste Cassel an.

„Aber es sieht so aus, als ob keine bleibenden Schäden entstanden wären." Die Frau musterte Cassel vom Kopf bis zu den Füßen. „Natürlich haben wir Ihnen einige Unannehmlichkeiten verursacht, aber die Ärzte haben mir versichert, Ihr neuer Magen sei zweimal so gut wie der alte."

„Frau Santis?"

„Herr Cassel", erwiderte die Frau. „Oder soll ich Yerik Belen sagen?"

„Cassel", antwortete er. „Ich bin immer noch Jonal Cassel."

„Das kann für Sie nur von Vorteil sein." Cassel bemerkte eine gewisse Skepsis in ihrer Stimme. „Was wissen Sie über Yerik Belen, woran erinnern Sie sich?"

Cassel sah, daß Nari ihn voller Überraschung anstarrte. Offenbar hatte sie die Santis sie bisher über die Belen-Cassel-Doppelexistenz im unklaren gelassen. Warum brachte sie jetzt die Sprache darauf? Cassel drückte Naris Hand. „Ich erinnere mich an alles."

„Das ist nicht schön." Frau Santis massierte ihren Nacken. „Frau Hullen hat uns alles gesagt, was sie weiß. Was ist mit dem Schattenmann?"

„Er ist verschwunden", erwiderte Cassel. „Der Schattenmann war die wieder zum Leben erwachte Persönlichkeit Yerik Belens. Bis Lenot mich mit der Wahrheit konfrontierte, konnte ich mir meinen schizophrenen Zustand nicht erklären. Seit diesem Augenblick gibt es den Schattenmann nicht mehr. Er ist mit Jonal Cassel verschmolzen."

Yerik Belen, der Mann im Schatten, war nie zu seiner vollen Kraft gelangt; das erkannte Cassel jetzt. Darum auch hatte sich der dunkle Gefährte nicht zu erkennen geben können. Deshalb hatte er nicht auf Cassels Fragen antworten können. Es war der Yerik-Belen-Gestalt nur selten gelungen, sich bemerkbar zu machen, sie hatte niemals die Kontrolle über Cassel übernommen.

Frau Santis rieb sich noch immer den Nacken. „Sie verfügen also jetzt über Belens sämtliche Erinnerungen?"

„Ja." Und auch über den Schrecken, die Schuld und die Schande. Cassel würde sie niemals verdrängen können.

Plötzlich fuhr er von seinem Lager hoch. Ein Mann war ins Zimmer getreten und lächelte ihm zu.

„Ragah?"

Ragah Tvar wechselte einen Blick mit Frau Santis. Die Direktorin gebot ihm mit einer Handbewegung zu schweigen und wandte sich an

Cassel: „Bron Cadao, einer unserer Spitzenagenten. Er wurde Ihnen vom Amt zugeteilt, als Sie in der Unabhängigkeitspartei Karriere zu machen begannen."

Cassel benötigte keine weiteren Erklärungen. Ein Steinchen fügte sich zum anderen. Ragah ... Bron Cadao war also für all das verantwortlich, was ihm auf Tula zugestoßen war. Ärgerlich riß er seine Gedanken von Tula los. Es war nicht gut, wenn er die Ereignisse immer wieder Revue passieren ließ. Ragah hatte sich loyal verhalten; Cassel hatte nur nicht gewußt, wem diese Loyalität tatsächlich galt. Eines Tages, vielleicht ... Er gab seinen Gedanken schnell eine andere Richtung. Die Rache würde nichts ungeschehen machen.

„Und Tula?" fragte Frau Santis. „Was wissen Sie über Tula?"

„Das Tula-Projekt?" fragte Cassel zurück. „Ein geheimes Unternehmen der Regierung, wobei man davon ausgeht, daß kriminelle Persönlichkeitsstrukturen ausgemerzt und durch sozial akzeptable Strukturen ersetzt werden können. Die so behandelten Personen werden dann in die Kolonie auf Tula gebracht."

„Nicht zu rehabilitierende Kriminelle", ergänzte Frau Santis, „Personen, deren abweichendes Verhalten sich durch normale Methoden nicht korrigieren läßt. Es handelt sich ausschließlich um zum Tode Verurteilte."

„Yerik Belen?" Nari starrte Cassel an. In ihrem Kopf arbeitete es.

„Ihr Jonal Cassel ist in Wirklichkeit Yerik Belen", sagte die Santis. „Yerik Belen, ein Profikiller, der mindestens fünfzig Menschen in der gesamten bewohnten Galaxis getötet hat."

„Das war ich", warf Cassel ein. *Ich bin.* „Ich bin Jonal Cassel geblieben, dessen Gedächtnis auch die Erinnerungen Yerik Belens enthält."

Naris Blick wich keine Sekunde von ihm. Sie war sehr blaß geworden, aber sie zog sich nicht von Cassel zurück. Vielmehr drückte sie seine Hand nur noch fester.

„Ich bin mir dessen sicher", erklärte er. „Ich habe Yerik Belen gefunden, aber nun ist er fort."

Nari nickte. Ihr Gesichtsausdruck sagte ihm, daß sie ihn verstanden hatte, aber nun mit dem Gehörten erst fertig werden mußte. Sie wandte sich an Frau Santis.

„Sie haben die Persönlichkeit eines Menschen ausgelöscht und ihm eine neue eingepflanzt?" Cassel konnte Ungläubigkeit und Abscheu in ihrer Stimme entdecken.

„Ganz so widerwärtig ist unser Verhalten nicht", versicherte die Direktorin mit einem Kopfschütteln. „Die Verurteilten können sich frei entscheiden, ob sie sich der Umwandlung unterziehen wollen. Statt des sicheren Todes bieten wir ihnen ein neues Leben."

„Unter dem Vorbehalt, daß das Todesurteil doch noch vollstreckt wird, wenn sich die neue Persönlichkeit als unstabil oder bedrohlich für das Tula-Projekt erweist, nicht wahr?" fragte Cassel.

„Ein verständlicher Vorbehalt", entgegnete Frau Santis. „Yerik Belen hat sich, genau wie Tausende anderer Krimineller, die unsere Bedingungen akzeptierten, auf das Tula-Projekt eingelassen, weil er hoffte, daß er den Psycho-Aufbau unterlaufen und unverändert bleiben könnte. In Tulas fünfzigjähriger Geschichte ist das noch keinem Menschen gelungen."

„Mit Ausnahme von Yerik Belen", sagte Nari.

„Wir wissen immer noch nicht genau, wie das geschehen konnte", murmelte Frau Santis. „Mein Psychiaterstab nimmt an, daß der heftige Schock durch den Anschlag in Verbindung mit dem todesähnlichen Zustand im Regenerationsbeschleuniger, der sich über einen unnormal langen Zeitraum erstreckte, die psychologische Prägung geschwächt hat. Irgendwie hat Belen einen Weg gefunden, wieder ins Bewußtsein zu treten."

„Zumindest, einen Fuß in die Tür zu bekommen", sagte Cassel.

„Aber wie kam es zu dem Anschlag?" fragte Nari.

„Ich fürchte, da haben wir einen Fehler gemacht." Frau Santis schlug kurz die Augen nieder. „Wir waren noch nicht bereit, mit dem Tula-Projekt an die Öffentlichkeit zu treten …"

„Und da war es einfacher, einen Menschen umzubringen", versetzte Cassel, „als vor der Zeit das Projekt zu enthüllen. Deswegen mußte meine Frau sterben!"

„Wir sind keine Götter", sagte Frau Santis. „Auch wir machen Fehler." Sie sah ihm jetzt wieder mit festem Blick in die Augen. „Sie haben die Arbeit von fünfzig Jahren in Gefahr gebracht."

„Ailsa?" fragte Cassel, dem plötzlich eingefallen war, daß auch seine Frau über eine programmierte Persönlichkeit verfügt haben mußte. „Wer war sie?"

„Ammar Cil, zweifache Gattenmörderin; außerdem hat sie zwei Kinder getötet", antwortete Frau Santis. „Wir haben Ihrer beider Programmierungen aufeinander abgestimmt. So verfahren wir mit den meisten Paaren, wenn sich die Gelegenheit dazu bietet."

„Das erhöht die Fortpflanzungsbereitschaft und die Bevölkerungszahl der Kolonie, nicht wahr?" Wenigstens in diesem Punkte hatten Ailsa und er sich nicht an das Programm gehalten. Die ironischen Kommentare konnten ihn nicht damit versöhnen, daß man ihm zehn Jahre lang ein wirkliches Leben vorenthalten hatte. Er hatte eine Rolle in einem vorprogrammierten Stück gespielt. So war es doch, oder etwa nicht?

„Was hat es mit den anderen Mordanschlägen gegen Jonal auf sich?" fragte Nari.

„Die hat Herr Cadao arrangiert, nachdem uns klargeworden war, daß Yerik Belen sich wieder regte", erklärte Frau Santis. „Belen war eine schwerwiegende Bedrohung für das Projekt."

„Gerechtigkeit", höhnte Cassel. „Tula steht für die Gerechtigkeit. Hin und wieder muß sie halt ein wenig zurechtgebogen werden."

„Tula bedeutet Zivon", erwiderte Frau Santis, verärgert über Cassels Anschuldigung. „Tula bedeutet die Chance, ein neues Leben zu beginnen. Trotz allem, was die WBF in dem Projekt zu sehen glaubt, steht Tula für eine der wenigen wirklich humanitären Unternehmungen dieses Jahrhunderts. Es ist der erste erfolgreiche Versuch, eine echte Alternative zur Todesstrafe zu finden, den die Menschheit je ersonnen hat. Sie wurden – genau wie alle tulanischen Ansiedler – vor die Wahl zwischen Leben und Tod gestellt. Sie haben sich für das Leben entschieden, gleich unter welchen Bedingungen."

„Und Ailsa, hat sie sich nicht für das Leben entschieden?" fragte Cassel.

„Wir haben keine Garantien gegeben, nur eine zweite Chance", entgegnete die Direktorin. „Es gibt noch unzulängliche Stellen in unserem System. Alle Systeme haben ihre Fehler. Aber Tulas Vorzüge wiegen die Nachteile vielfach auf."

„Warum halten Sie es dann immer noch geheim?" wollte Nari wissen.

„Was auf Tula geschieht, ist so einschneidend und so neu", erklärte Frau Santis, „daß man die Menschheit behutsam darauf vorbereiten muß. Sehen Sie, die Menschen halten die Sterne in ihren Händen, und doch schlachten sie gnadenlos jeden ab, dessen Verhalten gegen die sozialen Normen verstößt. Tötet ihn oder sperrt ihn hinter Gitter! Wir haben die Tierquälerei geächtet, aber Menschen sperren wir ein, ohne ihnen eine Gelegenheit zur Rehabilitation zu geben. Wenn – wie durch ein Wunder – ein Gefangener in der Haft gute Ansätze zeigt, dann lassen wir ihn frei und schicken ihn in die Umgebung zurück, die ihn hat kriminell werden lassen. Der Kreislauf beginnt von neuem. Hin und wieder drängt die Öffentlichkeit auf eine Reform des Strafvollzugs, oder die Todesstrafe wird zeitweise abgeschafft; aber am System ändert sich nichts. Bis man mit dem Tula-Projekt begann, hat man keiner Alternative die Zeit gelassen, sich zu bewähren."

Sie unterbrach sich, warf einen kurzen Blick auf Nari und Cassel und fuhr dann fort: „Auf Tula wollen wir der Menschheit demonstrieren, daß es einen anderen Weg gibt: Wir verwandeln Gesetzesbrecher in nützliche Mitglieder der Gesellschaft. Der Kriminelle bekommt die Gelegenheit, seine Schuld tatsächlich zu begleichen, indem er der Menschheit die Sterne erschließt."

Wieder machte sie eine Pause. Dann sagte sie: „In geringerem Umfang hat Zivon bereits bewiesen, daß eine Rekonditionierung bei weniger kriminellen Straftätern Erfolg hat."

„Zivon?" fragte Cassel.

„Das war die erste Aufgabe unserer Behörde", erklärte die Direktorin. „Geringfügig straffällig Gewordene wurden nach vollzogenem Psycho-Aufbau fernab von ihrer alten Umgebung wieder ins Produktionsleben eingegliedert."

„Anscheinend hat das System einen gewaltigen Aufschwung genommen", kommentierte Nari. „Nun steht Zivon bereits ein ganzer Planet für seine Versuche zur Verfügung."

„Zivon hat sich als Tarnung für das Tula-Projekt angeboten", bestätigte Frau Santis.

„Jeder Planet kann sich eine Armee von Sklaven schaffen, sie zur Kolonisierung ausschicken und dann die Profite einstreichen." Naris Stimme zitterte vor Verachtung.

Frau Santis blieb ungerührt. „Gerade unter diesem Aspekt werden wir das Tula-Projekt der Welt und den anderen bewohnten Planeten verkaufen. Alles ist eine Frage der Wirtschaftlichkeit, ganz einfach.

Strafkolonien haben eine lange Geschichte auf der Erde, aber bei der Besiedlung des Weltraums hat man noch nicht auf sie zurückgegriffen. Wir werden sie wieder einführen. Ich gebe zu, es wird eine Weile dauern, bis Tula allgemein akzeptiert wird, aber am Ende werden wir uns durchsetzen. Tula bietet eine Möglichkeit, kriminelle Elemente abzuschieben, und die Menschheit bekommt sogar noch etwas zurück: dringend benötigte Rohstoffe zum Beispiel. Die Menschen werden auf uns hören. Denn es geht um ihre Portemonnaies."

Cassel empfand seine Lage als die Hölle, trotzdem mußte er den Argumenten der Direktorin eine gewisse Logik zugestehen. Aber das Tula-Projekt hatte einige Schwachstellen, die Frau Santis niemals bemerken würde. Auch Cassel hatte sie erst entdeckt, nachdem der Schattenmann in sein Leben eingedrungen war. „Sie erschaffen keine neuen Menschen, es sind nur halbe Persönlichkeiten."

Frau Santis schaute ihn an. Ihr Blick wurde starr.

„Die Tulaner sind Zombies", erklärte Cassel. Er mußte ihr sein Anliegen unbedingt begreiflich machen. Trotz allem, was ihm zugestoßen war, blieb Tula für ihn bedeutungsvoll. Der Planet konnte einmal zu dem werden, was die Santis und ihre Leute jetzt schon in ihm sahen, und Cassel konnte der Entwicklung die entscheidende Wende geben. „Tula ist nicht friedlich, es ist passiv. In den Herzen seiner Bewohner ist kein wirkliches Leben. Wenn Tula jemals mit einer ernsten Krise konfrontiert werden würde, könnte das einen Zusammenbruch bedeuten. Die Tulaner können nicht selbständig denken, sie sind unfähig, Entscheidungen zu treffen. Sie sind nichts weiter als lebende Automaten, die von Zivon gesteuert werden."

„Sie sind der lebendige Gegenbeweis für Ihre Thesen", erwiderte Frau Santis. „Allem Anschein nach konnten Sie mit einer Krise fertigwerden. Das ist eine Tatsache, die einige meiner Agenten bereuen werden, wenn diese Angelegenheit zum Abschluß gebracht wird."

„Nein!" protestierte Cassel. Auf einmal war ihm alles völlig klar. Würde die Direktorin ihn verstehen? Was wäre, wenn sie es nicht begriff? Er versuchte, nicht an die Folgen zu denken. Verzweiflung erfaßte ihn, und er hatte Mühe, sie zu unterdrücken. „Jonal Cassel wäre niemals mit einer Krise fertiggeworden. Ihm hätte der Überlebensinstinkt des Yerik Belen gefehlt."

Die Santis starrte ihn an. Ihr Gesicht war eine steinerne Maske.

„Yerik Belen war ein Unmensch, eine Verkörperung des Bösen, also ein unvollständiger Mensch. Aber der Jonal Cassel, den Sie erschufen, war ebenso unvollständig. Er war ein Programm, das alles enthielt, was die Gesellschaft am Menschen als gut erachtet. Cassel lebte ohne einen inneren Antrieb, er war ein Befehlsempfänger, weiter nichts."

„Sie haben behauptet, Sie seien immer noch Jonal Cassel." Frau Santis' Miene blieb unverändert. Niemand konnte sagen, was in ihrem Kopf vorging.

„Der bin ich auch, aber es ist ein anderer Cassel als der, den Sie für das Tula-Projekt geschaffen haben." Er suchte nach Worten. Es ging alles zu schnell. Die innere Hast und die Verzweiflung wuchsen ohne erkennbaren Grund. Er brauchte Zeit, um seine Gedanken zu ordnen.

„Ich bin eine Verschmelzung Ihres Psycho-Aufbauprogramms mit Yerik Belen. Die beiden Persönlichkeiten haben sich vermischt, und es ist eine dritte, vollständigere entstanden. In mir gibt es Gut und Böse. Unabhängig vom anderen kann keins von beiden existieren. Ein Individuum muß eine Vorstellung vom Bösen haben, um das Gute erfassen zu können. Eines definiert sich durch das andere. Ein wirklich freier Wille muß die Entscheidung zwischen Gut und Böse treffen können. Ich stand vor dieser Entscheidung: Yerik Belen oder Jonal Cassel. Ich habe mich für Cassel entschieden."

„Unsinn! Philosophische Phrasen, nichts weiter!" Die Erstarrung war aus Frau Santis' Gesicht gewichen. Es zeigte sich keine Spur von Verständnis in ihrer Miene. „Yerik Belens Erinnerungen existieren noch, also existiert auch Yerik Belen noch."

„Ich bin der einzige Versuch, der Ihnen in der fünfzigjährigen Geschichte von Tula gelungen ist. Ich bin nicht einfach ein Psycho-Aufbauprogramm, ich bin kein Zombie. *Ich bin*. Ich bin ein denkender, frei entscheidender Mensch. Wenn ich einen Entschluß fällen will, brauche ich nicht erst einen Computer zu befragen."

„Sie sind auch der einzige Fall einer wiedererwachten Persönlichkeit, den wir jemals hatten", erwiderte Frau Santis. Cassel stellte fest, daß sie keins seiner Worte verstanden hatte. Das alles war für sie ohne Bedeutung. „Ich wünschte, wir hätten die Zeit, Ihren Fall eingehender zu untersuchen. Ich bin sicher, daß meine Psychiater gern eine komplette Analyse erstellen würden. Doch leider haben wir nicht genügend Zeit."

„Wieso?" fragte Cassel. Er sah ein, daß seine Argumentation wirkungslos geblieben war. Verzweifelt suchte er nach einem anderen Weg. „Wieso haben Sie nicht genug Zeit?"

„Das Wiedererscheinen von Yerik Belen ist ein dunkler Fleck auf dem Projekt, den wir nicht stehenlassen dürfen. Gemessen an den fünfzig Jahren unserer Arbeit ist es ein unbedeutender Fehler. Aber auch kleine Fehler können von den Medien zu gewaltigen Dimensionen aufgeblasen werden. Wir erleben gerade eine Wandlung der öffentlichen Meinung: Die Rachegedanken bei der Behandlung von Straftätern treten zurück. Wir dürfen es nicht zulassen, daß die Stimmung wiederum umschlägt. Ich hoffe, daß Sie Verständnis für unsere Einstellung haben."

Cassel begriff, daß sie sich in einer unangenehmen Situation befand. Sie war gar nicht zu ihm gekommen, um ihm zuzuhören. Sein Blick überflog die im Zimmer anwesenden Männer. Mazour, seine beiden Gorillas, und an der Tür stand noch immer Ragah Tvar oder Bron Cadao. Und draußen? Darüber konnte er sich den Kopf zerbrechen, wenn er es bis dorthin schaffte.

„Jonal, was hat sie damit gemeint?" Nari preßte Cassels Finger mit überraschender Kraft zusammen.

„Sie will Jonal Cassel eliminieren lassen", erklärte Cassel, wobei er die Santis düster anstarrte.

„Dich töten?!" Nari fuhr herum.

„Nein, nein, Frau Hullen." Die Direktorin schüttelte den Kopf.

„Natürlich gibt es Leute, die dies für die beste Lösung hielten. Ich sehe jedoch eine andere Möglichkeit."

Cassel stieß einen stummen Seufzer aus. Sie wollte ihn nicht umbringen lassen. Sein Blick wanderte wieder zur Tür. Was hatte die Santis mit ihm vor?

„Übrigens fürchte ich, Frau Hullen", die Stimme der Direktorin war leise geworden, „daß wir auch in bezug auf Ihre Person gewisse Vorkehrungen treffen müssen. Sie stellen für uns eine größere Bedrohung dar als selbst Yerik Belen."

„Eine Bedrohung?" Nari sah Cassel aus großen, verständnislosen Augen an.

„Du weißt zuviel", erklärte Cassel. „Du kannst ihnen alles verderben. Sie können sich keine Sicherheitsrisiken leisten."

„Wir werden diese Sicherheitsrisiken jetzt allein lassen", verkündete Frau Santis, indem sie Mazour mit der Hand ein Zeichen gab. „Und dann schafft sie irgendwohin, wo man sie nicht finden kann."

Mazour reichte der Direktorin eine Aktenmappe. Sie klappte den Deckel auf und blätterte darin. Cassel konnte mit Mühe die Aufschrift auf dem Hefter lesen: Yerik Belen.

„In zehn Tagen startet ein Schiff nach Anizi. Das ist eine neue Kolonie, die Zivon soeben gegründet hat. Wir werden zwei zusätzliche Kolonisten an Bord unterbringen. Es wird kein Honigschlecken für Sie werden. Die ersten Jahre einer neuen Kolonie sind immer hart. Immerhin, Sie werden leben."

„Sie hat nichts getan!" Cassel unterdrückte den Drang, noch einmal zur Tür zu schauen. Er durfte nicht den geringsten Verdacht erregen. In der Überraschung lag sein einziger Vorteil, ein knapper Vorteil. „Wie verträgt sich das mit der freien Entscheidung, von der Sie geredet haben?"

„Frau Hullen zwingt uns leider zu einer Maßnahme, die wir bedauern, die aber in jedem System unvermeidlich ist."

„Was wird aus mir?" Cassel richtete sich im Bett auf.

„Sie bekommen eine neue Persönlichkeit, genau wie Frau Hullen", erwiderte die Direktorin. „Yerik Belen und Jonal Cassel werden durch einen neuen Menschen ersetzt, einen Menschen, wie er in einer neugegründeten Kolonie besonders benötigt wird: durch einen Bauern."

„Und wenn ich nun noch einmal wiedererscheine?" Cassel wartete auf den richtigen Augenblick. Jeder Muskel seines Körpers spannte sich.

„Diesmal wird die Umwandlung vollkommen sein", erklärte die Santis mit fester Stimme. „Ich werde sie persönlich überwachen."

Die Tür. Es gab keine andere Fluchtmöglichkeit aus dem Krankenzimmer.

„Für Sie, Frau Hullen, habe ich eine Persönlichkeit vorbereitet, die stärker auf Ihre jetzige Tätigkeit abgestimmt ist. Sie werden als Zivons leitender Direktor die soziale Entwicklung der neuen Welt überwachen."

„Aber Jonal und ich …", flehte Nari. „Ich bin zu allem bereit, wenn wir nur zusammenbleiben können!"

„Das wäre zwar höchst romantisch, aber nicht sehr praktisch", entgegnete die Direktorin mit einem Kopfschütteln. „Meine Psychologen fürchten, daß eine fortgeführte Beziehung zwischen Ihnen beiden zu einer Wiederentdeckung der Belen-Persönlichkeit führen könnte. Es tut mir leid."

Cassel glitt in einer fließenden Bewegung aus dem Bett. Er ergriff Nari beim Arm und stürzte zur Tür. Bron Cadao reagierte als erster. Der kleine Mann sprang vor und stellte sich ihnen in den Weg.

Cassel grinste genüßlich. Es war genug Belen-Blut in ihm geblieben, daß er einen Augenblick der Rache zu schätzen wußte. Seine Faust schoß nach vorn und bohrte sich in den Unterleib des Agenten. Mit einem Schmerzenslaut krümmte sich Cadao zusammen und nahm die Hände vor den Bauch. Cassel riß das Knie hoch. Cadao torkelte rückwärts durch die Tür in den Korridor hinaus.

„Lauf!" Cassel stieß Nari durch die Tür. „Mach, daß du hier rauskommst!"

Eine Hand krallte sich an seiner Schulter fest. Cassel hatte die Ratschläge des Schattenmanns nicht nötig. In ihm brannte Belens Überlebenstrieb. Er flog herum, gab weich dem Zug der Hand nach. Seine Faust traf Mazour am Kopf, bevor dieser zuschlagen konnte.

Cassel wirbelte um die eigene Achse. Wilde Kampfeslust hatte ihn gepackt. Mazours namenloser Gorilla stürzte auf ihn zu. Cassel konnte den Schlag, der auf seinen Kopf gezielt war, leicht parieren. Er beantwortete ihn mit einem Hieb auf den Kehlkopf des Gegners. Der Mann sank zu Boden, er hielt sich mit beiden Händen die Kehle. Cassel wandte sich wieder Mazour zu, der keinen zweiten Angriff erwartet hatte. So traf ihn Cassels Faust im ungeschützten Gesicht. Jonal hatte das ganze Gewicht seines Körpers hinter den Schlag gelegt. Mazour heulte auf, aus seiner geplatzten Oberlippe floß Blut über Mund und Kinn.

Etwas schlang sich um Cassels Hals. Ein Arm! Wie ein stählernes Band drückte er ihm die Luftröhre zu! Cassel schlug wild um sich, er wand sich, versuchte vergeblich, seinen Gegner zu packen. Er zerrte ihn mit beiden Händen an diesem Arm, doch der rührte sich nicht und verstärkte nur den Druck auf Cassels Kehle.

Vom anderen Ende des Zimmers aus beobachtete Pao Santis Cassels hilflose Bemühungen. Sie nickte wohlwollend, während seine Lungen verzweifelt nach Luft schrien.

Ein schrecklicher Fehler! Er versuchte vergeblich, einen Schrei aus der Kehle zu pressen. *Ich bin euer einziger Erfolg ... euer einziger Erfolg!*

Als Cassel wieder zur Besinnung kam, befand er sich noch in demselben fensterlosen Raum wie zuvor. Nari saß neben dem Bett. Er stöhnte.

„Bist du wieder okay?" Sie sprang vom Stuhl auf und beugte sich über ihn.

„Sie haben mir die Luft abgedreht", sagte er. „Nicht gerade ein angenehmes Erlebnis, aber auch kein tödliches." Er warf einen kurzen Blick auf Nari und schüttelte den Kopf. „Du scheinst nicht mehr Glück zu haben als ich."

„Mazour hatte draußen noch ein paar Männer postiert", erklärte sie. „Ich bin nicht einmal zwei Meter weit gekommen."

Cassel verschloß die Augen vor der Ausweglosigkeit ihrer Lage. Doch er konnte nicht vergessen, was ihnen bevorstand. Sie würden leben, aber ihre Existenz würde keine Bedeutung mehr haben. *Und was das schlimmste ist: Ich muß dieser Santis zustimmen!* Das Tula-Projekt war es wert, gerettet zu werden. Er sagte sich, daß ihm, wäre er an der Stelle dieser Frau, jedes Mittel recht sein würde, um das Projekt zu beschützen. Wenn man die Sache jedoch aus seiner Lage betrachtete, ließ sie viel zu wünschen übrig.

„Jonal", sagte Nari leise. „Bitte nimm mich in deine Arme!"

Er breitete die Arme aus, und sie schlüpfte neben ihn ins Bett. Er zog sie fest an seine Seite.

„Morgen früh", flüsterte sie. „Frau Santis hat gesagt, morgen früh wird man uns abholen. Dann ..."

„... wird es uns nicht mehr geben." Er sprach die Worte aus, die sie nicht herausbringen konnte. Als sie ihre Wange an die seine schmiegte, spürte er eine Spur von Feuchtigkeit. Tränen. Nari weinte stumm.

„Wir hätten einfach auf dem *Tommy John* bleiben sollen", sagte sie. „Das war eine schöne Zeit."

„Auch wenn ich dich da noch nicht geliebt habe?"

„Du hast noch nicht gewußt, daß du mich liebtest."

Ailsa tauchte vor Cassels inneren Augen auf. Selbst jetzt, wo Nari an seiner Seite war, die er von ganzem Herzen liebte, spürte er die Leere, die Ailsa zurückgelassen hatte. Das Wissen, daß sie vier Menschen getötet hatte, und auch die Erkenntnis, daß ihre Liebe aus einem Psychoprogramm entstanden war, änderten nichts an dem Gefühl, das er für sie empfand. Denn diese Jahre, das wußte er, waren für Jonal Cassel Wirklichkeit gewesen. Und er war im wesentlichen der alte Jonal Cassel geblieben.

„Wie ist das gewesen?" fragte Naris ängstliche Stimme. „Erinnerst du dich noch an die Umwandlung?"

„Schmerzlos." Er mußte an Yerik Belens Zorn denken, als das Kindwesen Jonal Cassel im Hirn des Mörders zu wachsen begann. Eine Persönlichkeit, die chemisch und elektrisch genährt wurde, bis sie endlich das gemeinsame Bewußtsein völlig beherrschte. „Es ist ein vollständiges Leben, von der Geburt bis zur Gegenwart. Jede Einzelheit deines Kunstlebens haben sie für dich vorfabriziert. Alle diese künstlichen Erinnerungen sollen den Charakter stützen, den sie ersonnen haben."

„Ich will nicht, daß Nari Hullen ausgelöscht wird", sagte sie. „Aber ich könnte es vielleicht ertragen, wenn ich wüßte, daß wir zusammenbleiben können. Warum haben sie uns das nicht zugestanden? Das ist doch nicht zuviel verlangt. Wenigstens dies eine hätten sie uns lassen können!"

Er hielt sie fest in seinen Armen. Antworten konnte er nicht. Nichts ergab einen Sinn, die Dummheit ist immer sinnlos.

„Wie konnte Yerik Belen überleben?" fragte Nari. „Wenn er es geschafft hat, können wir es vielleicht auch."

„Nur durch seine Starrköpfigkeit", erwiderte Cassel. „Er hat sich durchgekämpft, weil er einen ungeheuren Überlebenstrieb besitzt. Als er feststellte, daß er Cassel nicht endgültig überwinden konnte, ist er mit ihm verschmolzen. Seine Persönlichkeit ist in das Psychoprogramm ‚Cassel' eingeflossen, er hat sich auf das Implantat aufgepflanzt. So wurde er niemals vollständig ausgelöscht, allerdings mußte er sich Cassels Persönlichkeit unterordnen."

„Verschmelzen", wiederholte sie leise. „Verschmelzen."

„Er hat sich einen Platz neben der implantierten Persönlichkeit verschafft", erklärte Cassel.

„Und als er wieder an die Oberfläche trat, wäre Jonal Cassel beinahe gestorben", murmelte Nari. Ihre Stimme klang hoffnungslos. „Einen Moment lang hatte ich geglaubt, es gäbe noch einen Weg für uns, etwas, das wir tun könnten."

Wieder antwortete Cassel nicht. Er hatte die gleichen Gedanken. Auch er suchte nach einer Hoffnung, an die sie sich klammern konnten, doch die gab es nicht. Vielleicht konnte ein Yerik Belen überleben – Jonal Cassel würde das niemals gelingen ... Er hatte einfach nicht genug Zeit gehabt. Noch jetzt lernte er von Belen.

„Vielleicht ... wenn wir etwas hätten ... Etwas, das wir festhalten und an dem wir uns wiedererkennen könnten ..." Ihre Stimme war kaum zu hören. „Ich weiß nicht, wie ich es sagen soll. Etwas, das nur wir kennen ... wie den *Tommy John*. Etwas ..."

„Ich liebe dich", flüsterte er. „Nari Hullen, ich liebe dich."

Er küßte sie und versuchte, mit diesem Kuß alles auszudrücken, was er mit Worten nicht sagen konnte.

„Ich rede dummes Zeug, nicht wahr?" fragte sie, als sie sich wieder voneinander gelöst hatten. „Es würde nicht funktionieren. Denn es gäbe ja keine Nari Hullen mehr. Sie werden sie auslöschen."

„Es ist möglich. Yerik Belen ist es schließlich auch gelungen." Er wollte ihr mit diesen Worten eine Hoffnung vermitteln, die er selbst nicht empfinden konnte.

„Ich liebe dich, Jonal Cassel." Auf ihren Lippen zeigte sich ein wehmütiges Lächeln. „Es ist lieb von dir, daß du es versucht hast."

„Belen hat es geschafft. Er hat überlebt. Sie haben ihn nicht auslöschen können." Er mußte ihr Mut machen. Wenn sie hoffen konnte, würde sie alles leichter ertragen, auch wenn es eine falsche Hoffnung war.

„Pssst!" Sie legte ihm einen Finger auf die Lippen. „Ich möchte keine Lügen von dir hören. Mein ganzes Leben bestand aus Selbsttäuschungen. Du hast dem ein Ende gemacht. Jetzt möchte ich nicht zu den Unwahrheiten zurückkehren."

Sie küßte ihn. Weich und nachgiebig preßten sich ihre Lippen gegen seinen Mund.

„Alles, was ich mir wünsche, sind Jonal Cassel und Nari Hullen." Ihre Lippen streiften über die seinen, während sie sprach. „Ich will mein Leben mit dir verbringen. Verstehst du mich? Alles andere zählt für mich nicht."

Er wußte nur zu gut, was sie sagen wollte, denn er fühlte das gleiche. Jetzt hielt er alle Antworten, nach denen er so eifrig gesucht hatte, in den Händen, und sie bedeuteten ihm nichts. Tula, die Erde, der Schattenmann, Mazour, die WBF, Santis, Yerik Belen – nichts. Nur Nari war ihm wichtig, sie ganz allein.

„Ich kann aber kein ganzes Leben mit dir verbringen", flüsterte sie, „sondern nur diese eine Nacht."

Als er seine Arme um Nari legte, glaubte er, die ganze Welt zu besitzen, und gleichzeitig wußte er, daß er sie morgen für immer verlieren würde.

„Liebe mich, Jonal", sagte sie. „Diese eine Nacht muß für uns ein ganzes Leben ersetzen."

Und so liebten sie sich. Jahre der Liebe wurden zu Minuten zusammengedrängt, ein Leben der stillen Zuneigung und der lodernden Leidenschaft mußte sich mit ein paar Stunden begnügen. Cassel verlor sich ganz in Naris Liebe. Mit Leib und Seele versuchte er den herannahenden Morgen aufzuhalten.

Als Mazour und seine Gorillas ins Zimmer traten, hielten sich die Liebenden noch immer innig umschlungen.

19

Daulo Neith erklomm die oberste Schlafstatt der Drei-Etagen-Koje und streckte sich auf dem Rücken aus. Er sah sich in der Kabine um, unfähig den Widerwillen zu unterdrücken, der sich wie ein lastendes Gewicht auf seinen Magen gelegt hatte.

Die Unterkunft, die Neith auf der *Taubenschwinge* zugewiesen worden war, konnte man beim besten Willen nicht als ‚Kabine' bezeichnen. *Menschenfrachtraum* wäre ein besseres Wort gewesen. Es waren unwürdige Lebensbedingungen, die an Bord des Kolonistenschiffes der Zivon-Entwicklungsgesellschaft herrschten. Dreistöckige Kojen waren zu beiden Seiten der vier mal vier Meter großen Kammer aufgestellt. Am Fußende der Betten befand sich eine kombinierte Klo- und Duschkabine, dies war das einzige Möbelstück im Raum. Rost- und Urinflecken bedeckten den Boden vor der Duschkabine. Als man das Frachtschiff zum Kolonistentransporter umbaute, hatte man sich nicht die Zeit genommen, auf solch unbedeutende Details zu achten. In der Wand, die der Dusche gegenüberlag, befand sich die Kabinentür. Sie war auf Handbetrieb eingerichtet, nicht etwa mit einer automatischen Druckplatte versehen. Ansonsten bestand die Einrichtung des Raumes aus nichts anderem als grau gestrichenen Wänden.

In diesem Verschlag waren sechs Männer für die Dauer der zweimonatigen Reise zusammengesperrt. Als einziger privater Zufluchtsort blieb einem jeden nur die Koje.

Daulo Neith hatte sein ganzes Leben auf dem Land verbracht. Er war es gewöhnt, den weiten Himmel über dem Kopf zu haben und eine frische Brise im Gesicht zu spüren. Nach einem Monat auf der *Taubenschwinge* fühlte er sich wie ein Gefangener in einer Zelle. Er sehnte sich danach, endlich wieder einmal weichen Boden unter den Sohlen zu spüren statt der unnachgiebigen Härte der Schiffsdecks.

Daulo schloß die Augen und versuchte so, seiner aufkeimenden Klaustrophobie Herr zu werden. Auch in der Abgeschiedenheit der Koje konnte er die Gegenwart seiner Kabinengenossen niemals vergessen. Ihr Geruch hing ständig in der Luft. Manchmal glaubte Neith, er müßte ersticken.

Andere Menschen hatten die gleichen Bedingungen länger ertragen müssen. Mit dieser nüchternen Überlegung versuchte Daulo, sich Mut zu machen. Soeben hatten sie die erste Hälfte der Strecke hinter sich gebracht. Einen Monat würde er schon noch durchhalten, das wäre doch gelacht! Er warf sich herum und preßte das Gesicht ins Kissen, um seine Nase vor den Ausdünstungen der Kabinengenossen zu schützen. Es half nichts. Der Geruch hing ebenso in seinem Bett wie in seinem Overall und auf seinem Leib. Selbst unter der Dusche ließ er sich nicht fortwaschen. Die Luftaufbesserer wurden mit dem Gestank der zusammengedrängten Menschenmassen nicht fertig. Es waren einfach zu viele Menschen an Bord.

Neith öffnete die Augen und starrte gegen die graue Wand. An einigen Stellen war die Farbe abgeblättert, und Daulo versuchte, in den unregelmäßigen Flecken Tierköpfe zu erkennen. *Zu viele Menschen!* Er konnte förmlich spüren, wie sie sich um ihn zusammendrängten; der Schiffskörper krümmte sich unter der gewaltigen Last. Die Bordwände wurden nach innen gezogen, bald würden sie Daulo zerquetschen.

Sein Mund war ausgetrocknet, die geschwollene Zunge ein Fremdkörper unter dem ausgedörrten Gaumen. In der Kehle schwelte ein Feuer. Das Herz schlug wie ein Hammer in der Brust, in den Schläfen klopfte es dröhnend. In Daulos Innerem formte sich ein Schrei, drängte durch die Kehle hinauf zu den Lippen. Diese öffneten sich zitternd.

– Ruhig, Daulo, alter Junge! Nun atme einmal tief durch!

Er tat es, pumpte die Lungen auf und ließ die Luft langsam wieder entweichen.

– Noch einmal!

Wieder atmete er tief ein und aus. Tatsächlich gelang es ihm so, die Klaustrophobie für einen Moment zu überwinden.

– Nun denk einmal an Anizi, an das Leben, das dich dort erwartet. An die fruchtbare, jungfräuliche Erde, die nur darauf wartet, von dir gebrochen zu werden.

Die Erde, wiederholte Neith gehorsam. In seinem Kopf blühten Bilder auf, von fettem, schwarzem Ackerboden und von einem Himmel, der sich in einem gewaltigen Bogen über seinem Kopf erhob.

– Ja, dieser Himmel, und dazu ein lindes Lüftchen und ein sanfter Regen am Morgen.

Das waren schöne Bilder. Sie halfen, gegen die Panik anzukämpfen. *Nur noch ein Monat, dann kann ich mich an die Arbeit machen.*

– So ist es, Daulo. Du mußt immer an Anizi denken und an das Leben, das du dort führen wirst.

Es wird wunderschön werden, nicht wahr? Genauso, wie sie es mir versprochen haben?

– Mehr Land, als die ganze Erde zu bieten hat. Und es wartet nur darauf, daß ein Mann kommt, der weiß, wie man einen Acker zu bestellen hat.

Die Gedanken an wogende Kornfelder, an Obstbäume, deren Äste sich unter der Last der Früchte bogen, trösteten Daulo, sie ließen ihn die Enge vergessen. Er lächelte. Es war ein schlichter Traum, aber er war ja auch nur ein einfacher Mann.

Jonal?

– Ja?

Ich danke dir. Ich weiß gar nicht, wie ich diese Reise ohne dich hätte ertragen können.

– Schließlich gehören wir zusammen, das weißt du doch, oder?

Natürlich wußte er es noch. Er erinnerte sich an fast alles, was Jonal ihm über Pao Santis und den Psycho-Aufbau erzählt hatte. Eines Tages würde er sich noch besser daran erinnern, so, als hätte er das alles selbst erlebt. Bis es soweit war, war er Jonal dankbar für dessen Anwesenheit und für die Bilder von Anizi, die er beschwor.

– Es wird noch schlimmer als auf Tula! Diesmal werden wir es nicht schaffen.

Mit Yerik Belen war das eine andere Sache, dachte Daulo. Aber auch Yerik war notwendig, das hatte ihm Jonal gesagt. Warum das so sein sollte, konnte Daulo nicht begreifen, aber Jonal hatte ihm versprochen, daß er es eines Tages verstehen würde, und Jonal vertraute er.

– Wir werden es schon schaffen. Wir müssen so lange mit dem System zusammenarbeiten, bis wir genau wissen, womit wir es zu tun haben. Das war nämlich der Fehler, den du gemacht hast, Yerik: Du hast mich gegen das System getrieben. Das darf uns nicht noch einmal passieren.

Häufig verstand Daulo nicht ganz, worum es in den Gesprächen der beiden ging. Er hatte begriffen, daß Jonal, Yerik und er selbst eines Tages verschmelzen würden, und es würde ein Mensch entstehen, der bedeutender war als jeder einzelne von ihnen. Daulo begriff nicht, wie so etwas angehen konnte, aber die Möglichkeit erregte ihn. Jonal und Yerik wußten soviel mehr als er, und dieses Wissen wollte er besitzen.

– Ein Bauer! Yerik Belen in den Kopf eines Bauern zu sperren! Die Santis und Mazour werden dafür bezahlen!

Daulo verschloß seinen Verstand vor Yeriks Tiraden. Dessen Stimme war schwächer als die Jonals. Es war einfach, Yerik abzuschalten. Jonals Stimme dagegen war manchmal intensiver als Daulos eigene Gedanken. Das erschreckte ihn. Er wollte schließlich nicht ganz und gar verlorengehen, wenn es irgendwann zu dieser großen Verschmelzung kam.

– Das wird nicht geschehen. Wir werden alle drei an der einen Persönlichkeit Anteil haben.

Er glaubte Jonals Worten, aber die Furcht vor dem Ungewissen blieb. Daulo sah sich in der Kabine um, wieder wollten die Wände ihn erdrücken.

– Ein kleiner Spaziergang wird dir guttun, Daulo. Geh in den Entspannungsraum, dort ist es nicht so eng, du hast Platz genug zum Atmen.

Und suche nach Nari?!

– Nach Nari mußt du immer suchen. Eines Tages werden wir sie finden.

Nari, das war ein unvollständiges Bildnis, ein Gefühl von Sehnsucht und Liebe, ein undefinierbares Verlangen nach etwas, an das er sich fast erinnern konnte, das in seinem eigenen Gedächtnis aufbewahrt schien. Es war eine Erinnerung, die die Santis nicht vollständig auslöschen konnte, so hatte es ihm Jonal einmal erklärt. Daulo wollte mehr als nebelhafte Erinnerungsbilder. Er wollte die Schleier zerreißen und endlich das Gesicht sehen, das in seinen Träumen erschien und ihn nach dem Erwachen mit jener Sehnsucht erfüllte.

Ich werde sie finden, dachte er. *Ich selbst, und nicht eine dieser Stimmen in meinem Kopf.*

Die Essensglocke tönte aus den Lautsprechern. Daulo Neith schaute auf. Er hatte völlig vergessen, daß seine Kabine in dieser Woche zur ersten Schicht gehörte. Kopfschüttelnd erhob er sich vom Bildschirmautomaten, an dem er gespielt hatte. Seine Partnerin an der anderen Seite des Geräts sah ihn fragend an, und er zuckte verlegen mit den Schultern. „Essenszeit. Ich muß gehen."

Das Mädchen nickte. Es hatte ihn bereits vergessen, bevor einer der Wartenden den freigewordenen Platz am Spielautomaten eingenommen hatte.

Daulo verließ den Entspannungsraum und schlurfte durch den Korridor zum Speisesaal. Gleichzeitig war die Hälfte der Passagiere unterwegs. Eine tiefe Mutlosigkeit hatte ihn ergriffen, wie jedesmal, wenn er vergeblich nach Nari Ausschau gehalten hatte. Mit jedem gescheiterten Versuch wuchs die Mutlosigkeit.

– Du wirst sie schon finden, Daulo. Es braucht seine Zeit, aber am Ende wirst du sie finden.

Er hatte den Eingang zum Speisesaal erreicht und blieb stehen. Sein Blick erfaßte die langen Menschenschlangen vor den Ausgabeautomaten, die Esser, die sich um die Tische drängten. Daulos Magen rebellierte, plötzlich war die Angst zu ersticken wieder da.

Er warf sich herum und rannte durch den Korridor zurück. Der Strom der Passagiere kam ihm entgegen und drohte, ihn mit sich zu reißen. Daulo erhöhte das Tempo. Zuerst trieb ihn die Angst, dann riß ihn einfach der Rhythmus seiner stampfenden Beine mit sich fort. Köpfe flogen herum. Ungläubige Gesichter schauten ihm nach. Er achtete nicht darauf. Zum erstenmal, seit er die *Taubenschwinge* betreten hatte, fühlte er sich frei. Es war ihm gleich, wohin ihn seine Füße trugen, wahllos bog er von einem Gang in einen anderen ein. Falls er sich tatsächlich im Irrgarten der Korridore verlaufen sollte, würde es immerhin einen gewissen Zeitvertreib bedeuten, den Rückweg zur Kabine zu suchen.

Plötzlich blieb Daulo stehen. Am Ende des Ganges, in den er soeben eingebogen war, befand sich ein Schwebeschacht. Mit unsicheren Schritten näherte er sich dem Schacht. Die Vorschriften verlangten, daß die Kolonisten die ihnen zugewiesenen Decks nicht verließen. *Aber was kann mir schon geschehen?* Er konnte hinaufschweben, sich einmal kurz im anderen Deck umschauen und wieder hinab zu seinem Deck fahren, bevor jemand etwas bemerkt hätte. Daulo holte tief Luft und stieg in den Schacht.

Die Erregung eines Kindes, das etwas Verbotenes tut, pulsierte in Daulos Adern. Er fuhr nicht ein, sondern zwei Decks hinauf, dann stieg er aus dem Schacht. Niemand hielt ihn auf, und so ging er einen Korridor entlang, bog in einen zweiten ein. Zu seiner Enttäuschung sah er überall nur Kabinentüren, die denen auf seinem Deck aufs Haar glichen. Er machte sich auf den Rückweg zu den Schächten. Seine Abenteuerlust war gestillt, nun war es Zeit, zur Kabine zurückzukehren.

Sein Blick fiel auf einen kleinen Richtungsweiser an der Wand. Ein roter Pfeil zeigte in eine Korridormündung hinein. AUSSICHTSKANZEL stand in kleinen Buchstaben über dem Pfeil.

Der Tommy John!

- Erinnerst du dich daran?

Fast, erwiderte er Jonal auf dessen Frage. Nebelhafte Bilder huschten durch Daulos Kopf, unverkennbar und doch vertraut. Er mühte sich, sie zu erfassen, wollte seinen Verstand zum Wiedererkennen zwingen, doch die Bilder entglitten ihm immer wieder.

- Du kannst es nicht zwingen, Daulo. Es braucht seine Zeit, aber irgendwann ist es soweit.

Er nickte, denn er sah ein, daß Jonal recht hatte. Jonals Erinnerungen waren da, er konnte sie spüren. Eines Tages würden sie sich in seine Erinnerungen verwandeln. Er warf noch einen Blick auf das Schild und betrat den Korridor.

Die Tür zum Beobachtungsraum stand offen, und die Lichtspiele des Tachyonraums waren bis in den Gang hinein sichtbar. Das kaleidoskophafte Leuchten sprach direkt zu Daulos Innerstem, es zog ihn magisch an. Vorsichtig spähte er durch die Türöffnung. Der Raum war leer. Er ging hinein und ließ sich auf einem der Sessel nieder. Sein Blick hing wie gebannt an dem runden, gewölbten Fenster. Hinter der Scheibe breitete sich ein faszinierendes Universum aus.

„Ein schöner Anblick, nicht wahr?" Eine leise Frauenstimme hatte die Worte gesprochen.

Daulo fuhr herum, und er sah, wie sich aus dem Schatten der Rückwand eine zarte Frau mit kastanienbraunen Haaren löste. Er erstarrte. Sein Herz klopfte wie rasend.

„Sie gehören nicht auf dieses Deck", stellte sie fest. „Der Overall hat Sie verraten. Wir hier oben tragen alle Grün."

Nari? Er nickte, unfähig, ein Wort zu sagen oder den Blick von der Frau zu lösen. Sie trat näher, die bunten Farben des Tachyonraums spielten auf ihrem Gesicht. Es war Nari!

Ein Strom von Erinnerungen floß durch Daulos Kopf. Bilder stiegen auf und versanken, ohne eine feste Gestalt anzunehmen: Der *Tommy John*, Karas Wohnung, eine Pokerpartie, die Nacht vor der Rekonditionierung ... Er begann zu zittern bei dem Versuch, sich in Wirbel der Gedankenbilder und Assoziationen zurechtzufinden. Tränen schossen ihm in die Augen.

– Genug! Du darfst dich nicht überanstrengen, sonst erleidest du einen Schock.

Jonal hatte die Flut der Erinnerungen abgeschnitten. Daulo atmete schwer. Er erkannte, daß ihn der Gedankensturm um Haaresbreite mit sich gerissen hätte. Gleichzeitig bedauerte er, daß der Strom der Erinnerungen versiegt war. Er wünschte, daß er weiter durch sein Hirn geflossen wäre – so lange, bis er endlich alles verstanden hätte. Vor allem wollte er soviel wie möglich über diese Frau erfahren, über die Frau, die ihm schon so oft in seinen Träumen erschienen war.

– Du weißt genug, Daulo. Wir müssen in kleinen Schritten vorwärtsgehen. Begreifst du das?

Er verstand es. Zum erstenmal war er sich wirklich über seine Lage klargeworden. Mit den Erinnerungen war die Erkenntnis gekommen. Er war Yerik Belen – Jonal Cassel – Daulo Neith. Alle zusammen waren sie ein Ganzes, und Jonal Cassel war ihr Sicherheitsventil. Der Cassel-Teil speiste langsam Informationen in diese neue Persönlichkeit ein. Dabei ging er sehr behutsam vor und wartete ab, bis ein Erinnerungsstück gut eingepaßt war, bevor er ein neues freigab.

– Daulo Neith muß unbedingt erhalten bleiben, das ist für uns alle lebenswichtig. Bei einer zu großen Dosis Yerik Belen oder Jonal Cassel könntest du verlorengehen. Frau Santis und ihre Agenten werden dich auf Schritt und Tritt überwachen. Sie würden es sofort bemerken, wenn es Daulo nicht mehr gäbe.

Daulo hatte verstanden. Er war der jüngste der drei, der am wenigsten stabile. Es bestand die Gefahr, daß er von einer der beiden anderen Persönlichkeiten ausgelöscht würde. Und das konnten sich weder Cassel noch Yerik Belen leisten. Beim geringsten Anzeichen, daß ihre Persönlichkeiten wieder hervortraten, würden die Zivon-Agenten handeln. Außerdem benötigten sie Daulo und seine Fähigkeiten, um auf Anizi überleben zu können.

– Wenn es zur Verschmelzung kommt, werden wir eins sein und nicht drei getrennte Persönlichkeiten in einem Kopf.

„Sie brauchen sich nicht zu fürchten", sagte Nari. Offenbar hatte sie Daulos Reaktion auf den Strom der Erinnerungen für Angst gehalten. „Ich werde Sie bestimmt nicht melden. Ehrlich gesagt freue ich mich, daß mir hier einmal jemand Gesellschaft leistet. Die meisten Passagiere auf meinem Deck interessieren sich nicht für die Aussichtskanzel."

All die Liebe, die einmal Jonal Cassel durchdrungen hatte, gehörte nun Daulo. Er wehrte sich gegen das Verlangen, die Arme auszustrekken und Nari an seine Brust zu ziehen. Er hätte ihr gern gezeigt, daß nichts von ihrer Liebe verlorengegangen war. Sie hatten die Santis und ihre Psychorekonditionierungsmaschinen überlistet. Sie hatten gewonnen. Ein ganzes Leben lag jetzt vor ihnen.

– Du hast gewonnen, Daulo. Sie erkennt dich nicht. Das ist nicht Nari, sondern eins von Frau Santis' Psychoprogrammen. Du mußt Nari dabei helfen, an die Oberfläche zu kommen, dazu habe ich dir genug Informationen gegeben. Ich hoffe nur, daß es uns gelingt, Nari zu befreien.

Es wird uns gelingen! Eine Hoffnung, die er mit Jonal teilte, erfüllte Daulos Brust. *Es wird uns gelingen! Ich weiß es ganz bestimmt.*

„Ich fürchte mich nicht", erwiderte er. „Sie haben mich nur erschreckt. Ich dachte, der Raum wäre leer."

„Entschuldigung." Sie lächelte. Es war das Lächeln Nari Hullens. „Normalerweise habe ich die Kanzel ganz für mich allein. Es ist der einzige Platz an Bord, wo ich von niemandem gestört werde."

„Einen solchen Ort habe auch ich gesucht", erwiderte er. Er dachte verzweifelt darüber nach, wie er zu Nari Hullen durchdringen könnte. Dabei mußte er ständig gegen den Drang, sie in die Arme zu schließen, ankämpfen. „Unten auf dem M-Deck gibt es überhaupt keinen Platz, wo man den Menschenmassen entkommen kann. Sie sind wie Sardinen zusammengedrängt."

Sie nickte verständnisvoll. „Und doch weiß man nie, was in den Köpfen all dieser Menschen vorgeht."

Daulo suchte in seinem Gedächtnis nach einem Schlüssel. „... etwas, woran wir uns festhalten können." Wenn Nari im Innern dieser Fremden noch lebendig war, dann würde er einen Weg finden, sie zu befreien.

„Wie heißen Sie?" frage sie.

„Tommy John", antwortete er hoffnungsvoll.

„Tommy John?" Sie starrte ihn an, aber es hatte nicht funktioniert. Einen Augenblick lang konnte Daulo beobachten, wie die Frau nach etwas suchte, dann senkte sich ihr Blick auf das Namensschild an seinem Overall. „Wenn Sie sich hinter einem falschen Namen verstecken wollen, Herr Daulo Neith, müssen Sie zunächst das Schild von Ihrem Overall entfernen."

Er lachte trotz seiner Enttäuschung. „Naja, man kann es immerhin versuchen, nicht wahr?"

„Ich habe Ihnen doch gesagt, daß ich Sie nicht melden werde." Sie warf einen raschen Blick auf das Chronometer über dem Kanzelfenster. „Aber ich fürchte, Sie können nicht mehr lange hierbleiben. Um diese Zeit kommt immer eine Putzkolonne hierher. Wenn die Leute Sie hier entdecken ..."

Sie sprach den Satz nicht zu Ende. Er wollte noch nicht gehen, nicht jetzt, nachdem er sie endlich gefunden hatte. Aber es wäre ein Unglück, wenn er entdeckt würde. Frau Santis' Agenten würden sofort erfahren, daß er sich mit Nari getroffen hatte. Im Tachyonraum gab es keine Psycho-Aufbaukammern. Man würde zu einer endgültigeren Lösung für das Problem greifen.

„Sie haben vermutlich recht", sagte er. „Es ist sehr schön hier." Er deutete mit der Hand auf das Kanzelfenster. „Mir ist fast, als würde ich mit dem Universum ... *verschmelzen.*"

„Verschmelzen?" Das Gesicht der Frau nahm plötzlich einen geistesabwesenden Ausdruck an. Ihre Augen blickten ins Leere, und ihre Stirn hatte sich in tiefe Falten gelegt. „Verschmelzen ...?"

– Das ist genug für heute. Übertreib es nicht. Du kannst sehen, wie es in ihr arbeitet.

„Wissen Sie, wie Sie zum nächsten Schwebschacht kommen?" fragte sie mit der Miene eines Menschen, der soeben aus einem tiefen Schlaf erwacht ist.

Er schüttelte den Kopf und ließ sich dann von ihr ein paar hastige Anweisungen geben. Wie gern wäre er noch geblieben, um die Risse in ihrem Psychoprogramm behutsam zu erweitern. Aber er durfte sein Glück nicht herausfordern. Wenn man ihn jetzt erwischte, dann war er aller Möglichkeiten beraubt. Er stand auf und ging zur Tür.

„Herr Neith!" rief sie hinter ihm her. „Kommen Sie irgendwann wieder hierher?"

Er drehte sich um und lächelte. „Wenn Sie dann wieder hier sein werden."

„Morgen abend, um sieben. Nachdem die Putzkolonne den Raum verlassen hat."

„Morgen abend", wiederholte er freudig. „Ich werde hier sein."

Als er sich gerade wieder abwenden wollte, rief sie ihm noch etwas zu: „Sameh Dery! Mein Name ist Sameh Dery!"

„Sameh Dery. Morgen um sieben."

Sie lächelte, und er ging endgültig hinaus und ließ sie im Beobachtungsraum zurück.

– Ihr seid beide wahnsinnig! Wenn sie dich schnappen, werden sie uns töten. Unser Überleben ist das einzige, worauf es ankommt.

Wieder einmal verstand Daulo nicht, warum sie diesen Yerik Belen benötigten. Aber er wußte, daß er sich auf Jonals Ratschläge verlassen konnte.

– Er hat recht, Daulo. Du mußt sehr vorsichtig sein. Wenn du einen Fehler machst, könnte es dein letzter gewesen sein.

Ich weiß. Sie werden mich beobachten. Es wird nicht leicht werden. Er kletterte in die Koje und schloß die Augen. *Aber wir können es schaffen!*

– Wenn ihr beide so einfältig seid, daß ihr partout nicht auf die Frau verzichten wollt, dann muß ich euch wohl dabei helfen, denn ich kann ohnehin nichts dagegen unternehmen.

– Du willst deinen Hals retten, hm, Yerik?

– Was denn sonst?

Dann wollen wir zusammenarbeiten, sagte Daulo zu seinen stummen Gefährten. Die Enge der Kabine belastete ihn nicht mehr. Er konnte spüren, wie sich um ihn das Universum ausbreitete. *Wir werden die Nari Hullen, die sich in Sameh Dery versteckt, finden.* – Wir werden es schaffen!

Ich werde die Risse und Sprünge erweitern, bis sie sich wieder erinnert. Er wußte, daß es gelingen würde. Irgendwann würde Nari Hullen zum Leben erwachen. Er fühlte, daß es so war. Er hätte ohne Bedenken sein Leben darauf verwettet.

– Immer im System bleiben! Niemals den Verdacht der Agenten wecken!

Wenn Nari irgendwann wieder ihm gehörte, würden sie sich heimlich davonmachen und eine Welt suchen, die ihnen Schutz bot. Sie hatten noch ihr ganzes Leben vor sich.

– Vielleicht finden wir noch andere Menschen, die wir aufwecken können. Wir können sie in die Wirklichkeit zurückholen.

Jonal hatte recht, dachte Daulo. Wenn er andere erreichen könnte, würde er es tun. Aber *zuerst* war Nari an der Reihe. Er lächelte. *Sameh Dery, morgen abend um sieben.*

SCIENCE FICTION

KOPERNIKUS 1

Arthur C. Clarke, George R. R. Martin, Joan D. Vinge und andere Spitzenautoren sind die Verfasser der Stories dieser SF-Anthologie.
3501 DM 5,80/öS 45,–

KOPERNIKUS 6

Kopernikus ist ein Forum für die besten Autoren der internationalen Science Fiction-Szene.
3575 DM 6,80/öS 55,–

KINDER DES WASSER MANNS
Poul Anderson

Hugo- und Nebula-Preisträger Poul Anderson hat mit dem Band seinen ersten Fantasy-Roman geschrieben und sich einen Wunsch erfüllt.
3516 DM 6,80/öS 55,–

DER GOTT VON TAROT
Piers Anthony

Auf dem Planeten Tarot hat sich eine neue Religion etabliert mit der Besonderheit: Die Existenz ihres Gottes läßt sich beweisen.
3576 DM 6,80/öS 55,–

KOPERNIKUS 2

George R. R. Martin, Ron Goulart, Steven Utley u. a. Autoren präsentieren herausragende SF-Stories.
3514 DM 5,80/öS 45,–

KOPERNIKUS 7

Dieser Band enthält Erzählungen von Spitzenautoren wie George R. R. Martin, Gregory Benford, Jan Watson u.a.
3587 DM 6,80/öS 55,–

DER NEBEL WEICHT
Poul Anderson

Q 500 wird eine Alltäglichkeit, als der Nebel weicht, der die Erde umfangen hielt.
3589 DM 5,80/öS 45,–

DIE VISIONEN VON TAROT
Piers Anthony

Tarot ist ein Planet, auf dem Phantasie und Realität miteinander verschmelzen.
3604 DM 6,80/öS 55,–

Kopernikus 3
Die Geschichten dieser Anthologie sind von Autoren wie Philip K. Dick, Robert Sheckley, Robert Thurston u.a. SF-Autoren.
3523 DM 5,80/öS 45,–

Kopernikus 4
Robert Silverberg, Bob Buckley, Stephan Robinett stellen sich mit herausragenden SF-Erzählungen vor.
3539 DM 5,80/öS 45,–

Kopernikus 5
Roger Zelazny, Joe Haldeman, Georg R. R. Martin und andere SF-Autoren sind die Verfasser.
3563 DM 6,80/öS 55,–

KOPERNIKUS 8

Neben einer mit dem „Hugo-Award" preisgekrönten Novelle von Philip José Farmer sind in dieser 8. Ausgabe Stories von Vonda N. McIntyre u.a. zu finden.
3599 DM 5,80/öS 45,–

SIR ROGERS HIMMLISCHER KREUZZUG
Poul Anderson

Die Story: Die Konfrontation eines Ritters mit den Sternen.
3566 DM 5,80/öS 45,–
Des Erdenmannes schwere Bürde

Anderson und Dickson mit ihren Abenteuern der Hokas.
3530 DM 6,80/öS 55,–

DIE HÖLLE VON TAROT
Piers Anthony

Mönch Bruder Paul sieht sich mit der schrecklichsten Tarot-Schöpfung konfrontiert: der Hölle.
3616 DM 6,80/öS 55,–